新版 歴史の終わり 上

THE END OF HISTORY AND THE LAST MAN

スタンフォード大学シニアフェロー
フランシス・フクヤマ

上智大学名誉教授
渡部昇一 訳・解説

東京大学名誉教授
佐々木毅 新版解説

三笠書房

THE END OF HISTORY
AND THE LAST MAN

by Francis Fukuyama

新版 歴史の終わり【上】

もくじ

第一部

なぜいま一つの歴史が終わりを告げるのか
——世界史における歴史的「大転換」とその内部構造

第二部

幻想のうちに崩壊した「自由の王国」

——ヘーゲルの予言はなぜマルクスよりも正確だったのか

6 民主主義の弱点・権威主義の美点 183

第三部 歴史を前進させるエネルギー
――「承認」を求める闘争と「優越願望」

新版 歴史の終わり【下】

もくじ

本文ＤＴＰ／株式会社Ｓｕｎ Ｆｕｅｒｚａ
翻訳協力／バベルトランスメディアセンター株式会社

はじめに

歴史の終点に立つ「最後の人間」の未来

本書を執筆することになった出発点は、一九八九年の夏に『ナショナル・インタレスト』誌に掲載した「歴史の終わり」(“*The End of History?*”)という題の論文である。[1] そのなかで、一つの統治システムとしてのリベラルな民主主義の正統性をめぐって、注目すべきコンセンサスが過去数年にわたって世界じゅうにあらわれていると述べた。リベラルな民主主義が、伝統的な君主制、ファシズム、そして近年の共産主義のような敵対するイデオロギーを征服したからだ。しかしそれ以上に、リベラルな民主主義が「人類のイデオロギーの進化の終点」と「人類の統治の最終形態」であるかもしれないし、またリベラルな民主主義そのものが「歴史の終わり」であるかもしれないと主張した。それ以前のさまざまな統治形態は、最終的には崩壊にいたる重大な欠陥と不合理性があった一方で、リベラルな民主主義は、そのような基本的な内部の矛盾がおそらくなかったからだ。

これは、アメリカ、フランス、スイスなどの、現在の安定した民主主義国家が不正や深刻な社会問題を抱えていないという主張ではない。しかし、これらの問題は、現代の民主主義の基盤となる自由と平等の「双子の原理」そのものの欠陥というよりも、その原理が完全に実行できていなかったために生じた問題だった。いまだに安定したリベラルな民主主義を達成できない国もあれば、神権政治や軍事独裁制のような、より原始的な体制に回帰してしまう国もあるだろう。しかし、リベラルな民主主義の理念は、これ以上改善の余地がないほど申し分のないものなのである。

論文「歴史の終わり」は、最初にアメリカで非常に多くの論評と論争を巻き起こし、その後、イギリス、フランス、イタリア、旧ソ連、ブラジル、南アフリカ、日本、韓国へと、次々と反響が広がっていった。考え得るありとあらゆる形での論評がなされたが、なかには私の本来の意図に対する単純な誤解にもとづくものもあれば、私の議論の核心をもっと鋭く探るものもあった[2]。私が「歴史」という言葉を使ったことに、多くの人がまず混乱した。彼らは歴史を従来の意味での「出来事」として解釈し、「歴史は続いていた」と主張し、その証拠としてベルリンの壁の崩壊、天安門広場での中国共産党の弾圧、イラクのクウェート侵略などを挙げ、よって私の主張は事実関係そのものによって、間違っているとした。

しかし、私が「終わり」と述べたのは、大規模で深刻な事件もふくめたさまざまな出来事についてではなく、別の意味での「歴史」が終わりを迎えたと述べたのである。つまり、あらゆる時代の人類すべての経験を考えたときに、唯一の、一貫した進化のプロセスとして解釈した「歴史」について述べたのだ。この「歴史」の解釈は、ドイツの哲学者G・W・F・ヘーゲルともっとも密接に結びついている。そして、ヘーゲルからこの「歴史」の概念を借りたカール・マルクスによって、この言葉はわれわれの日常の知的常識の一部となってきた。われわれがさまざまな人間社会の形態について語るときに「原始的」、「進歩的」、「伝統的」、「近代的」などの言葉を使用するが、これらにはこの概念が暗黙的にふくまれている。

この二人の思想家の見方では、人間社会は、奴隷制と自給自足農業にもとづいた単純な部族社会から、さまざまな神権制、君主制、封建的な貴族制を経て、現代のリベラルな民主主義やテクノロジー主導の資本主義まで一貫した発展を続けてきた。この進化の過程は、たとえ直線的に進まなかったとしても、また、歴史的な「進歩」の結果として人間がより大きな幸福や繁栄を手に入れたかが疑問であったとしても、場当たり的に発生したものでもなければ、理解できないものでもなかったのである。

ヘーゲルもマルクスも、人間社会の進化はいつまでも続くものではなく、人類がそのもっとも深く、もっとも根本的な希望を満たす社会の形態を達成したときに、進化は終わるだろうと信じていた。そのため、思想家であった彼らはともに「歴史の終わり」が訪れることを主張した。ヘーゲルにとってのそれは自由主義国家であり、マルクスにとっては共産主義社会だった。「歴史の終わり」とは、人が生まれ、生き、やがて死んでいくという自然なサイクルがなくなるということでも、重大な事件が起こらなくなり、それを伝える新聞が発行されなくなるという意味でもない。むしろ、本質的に重大な問題はすべて解決されてしまっているために、それ以降、根本的な原理や制度の進展がなくなるということなのだ。

歴史が大きく方向転換した二十世紀最後の四半世紀

本書は、私のもとの論文を焼き直したものではなく、その論文に対する多くの批評や解説について論じていこうとするものでもない。とりわけ、冷戦の終結をはじめとする、現代の政治における差し迫った問題について解説しようとするものではない。本書は最近の世界情勢にふれつつも、その主題はじつに古くからの問いに立ち返っている。その問いとは、二十世紀が終わりを迎えるにあたって、人類の大半をやがてリベラルな民主主義に導く一貫した方向性のある「人類の歴史」についてふたたび議論することは意味のあることなのだろうか、ということだ。

私が出した答えはイエスであり、それには理由が二つある。一つは経済に関係し、もう一つは「承認を求める闘争」と呼ばれるものに関係する。

歴史が方向性をもって進んでいるという議論が正当だと主張するために、ヘーゲルやマルクス、そして彼らの現在の弟子たちの権威に訴えるだけではもちろん不十分だ。彼らが著作を出版してから一世紀半にわたって、彼らの知的遺産はあらゆる方向から容赦なく批判されてきた。二十世紀のもっとも優れた思想家たちは、歴史が一貫した理解可能なプロセスであるという思想そのものを攻撃している。実際、彼らは人間の生活のあらゆる側面は哲学的に理解できるという可能性を否定したのだ。

西洋世界のわれわれは、民主的なあらゆる制度が全体的に進歩する可能性に対し、まったく悲観視するようになった。この深刻な悲観論は偶然起こったものではなく、二十世紀前半のじつに恐ろしい数々の政治的な事件から生まれた。二度の破壊的な世界大戦、全体主義的なイデオロギーの台頭、核兵器や環境破壊という形での人間に対する科学の反逆などだ。ヒトラー主義とスターリニズムを生き延びた者たちにはじまりポル・ポトの犠牲者たちにいたるまで、過去一世紀の政治的暴力を体験した犠牲者たちは、歴史的に進歩があったなどといえば否定するだろう。実際、われわれは、公正でリベラルな民主的政治慣行の健全性や安全性に関して、この先にはあまりよいニュースはないだろうと思うことに慣らされてしまっているため、よい知らせがあってもそれを認識できなくなってしまっている。

それでも、よいニュースは到来している。二十世紀の最後の四半期のもっとも顕著な発展は、軍事独裁の右翼や共産主義・全体主義の左翼といった世界の一見強固な独裁体制の中核にある、途方もなく大きな欠陥が露呈したことだ。

ラテンアメリカから東欧、旧ソ連から中東、アジアにいたるまで、そういった強力な政治体制は過去二十年にわたって崩壊してきている。そのすべてが安定したリベラルな民主主義に道を譲ったわけではないものの、世界じゅうのさまざまな宗教や文化にまたいで、リベラルな民主主義は唯一、一貫して政治的に望まれるものであり続けている。

さらに、「自由市場」という自由主義の経済原理が広がり、先進工業国と、第二次世界大戦の終結時には貧しい第三世界の一部だった国々との両方で、かつてないレベルの物質的繁栄を生み出すことに成功した。経済的思想における自由主義革命は、世界の政治的自由への動きに先駆けて起こることもあれば、のちに続いて起こることもある。

これらのすべての展開は、左翼、右翼の全体主義体制が勢いを増していた二十世紀前半の恐ろしい歴史とはきわめて対照的であり、これらを結びつける何らかの糸がその根底に存在するのか、それとも幸運が偶然訪れたにすぎないのか、という問題を再検討する必要があることを示している。「人類の普遍的歴史」というようなものが存在するのかという問題をいま一度提起することにより、十九世紀初頭にはじまったものの、のちに人類が非道な出来事を体験してきたためにいまではほぼ放棄されてしまった議論をふたたびはじめたい。かつてこの問題に取り組んだカントやヘーゲルのような哲学者の思想を参考にはしつつも、本書の議論が彼ら自身の考えをゆがめていないものであるよう望んでいる。

科学技術の限界と幻想の「約束の地」

本書では、「普遍的な歴史」というものの概略を示すため、一つではなく、二つの面から力を尽くしたつもりだ。第一部で「普遍的な歴史」の可能性をあらためて提起する必要がある理由を述べた後、第二部では歴史の方向性と一貫性を説明するための調整役またはメカニズムとして近代自然科学を用い、暫定的な答えを提示した。近代自然科学は出発点の一つとして有効だ。なぜなら、自然科学は人間の幸福に最終的にどのような影響を及ぼすのかはっきりわからなくても、広く認められているように、累積的かつ方向性をもった唯一の重要な社会活動であるためだ。十六世紀および十七世紀の科学的研究法の発展によって、われわれは自然を徐々に征服できるようになり、人間によってではなく、自然やその法則によって定められた特定の明確な規則にしたがって、その征服が進められてきた。

近代自然科学の発展は、それを体験したすべての社会に画一的な効果をもたらしたが、それには理由が二つある。第一に、科学技術はそれを保有する国々に決定的な軍事的優位性を与えた。国際的な国家システムにおいて戦争の可能性が相変わらずひそんでいることを考えると、自国の独立を重視する国家はどこも、防衛の近代化の必要性を無視できない。

第二に、近代自然科学は、経済生産の可能性に画一的な展望を確立した。科学技術は富の無限の蓄積を可能にし、とどまるところを知らない人類のさまざまな欲求を満足させるようになった。このプロセスは、歴史的起源や文化的遺産に関係なく、あらゆる人間社会の均質化を進めていくことを保証するものだ。

経済の近代化をはかるすべての国は、しだいに互いに似通ったものになっていく。中央集権国家のようなものを基盤として国全体を統一し、都市化を推進し、部族、宗派、家族などの伝統的な社会組織形態を、機能と効率にもとづく経済的に合理的なものに置き換え、国民に普通教育を提供しなければならないからだ。そうした社会は、グローバル市場と普遍的な消費者文化の普及により、ますます相互に密接な関係を築くようになっていく。

さらに、近代自然科学の論理は、資本主義がめざす普遍的な進化を指し示すように思える。旧ソ連、中国をはじめとする社会主義の国々の経験が暗示しているように、高度に中央集権化された経済は、一九五〇年代のヨーロッパに代表されるような工業化のレベルに到達するのには十分であるが、情報とテクノロジーの革新がはるかに大きな役割を担う、複雑な「脱工業化」経済と呼ばれるものを創り出すにはまったくお粗末すぎたのである。

しかし、近代自然科学に代表される歴史のメカニズムは、現代社会の歴史的変化の特徴や画一性の広まりについて説明するには十分ではあっても、民主主義の現象を説明するには不十分だ。世界でもっとも進んだ国々は、民主主義がもっとも開花している国々でもあることは疑いの余地がない。しかし、近代自然科学はわれわれをリベラルな民主主義という「約束の地」の入り口までは導いてくれても、肝心の「約束の地」そのものへ招き入れてはくれない。それは、工業化が進むとなぜ政治的自由も生み出されるのかについて、経済的には必然的な理由が何ひとつないからだ。

安定した民主主義は、一七七六年のアメリカ（アメリカ独立）がそうであったように、工業化以前の社会にあらわれることもあった。一方、明治時代の日本やビスマルク時代のドイツから、現在のシンガポールやタイにいたるまで、政治的権威主義体制と共存する技術的に進歩した資本主義の例も、過去から現在まで数多く存在する。そして権威主義国家は、民主社会ではとても達成できない経済成長率を生み出すことができるのだ。したがって、方向性のある歴史が存在する根拠を確立しようとする最初の試みは、部分的にしか成功していないといえる。

世界を動かしてきた人間の「気概」

われわれが「近代自然科学の論理」と呼んでいるものは、実際には歴史的変化の経済的解釈だが、最終的な結果として（マルクス主義亜流とは異なり）社会主義ではなく資本主義につながっていく。近代自然科学の論理はわれわれの世界について、じつに多くのことを説明してくれる。民主主義が進んだ国の住人が、土地を耕して生計を立てる農民ではなくオフィスワーカーである理由、われわれが部族や氏族ではなく労働組合や専門職組織のメンバーである理由、司祭ではなく官僚機構の高官の権威にしたがう理由、読み書きができて共通の言語を話す理由といったことだ。

しかし、歴史の経済的解釈は不完全で、すべてに満足のいくものではない。なぜなら、人間はたんに経済活動だけをおこなう動物ではないからだ。とくに、そのような解釈では、なぜわれわれが民主主義者であるのか、つまり、なぜ法の支配下での人民主権の原理と基本的諸権利の保障を支持するのかを実際に説明することはできない。このため、本書は第三部で、もう一つ並行して起こる歴史的プロセスをあらためて説明する。これは人間の経済活動の面だけではなく、人類の全体像をふたたびとらえようとする説明だ。これをおこなうために、ヘーゲルと、彼の「承認を求める闘争」にもとづく非唯物論的な「歴史」観に立ち返ってみたい。

ヘーゲルによれば、動物と同様に人間は、食べ物、飲み物、避難する場所、そして何よりも自分の身体の保存という、外部に対する自然なニーズや欲求をもつ。しかし、人間は動物と根本的に異なり、さらにそれに加えて他の人間の欲求の対象となりたい、つまり「承認されたい」という欲求がある。とくに、一人の人間として、つまり何らかの価値や尊厳をもった存在として認められたいのである。この価値は第一に、純粋な威信を求める戦いに、進んで命を賭ける意欲に関係している。より高い、抽象的な原理と目標のために、もっとも基本的な動物の本能を——なかでも自己保存本能を——克服できるのは人間だけなのだ。

ヘーゲルによると、承認への欲求により、原始時代から戦士たちは命がけで危険な戦いをし、人間らしさを相手に「承認」させようと駆り立てられる。死に対する本能的な恐怖により一方の戦士が降伏すると、そこに主君と奴隷の関係が生まれる。歴史のはじまりにおけるこの血なまぐさい戦いの報酬は、食べ物でも避難する場所でも安全でもなく、純粋に威信なのだ。そして、まさにそのような戦いの目的は生物学によって決められるものではないため、ヘーゲルはそこに人間の自由の最初のかすかなきざしを見出したのだ。

承認への欲求というと、最初はなじみのない概念に思えるかもしれないが、それは西洋の政治哲学の伝統と同じほど古く、人間の個性のなかのじつになじみ深い一面を構成している。この概念はプラトンの著作『国家』のなかではじめて記されている。プラトンは、魂には欲望、理性、そして彼がテューモス（*thymos*）と呼ぶ、「気概」の三つの部分があると述べた。

人間の行動の多くは最初の二つの部分、欲望と理性の組み合わせとして説明できる。欲望は人間に自分より外にあるものを求めさせ、理性または計算は、それを得るための最善の方法を示す。しかし、それに加えて人間は、自分自身や自分が属する集団、自分が価値をおくものごとや原理の価値を承認させることを求める。自分自身に何らかの価値をおき、その価値に対する承認を求める気質は、現代の一般的な言葉では「自尊心」と呼べるだろう。

自尊心を感じる気質は、魂の「気概」から生じるものである。それは人間に本来そなわった正義感のようなものだ。人間は、自分に何らかの価値があると信じ、他の人間にそれよりも価値が低いような扱いを受けると、怒りの感情を体験する。反対に、自分自身の価値観に応えられない場合はそれを恥であると感じ、価値に見合った正しい評価をされると誇りを感じる。承認への欲求、それにともなう怒り、恥、誇りの感情は、政治の世界に不可欠な人間の個性の一部である。ヘーゲルによると、これが歴史的プロセス全体を推し進めるものなのである。

ヘーゲルの説明によると、尊厳ある一人の人間として認められたいという願望が、歴史のはじまりにあった人間を、威信を求めて命を賭けた血なまぐさい戦いへと駆り立てた。その戦いの結果、人間社会は、命を危険にさらすことをいとわない主君の階級と、死に対する本能的な恐怖心に屈した奴隷の階級に二分された。

しかしこの主従関係は、多種多様な形の不平等な貴族社会を形成し、人類の歴史の大部分を特徴づけるものとなったが、結局のところ、主君も奴隷もその承認欲求を満たすことはできなかった。奴隷はもちろん、いかなる形であれ人間として一切認められていなかった。しかし、主君の側も承認欲求が十分に満たされることはなかった。なぜなら、ほかの主君たちに承認されてはおらず、自分を承認してくれる奴隷たちは人間として不完全な存在であったからだ。貴族社会における欠陥のある承認に対する不満は、「矛盾」を創り出し、歴史のさらなる発展段階を生み出した。

ヘーゲルは、主君と奴隷との関係に内在するこの「矛盾」が、フランス革命によって、そしてつけ加えるならアメリカ独立革命によっても、ついに克服されたのだと考えた。これらの民主主義革命を通じて、かつての奴隷はみずからを主君にし、国民主権と法の支配の原理を確立することにより、主君と奴隷の区別を廃止したのである。主君と奴隷の本質的に不平等な承認は、普遍的で相互的な承認にとって代わられた。そこではすべての市民が互いに尊厳と人間性を承認しあい、そしてその尊厳がさまざまな権利の付与を通じて国家からも認められるようになるのだ。

アングロ－サクソン的「思考行動」の限界

当時のリベラルな民主主義の意味に関するこのヘーゲルの解釈は、イギリスやアメリカなどの国々における自由主義の理論的基礎であったアングロ－サクソンの理解とは大きく異なる。アングロ－サクソンの伝統では、承認に対する誇り高い探求は、啓発された利己心（理性と結びついた欲望）と、とくに身体の自己保存の欲求に従属するものであった。ホッブズ、ロック、ジェファーソンやマジソンなどアメリカ建国の父たちは、権利というものは大部分において、人類が自分たちを豊かにして自分の魂の欲望の部分を満たすといった私的な領域を守るために存在するものであると信じた。(3) それに対してヘーゲルは、権利それ自体を一つの目的であると見ていた。なぜなら、人間をほんとうに満足させるものは物質的な繁栄ではなく、地位や尊厳の承認だと考えたからだ。

ヘーゲルは、アメリカ独立とフランス革命をもって歴史は終わりを迎えたと主張した。歴史のプロセスを推し進めていた「願望」――つまり、承認を求める闘争――が、普遍的で相互的な承認をしあうことで特徴づけられた社会のなかで満たされたからだ。人類の社会制度として、これ以上この「願望」を満たすことができるものはほかに存在しないため、これ以上の歴史的変化を進めることが不可能だと考えたのだ。

こうして承認への欲求は、第二部の歴史の経済的な説明から欠落していた自由主義的な経済と自由主義的な政治のあいだのミッシング・リンクを提供してくれる。

欲望と理性はともに、工業化のプロセスや、より一般的に経済世界の大部分を説明するのに十分である。しかし、リベラルな民主主義を求める闘いを説明することはできない。リベラルな民主主義は、最終的には人間の魂の承認を求める部分であるテューモス（気概）から生じるものだからだ。高度な工業化、とくに普通教育の普及にともなう社会の変化は、貧しく教育水準の低い人々のあいだに、それまでなかった承認を求める欲求を解放するようだ。生活水準が向上するにつれて住民たちが世界公民《コスモポリタン》に発展し、教養を高め、社会全体がより平等な環境の整備を達成すると、人々はたんに富を増やすことだけではなく、自分たちの地位の承認を求めはじめる。

人間がもし欲望と理性のみの存在にすぎないとしたら、彼らはフランコ政権下のスペインや、軍事独裁下の韓国やブラジルのような市場経済志向の権威主義体制の生活に満足するだろう。しかし、人間は自分自身の価値に「気概」のある誇りをもつため、自由な個人としての自主性を認め、子供ではなく大人として自分を扱ってくれる民主的な政府を要求するようになる。

共産主義が現代においてリベラルな民主主義にその座を奪われているのは、共産主義体制には承認に対する重大な欠陥があるからだ。

自由主義経済の成功を裏から支える「不合理な気概」

歴史の原動力としての承認への欲求の重要性を理解することで、文化、宗教、労働、国家主義《ナショナリズム》、戦争など、一見見慣れた多くの現象をあらためて解釈することができる。第四部はこうした見直しを正確におこない、承認への欲求があらわれるさまざまな形を未来に投影してみたい。

たとえば、宗教の信者は自分たちが信じる特定の神々や神聖な慣習の承認を求めるし、国家主義者《ナショナリスト》はみずからの特定の言語、文化、民族集団の承認を求める。これらの承認の形態は、いずれも自由主義国家の普遍的な承認にくらべると合理性に欠ける。なぜなら、それらは神聖なものと不敬なもののあいだの、または人間の社会集団のなかの、任意の区別にもとづいているからだ。このため、宗教、国家主義、人々の倫理的習性と慣習（すなわち「文化」）は、民主的な政治制度と自由市場経済の確立に対する障害であると伝統的に解釈されてきた。

しかし、実際はもっと複雑だ。なぜなら、自由主義の政治と自由主義の経済の成功は多くの場合、自由主義が克服すべき不合理な形の承認にかかっているからだ。民主主義が機能するためには、市民は自分たちの民主体制に対する合理的とは言い難い誇りを育みながら、同時に、小さな共同体に対する誇り高い愛着を支える、トクビルがいうところの「協調の技術」を培わなければならない。こうした共同体は、宗教や民族の承認、または自由主義国家がもとづく普遍的な承認よりも一段劣った承認の形態にもとづくことが多い。

自由主義経済についても同じことがいえる。西洋の自由主義経済の伝統において労働とは、人間の欲望を満たし、苦痛をやわらげるためにおこなう、本質的に不快な活動として認識されてきた。しかし、ヨーロッパの資本主義を生み出したプロテスタントの企業家や、明治維新後に日本を近代化させたエリートたちのような強い労働倫理をもつ特定の文化では、労働は承認のための手段でもあった。今日まで多くのアジア諸国の労働倫理は、物質的な動機ではなく、家族から国家にいたる重層的な社会の諸集団が労働という活動に対して与える承認によって形成されている。これは、自由主義経済の成功はリベラルな原理のみにもとづいているのではなく、合理的とは言い難い「気概」という形態も必要であることを示している。

「承認を求める闘争」を理解すれば、国際政治の本質が見えるようになる。原始時代、戦士たちに威信を賭けた血なまぐさい戦いをはじめさせた「承認への欲求」は、論理的には帝国主義や世界帝国につながっていく。国内レベルでの支配と服従の関係は、当然ながら国家間のレベルでも同様の関係を形成し、国を挙げて各国が承認を求め、覇権をめぐる血なまぐさい戦争へ突入する。近代的ではあるが十分合理的とはいえない承認の形態である国家主義は、過去数百年にわたって承認を求める闘争の道具となってきたし、二十世紀のもっとも激しい紛争の根源でもあった。これがヘンリー・キッシンジャーをはじめとする外交政策の「現実主義者」たちが描く武力外交《パワー・ポリティクス》の世界なのである。

しかし、戦争が根本的に承認への欲求によって引き起こされるものならば、かつて奴隷がみずからの主君となることで主従関係を廃止した自由主義革命は、国家間の関係に同様の効果をもたらすはずであると考えて当然だ。リベラルな民主主義は、他国よりも偉大だと認められたいという不合理な欲望を、他国と平等だと認められたいという合理的な欲望に置き換えるものだ。リベラルな民主主義で構成された世界では、すべての国が互いの正当性を認めあうのだから、戦争に踏み切る意欲ははるかに低くなるはずだ。そして実際、リベラルな民主主義国は、基本的な価値観を共有しない非民主主義国が相手ならいつでも戦える能力がたとえあったとしても、相手もリベラルな民主主義国であれば、互いに帝国主義のような振る舞いをしないという、過去二百年にわたる実証にもとづく事実がある。

国家主義は、東欧や旧ソ連など、国民のアイデンティティが長いあいだ否定されてきた地域で高まっているが、世界でもっとも古く安定した国々では、国家主義は変化の過程にある。西ヨーロッパでの国家的な承認への欲求は落ち着き、三〜四世紀前の宗教のように、普遍的な承認と共存できるようになった。

本書の最終部である第五部では、「歴史の終わり」と、そこにあらわれる「最後の人間」という生き物に関する問題について述べる。

『ナショナル・インタレスト』誌に掲載した論文に対する当初の議論のなかで、多くの人が、「歴史の終わり」の可能性を、今日の世界に見られるリベラルな民主主義にはほかに有効な選択肢があるのかという問題を中心にして展開されるものと思い込んだ。共産主義がほんとうに死滅したのか、宗教や超国家主義が復活するのか、などといった問題についてはじつに多くの議論があった。

しかし、より根深く重大な問題は、リベラルな民主主義そのものの善悪に関してであり、リベラルな民主主義が現時点でそのライバルとされている主義にくらべて成功を収めるかどうかだけではない。もし、リベラルな民主主義が当面は外部の敵から守られ安全を保っていると仮定すると、民主主義社会の成功は、永遠にその状態を保てると考えてよいだろうか。それとも、リベラルな民主主義はそれに内在する深刻な矛盾の犠牲となり、やがて政治体制として弱体化してしまうだろうか。

現代の民主主義が、薬物、ホームレス、犯罪から環境破壊や軽薄な消費主義まで、多くの深刻な問題に直面していることは間違いない。しかし、これらの問題は、自由主義の原理上、まったく解決できないものではなく、一九八〇年代に共産主義が崩壊したように、社会全体の崩壊に必ずしもつながるほど深刻な問題ではない。

リベラルな民主主義が産み落とした「最後の人間」の正体

二十世紀におけるヘーゲルの偉大な注解者であるアレクサンドル・コジェーブは、その著書のなかで、

「歴史の終わり」が起こったのは、「普遍的で均質な状態」と呼んでいたもの――つまりリベラルな民主主義と理解できるもの――が支配と服従の関係を普遍的かつ平等に置き換えたことにより、「承認」の問題が解決されたからだと強く主張した。

歴史の過程で人類が求めていたもの、つまりかつての「歴史の諸段階」を推し進めたのは「承認」だった。現代の世界で人類はついにそれを見出し、「完全な満足」を得たのだ。コジェーブのこの主張は真剣になされたもので、われわれも真剣に受け止めるだけの価値がある。なぜなら、人類史上、数千年にわたる政治の問題は、承認の問題を解決する努力であったと理解することができるからだ。

承認は政治の中心的な問題だ。なぜなら、承認とは専制政治、帝国主義、支配欲の根源だからである。しかし、承認がいくらよからぬ側面をもっていても、同時に勇気、公共の精神、正義などといった政治的美徳の心理的根拠でもあるため、政治の世界から単純に排除することはできない。すべての政治的共同体は、承認への欲求を利用すると同時に、その破壊的な影響から身を守らなければならない。もし現代の立憲政体が、実際にすべての人がなんらかの形で承認されつつ独裁政治の出現を回避する公式を見つけたとしたら、その政体は紛れもなく地球上にあらわれた政権のなかでもとくに安定と長寿を保つものになるだろう。

しかし、現代のリベラルな民主主義諸国の国民が手にする承認は、「完全な満足」といえるものだろうか。リベラルな民主主義が永久に続くのか、別の選択肢にとって代わられるかは、何よりもこの問題への答えにかかっている。第五部では、左翼、右翼それぞれの立場から、この問題についての幅広い答えについて述べていく。

左翼は、リベラルな民主主義における普遍的な承認は不完全にならざるを得ないというだろう。なぜなら、資本主義は経済的不平等を生み出し、それ自体が不平等な承認を意味する労働の「分業」を必要とするからだ。この点で、国家がいくら最高のレベルにまで繁栄しても不平等は解決されない。相対的に貧しい人間は依然そのままであり、そのため同胞の国民からは人間として認められない存在であるからだ。リベラルな民主主義は、いわば平等な人々を不平等に承認しつづけているのだ。

二つ目の、そして私がさらに強力だと思う、普遍的な承認に対する右翼からの批判は、フランス革命が約束した人間の平等を平準化することに深く関係するものだ。この右翼が見出したもっとも輝かしいスポークスマンは、哲学者フリードリッヒ・ニーチェだが、民主主義社会の偉大な観察者であるアレクシス・ド・トクビルは、ニーチェの見解のいくつかを先取りしていた。

ニーチェは、現代の民主主義はかつての奴隷がみずからの主君になったわけではなく、奴隷およびある種の奴隷的な道徳が無条件の勝利を収めたことを意味するものであると信じていた。リベラルな民主主義社会で暮らす典型的な市民は、現代の自由主義の創始者たちによって調教された「最後の人間」であり、自分たちの優れた価値に対する誇り高い信念を放棄して快適な自己の保存を選んだ人間である。リベラルな民主主義は、欲望と理性とでできた、気概を欠く「胸郭のない人間」を生み出した。彼らは長期的な自己利益を計算し、多くのささいな欲求を満たす新しい方法を見つけることに長けている。

この「最後の人間」は、他人よりも優れていると認められたいとはひとかけらも望んではいないが、そのような欲望がなければ、人はいかなる優越性も業績も生み出すことはできない。己の幸福に満足し、欲望のために行動を起こすことができなくても羞恥心を感じなくなった「最後の人間」は、人間であることをやめてしまった存在なのだ。

ニーチェの思想の流れをたどっていくと、われわれは次の疑問につきあたる。

普遍的で平等な承認だけに完全に満足しきっている人間は、とても完全な人間とは呼べない存在ではないのか？　そんな人間は軽蔑の対象であって、努力も野心もない「最後の人間」ではないのか？　人間の性格には、闘争、危険、リスク、勇猛さを意図的に追求する一面があり、それは現代のリベラルな民主主義の「平和と繁栄」によっては決して満たされることはないのではないか？　生まれもった不平等を認めることで、満たされる人間もいるのではないか？　じつのところ不平等な承認への欲求は、かつての貴族社会だけでなく、現代のリベラルな民主主義においても、生き甲斐のある人生の土台をなしているのではないか？　リベラルな民主主義がこの先も生き残れるか否かは、その市民がみな平等に承認されるだけでなく、他人よりも優れていると認められようとする程度にかかっているのではないか？　そして、卑しむべき「最後の人間」になることへの恐怖は、人々に目新しく、予見し得ないような自己主張をさせ、そのうちに野獣のような「最初の人間」に戻り、今度は現代の武器を使って、威信を賭けた血なまぐさい戦いをふたたびはじめるのではないか？

本書はこうした疑問に答えようとするものである。これらの疑問は、進歩というものが存在するのか、そして一貫した方向性のある人類の「普遍的な歴史」をわれわれは構築できるのかと考えたとき、自然と生じるものだ。

右翼と左翼の全体主義に目を向けすぎて、われわれは二十世紀のほとんどの期間で後者の「普遍的な歴史」の問題を真剣に考究することができずにいた。しかし、今世紀が終わりに近づき、こうした全体主義が衰退の一途をたどるいま、この古典的な問題にいま一度取り組んでみたいと思う。

第一部

なぜいま一つの歴史が終わりを告げるのか

――世界史における歴史的「大転換」とその内部構造

1 二十世紀がもたらした最大の「歴史的教訓」

イマニュエル・カントのように穏当でまじめな思想家でさえ、戦争は神意に奉仕すると本気で信じていたほどだ。だがヒロシマ以後、あらゆる戦争はどうひいき目に見ても必要悪とされている。聖トマス・アキナスのように高徳な神学者でさえ、暴君がいなければ殉死の機会もないのだから、暴君は神の目的のために奉仕している、といたって真顔で論じていたほどだ。だがアウシュビッツ以後、このような言辞を弄する者は誰にせよ冒瀆《ぼうとく》の罪を着せられてしまう……。近代の、人知も技術も進んだ世界の内奥《ないおう》で起きたこれらのおぞましい出来事のあとで、いったい誰がいまだに、神を必然的な進歩であるとか、神がその力を逆説的なはからいをする摂理という形で具現しているなどと信じられるだろうか？

エミール・ファッケンハイム『歴史における神の存在』(1)

二十世紀は、われわれのすべてを歴史への深い悲観主義者《ペシミスト》に変えてしまったといって差し支えない。もちろんわれわれ一人ひとりは、自分の健康や幸福の見通しについては楽観していられる。アメリカ人という国民は、長いあいだの伝統からも、未来に対してたえず期待を抱いているようだ。だが、これまでの歴史ははたして進歩発展をとげてきたのか、あるいはこれからも進歩していくのかといった、いっそう大きな問題に立ちいたったとき、その答えは決定的に違ってくる。

二十世紀のもっともまじめな頭脳の持ち主たちでさえも、世界が西洋ではまっとうで人道的だとされる政治制度——すなわちリベラルな民主主義へ向かっていると考える理由を何ひとつ見出していない。歴史——つまり世事百般の進行には筋の通った秩序体系など存在しない、というのが彼らの結論なのだ。

われわれ自身の体験を見てもそのことは明らかである。未来はむしろ、狂信的な独裁主義や血なまぐさい大量殺戮《ジェノサイド》から昨今の消費主義《コンシューマリズム》がもたらす生活のマンネリ化にいたる、新たな想像もつかない害悪をはらみ、しかも核の冬（核戦争が勃発したとき、核爆発や火災で大気中に噴き上げられた煙や粉塵によって太陽光線が遮られ、地球が寒冷化する現象）や地球温暖化など、前代未聞の災厄がわれわれを待ち受けているようにも思える。

二十世紀の悲観主義は、十九世紀の楽観主義と際立った対照を示している。ヨーロッパの十九世紀は戦争や革命という動乱によって幕を開けたが、全体として見ればそれは平和の世紀であり、物質的な幸福がかつてなく増大した世紀だった。

当時の楽観主義には、大まかにいって二つの根拠がある。第一は、近代科学が病気や貧困の征服を通じて人間生活を改善してくれるという信念だ。久しく人間に敵対してきた自然も近代科学によって支配され、人類の幸福という目的に奉仕させられていくにちがいない、というわけである。

第二には、リベラルな民主主義政体が世界のますます多くの国に広がりつづけるはずであった。「一七七六年（アメリカ独立）の精神」やフランス革命の理念は、世界の暴君、独裁者、そして迷信深い司祭や僧侶たちを打ち破ってくれるだろう。権威への服従は理性的な自治にとって代わられ、そこでは万人が自由かつ平等で、自分以外のいかなる主人にも膝を屈する必要がなくなるだろう。滔々たる文明化の流れに照らした場合、ナポレオン戦争のような血なまぐさい戦争でさえ結果として社会の進歩に寄与している、と思想家たちは解釈した。というのも、こうした戦争が共和政体の普及を促進したからである。

人類の歴史は、全体として首尾一貫しており、過去のさまざまな紆余曲折も、今日の時代に善をもたらす糸口と見なし得る——そのことを説明するための理論が、まじめな説もさほどまじめではない説もふくめて数多く発表された。一八八〇年にはロバート・マッケンジーなる人物がこう書いている。

人類の歴史は進歩の記録である——知識の蓄積と知恵の増大の記録、知性や福利の低い段階からより高い段階へのたえまない前進の記録である。各世代は、自分たちが受け継ぎ、自分たちの経験によってより有益な方向へ是正し、自分たちの力で得たすべての勝利の果実によって拡大させた宝を、次の世代に手渡していく……人間の福利を育む道は、依怙地な王子の気まぐれな干渉から救い出され、いまでは偉大な神の法の慈悲深い規制のもとにおかれている。[2]

ヨーロッパ諸国の自信を徹底的に打ちのめした第一次世界大戦

一九一〇年から一一年にかけて出版された有名な『エンサイクロペディア・ブリタニカ』(ブリタニカ百科事典)の第十一版は、「拷問」という見出しのもとに、「ヨーロッパに関するかぎり、いまではこの問題全体がたんなる歴史的関心事の一つにすぎない」との説明を載せている。[3] 第一次世界大戦の前夜、ジャーナリストのノーマン・エインジェルは『偉大なる幻影』という著書のなかで、自由貿易がすでに領土拡張主義をすたれさせ、戦争はもはや経済的に不合理なものとなってしまったと主張した。[4]

二十世紀の極端な悲観主義は、部分的にせよ、こうしたそれまでの期待が無惨に打ち砕かれたことから生じている。第一次世界大戦は、ヨーロッパの自信を損なわせる決定的な事件だった。この戦争がドイツやオーストリア、ロシアの君主制に代表される古い政治秩序を崩壊させたのはもちろんだが、むしろそれ以上に大きな影響を人々の精神に及ぼしたのである。

四年にわたる筆舌につくせぬほど悲惨な塹壕《ざんごう》戦のなかでは、猫の額ほどの荒廃した領土をめぐって、数万人がわずか一日のあいだに殺された。ポール・ファシルの言葉を借りれば、「一世紀のあいだ大衆の意識を支配してきた当時流行の社会改良論（人間の努力で世界は改善できるという説）の神話に対する忌まわしいほどの気恥ずかしさ」が「進歩という観念」を覆してしまったのだ。[5]

忠誠や勤勉や忍耐や愛国心といった美徳も、組織立った無意味な大量虐殺行為のなかでしか発揮されなかったため、こうした価値観を生み出したブルジョア社会そのものの信用が失墜した。[6] エーリッヒ・マリア・レマルクの書いた『西部戦線異状なし』の主人公である若い兵士は、ファシル同様、こう説明する。

「ぼくたち十八歳の若者にとって（学校の教師たちは）大人の世界への仲介者であり、労働と義務と文化と進歩の世界への、つまり未来への案内人であらねばならなかった。……しかしぼくたちの見た最初の死が、この確信を打ち砕いてしまった」

ベトナム戦争時のアメリカの若者たちもよく引き合いに出した言葉だが、この主人公は、「ぼくたちの世代のほうが、大人たちの世代よりも信頼に足るものであった」と結論づけている。[7]

ヨーロッパの工業発展が、道徳的な救済など何もないまま無意味に戦争へ転化し得たのだという見解は、歴史から大きなパターンや意味を見出そうとするいっさいの試みへの辛辣な批判にもつながった。だからこそ、イギリスの著名な歴史家H・A・L・フィッシャーは一九三四年に次のように書くことができた。

「私より博識の人々は、歴史のなかに筋書きやリズムやあらかじめ定まったパターンを認めてきた。このようなハーモニーは私の目から隠されている。私に見えるのはただ、相次いで打ち寄せる波のごとく、一つまた一つと続けて起きる偶発事だけだ(8)」

空前の権力国家を生み出した「全体主義」

第一次世界大戦は結局のところ、新たな形の諸悪がまもなく出現するその前触れにすぎなかった。近代科学が自動小銃や爆撃機のような空前の破壊力をもつ武器を可能にしたのだとすれば、近代政治は空前の権力をもつ国家を生み出し、その呼び名として「全体主義」という新語が作り出された。この新しい型の国家は、効率的な政治権力、大衆政党、そして人間生活の全面的な管理をめざす急進的なイデオロギーに支えられて、世界支配というこのうえなく野心的な計画に乗り出した。

ヒトラーのドイツおよびスターリンのロシアという全体主義政権が犯した大量殺戮《ジェノサイド》の大罪は人類の歴史に先例を見ないもので、それは多くの見地からいって、近代化そのものによってこそ生み出され得たのである(9)。

もちろん二十世紀以前にも血なまぐさい暴政は数々あったが、ヒトラーとスターリンは、ともに近代テクノロジーと近代政治組織を悪への奉仕に利用したのだ。ヨーロッパのユダヤ人、あるいはソ連の富豪《クラーク》のような一つの階級全体を根絶やしにするなどというのは、それ以前の伝統的な暴政には、とうてい手の下しようもない野心的な企図だった。とはいえ、このもくろみが可能となったのは、まさに十九世紀の技術的・社会的進歩のおかげでもあった。

こうした全体主義的イデオロギーによって口火を切られた戦争もまた、民間人の大量殺傷と経済資源の大量破壊をふくむ新しい種類の戦争であり、「総力戦」という新語まで生み出された。リベラルな民主主義国家の陣営では、この脅威から身を守るため、ドレスデン(ドイツ東部のエルベ川沿いの都市。第二次世界大戦末期に米英の大空襲を受けて壊滅した)やヒロシマの爆撃など、それ以前の時代ならジェノサイドと呼ばれたはずの軍事戦略をやむなく採用したのである。

十九世紀の進歩の理論は、人間悪を社会発展の後進性と結びつけて考えた。そして、たしかにスターリニズムは、専制統治で名高かった半ヨーロッパ的な後進国から生まれている。が、一方でユダヤ人大虐殺《ホロコースト》は、ヨーロッパでもっとも産業経済が発達し、その国民の文化や教育の度合いも一、二を争うほど高い国で発生したのである。

このような出来事がドイツで起こり得るとすれば、どうしてそれが他の先進諸国で起こらないはずがあろうか? そして、経済発展や教育や文化がナチズムのような現象を防ぐ保証でないとすれば、歴史の進歩とはいったい何をさすのだろうか?[10]

二十世紀の体験は、科学とテクノロジーが進歩の基盤であるとの主張に大きな疑問を投げかけた。というのも、テクノロジーが人間の生活を改善できるかどうかはひとえに、それに対応する人間のモラルの進歩いかんにかかっているからだ。モラルが進歩しなければ、テクノロジーの力は邪悪な目的に向けられるしかなく、人類はこれまで以上に劣悪な境遇におかれてしまう。

二十世紀の総力戦は、鉄鋼や内燃機関や航空機など、産業革命の基本的な前進なしには不可能だったはずだ。そしてヒロシマ以後の人類は、何にも増して恐ろしいテクノロジーの進歩、すなわち核兵器の脅威にさらされつつ生きているのである。近代科学によって達成し得た夢のような経済成長にせよ、この地球という名の惑星の各地で環境破壊を引き起こし、ひいては地球規模で生態系の破局をもたらす危険性を生むという暗黒の側面をもっている。

全世界を結ぶ情報テクノロジーやリアルタイムの通信技術が民主主義理念を宣伝流布してきたのだという説は幾度も繰り返され、CNNが一九八九年の天安門占拠事件や同年後半の東ヨーロッパ諸国での革命を世界じゅうに報道したことはその一例とされている。だが、通信テクノロジーそれ自体に価値の善し悪しなどはない。アヤトラ・ホメイニの反動思想は、イラン国王の経済近代化政策によって広範に普及したカセット・テープレコーダーを通じ、一九七八年の革命に先立って同国に輸入されていた。

仮にテレビやリアルタイムの世界通信網が一九三〇年代に存在したならば、それらはレニ・リーフェンシュタールやヨセフ・ゲッベルスらナチス情宣担当者の手で、民主主義の理念ではなくむしろファシズムの理念の宣伝普及をはかるため、きわめて効果的に利用されていたにちがいない。

二十世紀に傷跡を残した一連の出来事は、同時に、深い知性の危機をもたらした。人類がどの方向に進んでいるのかを知ってさえいれば、歴史の進歩について語ることは可能だ。十九世紀にはほとんどのヨーロッパ人が、進歩とは民主主義への歩みであると考えていた。だが二十世紀に生きる大多数の人にとって、この問題でのコンセンサスは何ひとつ得られていない。

リベラルな民主主義は、そのライバルであり、よい社会のあり方について根本的に異なるビジョンをもった二大イデオロギー――ファシズムとコミュニズム――の挑戦を受けた。リベラルな民主主義ははたして人類がこぞってめざすべき目標なのか、そして、たしかにそうだと言いきれたかつての自信は狭い自民族中心主義の反映ではなかったのかと西洋人は疑いを抱くようになった。最初は植民地の支配者として、のちには冷戦期間中の庇護者、そして主権国家世界のなかでの建て前上の対等者として非ヨーロッパ世界と向き合うはめになったとき、ヨーロッパ人は、彼ら自身の理念の普遍性に疑いを抱くにいたったのである。

二つの世界大戦におけるヨーロッパの国家システムの、みずからの首を絞めるような自己破壊性は、西洋の理性は優れているという考えが間違っていることを立証するものだったし、十九世紀のヨーロッパ人が本能的に理解していた文明と野蛮の違いも、ナチスの死の収容所のあとではほとんど判別がつかなくなってしまった。人類史は一つの方向に進むのではなく、めざすゴールは国民や文明の数だけ存在し、そのなかでリベラルな民主主義はなんらの特権も有していないように見えたのである。

見落とされていたコミュニズムの重大な裏側

現代のわれわれの悲観主義のもっとも鮮明なあらわれの一つは、リベラルな西洋民主主義の代替物とされる強固な共産主義＝全体主義の永続性をほぼ万人が信じていることにあった。キッシンジャーはアメリカ国務長官を務めた一九七〇年代に、国民にこう警告した。

「今日、われわれはその歴史上はじめて、（共産主義の）挑戦に終わりはないという冷厳な事実に直面している……。他の諸国が幾世紀にわたってそうせざるを得なかったように、われわれも外交政策の手練手管を学ぶ必要がある——それを逃れる手段はないし、息抜きの余裕さえない……。こうした状態は今後も続いていくだろう」[11]

キッシンジャーによれば、当時のソビエト連邦のような敵対国の基本的政治・経済構造を改革しようと試みるのはユートピア的理想主義とされた。政治的な成熟とは、世界をかくあるべしという姿ではなく、あるがままに受け入れることであり、つまりはブレジネフのソ連邦との妥協を意味していた。そうすることで、共産主義と民主主義の対立や終末戦争の可能性を完全に払拭はできないにせよ、両陣営の対立は緩和し得るはずであった。

キッシンジャーの見解は少しもユニークなものではない。政治や外交の研究に携わる専門家たちは、事実上一人残らず、共産主義が永久不変であると信じていた。だからこそ一九八〇年代後半の共産主義の世界的崩壊に、ほぼ完全に不意を衝かれたのだ。こうした見込み違いは、たんに物事の公正無私な見方を曇らせてしまった教条主義者だけの問題ではない。政治的には左翼も右翼も中道も、ジャーナリストも学者も、そして東西両陣営の政治家もこぞってその影響を受けた(12)。たんなる一党一派を越えてはるかに深く広がったこの盲信は、二十世紀の諸事件によって生み出された歴史への極端な悲観主義に根ざしていたのである。

一九八三年当時にはジャン・フランソワ・ラベルが、「結局のところ民主主義は、一つの歴史上の事件、われわれの眼前で幕を閉じる短いカッコつきの出来事となってしまうのかもしれない……」と述べた(13)。

もちろん右派勢力は、共産主義がその支配下にある住民から見て、なんら合法性を得ていないと考えてきたし、社会主義社会の経済面での失敗を鋭く見抜く目をもっていた。けれどもその右派のなかには、旧ソ連のような「失敗した社会」でもなおレーニン流全体主義の創意工夫を通じて権力への足がかりを見出しており、それによって小集団の「官僚的独裁者」は広範な住民に対して近代的な組織やテクノロジーの力をふるい、ほとんど永遠に支配力を発揮できるのだと信じた者も多かった。

全体主義は、支配下の住民を威圧することに成功しただけでなく、コミュニストである主君の価値観を彼らに植え込むことにも成功した。この点を、一九七九年の著名な論文のなかでジーン・カークパトリックは、伝統的な右翼独裁主義政権と急進的な左翼全体主義との違いの一つに挙げている。

つまり前者が、「富や権力、地位の既存の配分をそのままに放置し」「伝統的な神々をあがめ、伝統的な禁忌《タブー》を遵守《じゅんしゅ》する」のに対して、後者の急進的な左翼全体主義は、「社会の全体にわたる管轄権を主張し」「身についた価値観や習慣」を侵害しようとする。全体主義国家は、たんなる独裁主義国家とは対照的に下部社会をきわめて容赦なくコントロールできるので、そのため根本のところでは変化や改革の波にもびくともせず、したがって「二十世紀の歴史を見れば、急進的な全体主義政権が自己変革をとげると期待するのはまったく無理な話だ」ということになる。[14]

このように、全体主義国家の強さを信じるその根底には、民主主義に対するまったくの自信のなさがうかがえる。いまだ民主主義を達成していない第三世界の国々が今後民主化に成功することは見込み薄だとするカークパトリックの見解（そこでは共産主義政権の民主化の可能性は完全に度外視されている）や、ヨーロッパと北アメリカに根づいた強固な民主主義にも自分を守るだけの内なる確信がなくなっているとのラベルの考えには、この民主主義への自信のなさがはっきり示されている。

カークパトリックは、民主化の成功に欠かせない経済的、社会的、文化的要件を数多く挙げながら、いつでもどこでも政府を民主化できるなどと考えるのは典型的アメリカ人の発想だ、と批判した。第三世界のなかに民主化の中心地が存在し得るという発想は一つのワナであり幻想にすぎず、経験が示すとおり、世界は右翼独裁主義と左翼全体主義に二分されている、というのだ。

一方ラベルは、民主主義国が長期にわたる真剣な外交政策を維持するのはきわめて困難だ、というトクビルにはじまる批判を、はるかに極端な形で繰り返す[15]。民主主義はまさにその民主的な性格、つまり意見の多様性や、民主的討論につきものの自己不信と自己批判によって損なわれている。かくして「現状では、わりあいつまらない不平不満の種が民主主義国を腐食し、攪乱し、動揺させ、麻痺させており、そのスピードと深刻さの度合いは、厳しい飢饉やたえまない貧困が共産主義政権にもたらす悪影響を上回っている。もちろん共産主義政権下の人々は自分たちの過失を是正する真の権利も手段も持ち合わせていないわけだから、それにくらべれば、将来にわたって批判の自由をもつことを特徴とする社会は生き甲斐ある唯一の社会だ。だが、同時にそれはもっとも壊れやすい社会なのだ[16]」

二十世紀最大の「政治の危機」と「知性の危機」

左派勢力も、違う道を通りつつ似通った結論に達している。第二次世界大戦の終結を経験した欧米の「進歩主義者」の多くは、ソビエト共産主義が自分たちにとっての未来像だと考えたが、一九八〇年代までに彼らのほとんどはもはやそのことを信じなくなった。

とはいえ左翼のなかには、マルクス－レーニン主義が他の人々にとっては正統性をもち、地理的・文化的な距離が隔たるにつれて通例その正統性は高まっていくとの信念が根強かった。つまりソビエト型社会主義は、アメリカやイギリスの国民にすれば必ずしも現実的な選択ではないにせよ、外国による支配や社会の遅れや屈辱的な歴史の遺産を払拭するためその方向に進んだとされる中国はもとより、専制政治と中央統制の伝統をもつロシア人にとっても、信頼し得る一つの選択肢とされたのである。

同じことは、アメリカ帝国主義の犠牲となってきたキューバやニカラグアにも、また共産主義が事実上の国民的伝統と見なされているベトナムにもあてはまる。第三世界の急進的な社会主義政権は、たとえ自由選挙や公開討論などが存在しなくても、土地改革や無償医療の提供、識字水準の向上によってみずからの正統性を主張できる、というのが左派の多くに共通する見解であった。こうした点を考えれば、左翼勢力のなかで旧ソビエト圏や中国での革命的な激動を予見した人間が皆無に近かったというのも驚くにはあたらない。

実際冷戦の雪解け期には、共産主義の正統性と永続性への信仰が異様な形で数多くあらわれた。ある著名なソ連問題研究家は、ソビエト体制がブレジネフのもとでいわば「制度的多元主義」を達成し、そして「ソ連の指導者は自国を、アメリカ的政治科学の原型である多元主義の精神へ、ほとんど当の合衆国以上に近づけてしまったように思える……」と主張した。[17] ソビエト社会はゴルバチョフ以前も「活気と積極性があり、ほぼあらゆる意味において参加の精神が生かされ」、政治に直接参加するソビエト市民の比率は合衆国を上回る、というのである。[18]

同じような考えは東欧にもかなり行き渡り、そもそもが押しつけられた共産主義であることははっきりしているにもかかわらず、これらの国では多くの学者が社会のたぐいまれな安定性という点に目を向けてきた。一九八七年にある専門家は、「もしも現時点で世界の多くの国——たとえば数あるラテンアメリカ諸国——の場合と比較すれば、東欧の国家は安定性のお手本と映るだろう」と述べ、「正統性をもたない党が……敵意や不信を余儀なくされる庶民と敵対している」という伝統的なイメージを批判した。[19]

このような見解のなかには、たんに最近の歴史をふまえて未来を予測しているだけのものもあるが、多くは、東側諸国内での共産主義の正統性に関する判断をそのよりどころにしている。つまり、社会に山積する打ち消しがたい諸問題があるにもかかわらず、コミュニストの支配者たちはその人民と一つの「社会契約」を結んできた、とされるのだ。もっともそれは、旧ソ連国内においてすら、「向こうはこちらに支払っているつもり、こちらも働いているつもり」[20]などと皮肉られるたぐいの契約ではあるが。とにかくこのような政権は、生産性が低く活力も乏しいものの、安全と安定をもたらしているがゆえに統治にあたっては住民から一定の同意を得られる、というわけだ。[21]政治学者サミュエル・ハンティントンは一九六八年に次のように書いた。

アメリカ合衆国、イギリス、そしてソ連は異なった政府形態をもっているが、三つの国家システムのどれをとっても政府が統治をおこなっていることに変わりはない。どの国も、政治システムの正統性について国民の圧倒的な合意を得ている政治的共同体である。どの国でも市民とその指導者は、社会の公益や政治的共同体の根底にある伝統や原則について、一つのビジョンを共有している。[22]

ハンティントンは共産主義に対して、なんら特別の共感をもってはいない。だがその彼も、さまざまな証拠の積み重ねを見れば、共産主義が長年かかって大衆の一定の支持賛同を得てきたという結論を認めざるを得ないと信じていたのである。

歴史の進歩の可能性に関する二十世紀の悲観主義は、二つの別個な、しかし同時進行する危機から生まれた。一つは二十世紀の政治の危機であり、もう一つは西洋合理主義の知性の危機である。

政治の危機によって数千万の人々が殺され、数億の人々がより残酷な形をとった新たな奴隷制のもとでの生活を余儀なくされた。知性の危機は、リベラルな民主主義からみずからの身を守るための知的な支えを奪い取ってしまった。この二つの危機は互いに関連があり、それぞれを切り離して考えることはできない。

一方では知性的なコンセンサスが欠落したために、二十世紀の戦争や革命は、そのコンセンサスがあればさほどではなかったと思われるまでイデオロギー的色彩の濃い、過激な形をとるようになった。ロシアと中国の革命、そして第二次世界大戦中のナチスによる占領支配は、十六世紀の宗教戦争に見られた残虐さを拡大した形でよみがえらせた。というのもそこでは、たんに領土や資源だけでなく、全住民の価値観や生活様式までが危険にさらされたからである。

他方、イデオロギーに駆り立てられた暴力的な闘争とその悲惨な成り行きは、リベラルな民主主義の自信を踏みにじり、全体主義と権威主義政権の世界のなかでリベラルな民主主義を孤立させ、正義についてのリベラルな見方は万能ではないのかもしれないという深刻な疑念を引き起こすことになった。

つぎつぎと崩れ去っていく強大な「全体主義国家」

だが、二十世紀前半の体験によって植えつけられた悲観主義にどれほど強力な論拠があったにせよ、二十世紀後半のさまざまな出来事は、それとは正反対の予期せぬ方向を指し示している。一九九〇年代に入って世界は、全体としていえば、新しい悪を出現させるどころか、むしろある面では明らかに改善の方向へ進んでいるのだ。

驚くべき事件の最たるものは、一九八〇年代末に世界各地で起こった共産主義の全面的かつ予期せぬ崩壊現象だった。しかしこれは、たしかに印象的な出来事ではあるが、第二次世界大戦以降形成されてきたいっそう大きな歴史発展のパターンのほんの一部にすぎない。あらゆるたぐいの権威主義的な独裁政治は、それが右翼のものであれ左翼のものであれ、崩壊の一途をたどってきているのである。[23]

ある場合にはこの崩壊が、繁栄し安定したリベラルな民主主義の確立につながってきている。また、独裁政権の崩壊が政情不安を引き起こし、あるいは別の独裁にとって代わられるケースもある。だが、民主主義が首尾よく勝利を収めるかどうかはともかく、あらゆるタイプの権威主義は、まさに地球上のそこかしこで深刻な危機に見舞われている。

ドイツやロシアでの強大な全体主義国家の誕生が、二十世紀前半の政治にとって画期的な出来事だったとすれば、ここ二、三十年の歴史は、そのような国家が本質的にもつ途方もない弱さを暴露した。そして、この予期せぬ大きな弱点からわかることは、二十世紀が教えてくれた歴史に対する悲観主義的な教訓をわれわれは一から考え直すべきだ、ということなのである。

2 「強国」の致命的弱点

現在の独裁主義の危機は、ゴルバチョフの「ペレストロイカ」やベルリンの壁の崩壊とともにはじまったわけではない。それはさらに十数年以上も前の、南ヨーロッパでの右翼独裁政権の相次ぐ崩壊が出発点となっている。

ポルトガルでは一九七四年、カエターノ政権が軍事クーデターによって駆逐された。その後、内乱ぎりぎりの政情不安定期を経て一九七六年四月には社会主義者マリオ・ソアレスが首相に選ばれ、それ以来同国では平和で民主的な統治が続いている。一九六七年以降ギリシアを支配していた軍部も、やはり一九七四年に追放され、普通選挙で選ばれたカラマンリス政権がそのあとを継いだ。

また一九七五年にはスペインのフランシスコ・フランコ総統が死去し、二年後の民主主義への平和的移行に道を開いた。さらにトルコでは、社会に吹き荒れたテロリズムの結果として一九八〇年九月に軍部が政権を握ったが、一九八三年には民政に復帰した。それ以来これらの国々はすべて、複数政党による定期的な自由選挙が実施されている。

南ヨーロッパで十年たらずのあいだに起きたこの変化は、注目すべきものである。かつてこれらの国はヨーロッパの異端児と見なされ、その宗教的・権威主義的伝統のために、西ヨーロッパの民主主義発展のかやの外におかれてきた。にもかかわらず一九八〇年代には、どの国も実効性のある安定した民主主義への移行を果たし、実際その安定度がきわめて高いため(トルコだけは例外かもしれないが)その国民は他の統治形態をほとんど想像できないほどになっている。

同じような民主主義への移行は、一九八〇年代のラテンアメリカ諸国でも起こった。まず一九八〇年には、十二年にわたって軍部支配の続いたペルーで、民主的に選挙された政府が復活した。一九八二年のフォークランド（マルビナス）紛争はアルゼンチン軍事政権の没落を早め、民主的な選挙によってアルフォンシン政権が誕生した。

アルゼンチンでの民政移管は、たちまちラテンアメリカじゅうに波及し、一九八三年にはウルグアイ、八四年にはブラジルで、それぞれ軍事政権に終止符が打たれた。八〇年代の終わりまでに、パラグアイのストロエスネル、チリのピノチェト両独裁政権は普通選挙によって民政に道を譲り、一九九〇年前半にはニカラグアのサンディニスタ政権さえも、自由選挙でビオレッタ・チャモロ率いる野党連合に破れた。

もっとも、南ヨーロッパにくらべてラテンアメリカの新しい民主主義政権がどれほど長続きするか、さほど確信をもてない消息通も多かった。ラテンアメリカ地域では民主主義が盛衰を繰り返しており、新しい民主政権のほぼすべてが、債務危機に端的に示されるような深刻な経済危機をかかえていたからだ。しかもペルーやコロンビアのような国は、暴動や麻薬など厳しい国内問題にも直面していた。

しかしながら、こうした新たな民主主義は、あたかも以前の独裁政治の経験が軍事支配のあまりに安易な復活を許さないための予防接種の役割を果たしておいてくれたかのように、驚くべき弾力性を発揮してきた。事実、一九七〇年代はじめにラテンアメリカ地域の民主主義国はわずかひと握りにすぎなかったが、一九九〇年代初頭には、公正な自由選挙を許していない国が西半球ではキューバとガイアナを残すだけになったのである。

東アジアでも似たような進展が見られた。一九八六年にフィリピンではマルコス独裁政権が打倒され、国民の支持を得たコラソン・アキノが大統領に就任した。その翌年、韓国では全斗煥大統領が辞任し、直接選挙によって盧泰愚が大統領に選出された。

台湾の政治制度にはさほど急激な改革は見られないが、一九八八年一月の蔣経国総統の死去以来、水面下では少なからぬ民主化の動きがある。与党国民党内の古参政治家の多くが世を去るにつれ、多くの本省人をふくむ台湾社会のさまざまな層が、国民党の支配する議会への参加を強めてきたのである。そして最後に、ミャンマー（旧ビルマ）の独裁政権も民主化を求める運動によって大きく揺らいでいる。

南アフリカでは一九九〇年二月、アフリカーナー（オランダ系白人）に支配されたデクラーク政権が、ネルソン・マンデラの釈放と、アフリカ民族会議および南アフリカ共産党の合法化を宣言した。これによってデクラーク大統領は、黒人と白人間のパワー・シェアリング（権力分有）への移行、そして最終的には、多数決原理の導入に向けた交渉期へ第一歩を踏み出した。

「独裁」の正統性とヒトラー流ファシズムの自滅

振り返ってみるとわれわれは、独裁制度の存続能力、もっと広い意味では強国の存続能力に対して誤った信仰を抱いていたため、独裁国の陥った危機の深さになかなか気づかなかったのである。リベラルな民主主義を奉じる国は、本質的に弱さをもっている。個人の権利を保護することが、とりもなおさず国家権力に対する鋭い制限を意味するからだ。それに反して右翼や左翼の独裁政権は、さまざまな目的のために――それが軍事力の増強であれ、万人平等主義にもとづく社会秩序の促進であれ、あるいは急速な経済成長の達成であれ――国家の力を利用して個人の領域を侵害し、それを管理しようとしてきた。個人の自由という分野で何が失われようと、それは国家目標のレベルで取り戻せるはずであった。

このような強国を結局のところ崩壊させてしまった決定的な弱点とは、突きつめて分析すれば、その正統性の消滅――つまり国家理想というレベルでの危機であった。

正統性とは、純粋な意味での公正や正義とは違う。それは人々の主観的な認識のなかに存在する相対的な概念である。有効に機能し得る政権はすべて、なんらかの正統性をその土台としているはずだ。[1] 独裁者は力ずくで支配するとよくいわれるし、その例としてヒトラーが引き合いに出されるが、そんなことはあり得ない。暴君は、自分の子供にしろ老人にしろ、おそらくは妻にしろ、自分より肉体的に劣る人間なら力ずくで支配できるだろう。だが、それ以外の人々を同じやり方で支配できそうにはないし、相手が数百万人の国家となればなおさらだ。[2] ヒトラーのような独裁者が力ずくで支配をおこなったというのは、つまりナチス党やゲシュタポや国防軍をふくむヒトラーの支援者たちが広範な住民を物理的に威嚇できたという意味なのだ。

ところで、このような支援者がヒトラーに忠誠をつくしたのはなぜか? むろん、ヒトラーが彼らを物理的に威嚇できたからではない。究極的には、彼らがヒトラーの権威の正統性を信じていたためなのだ。保安機構そのものは威嚇によって管理できるが、独裁者はそういう機構の要所に、自分の権威の正統性を信じる忠実な手下を配置しておく必要がある。

もっとも低級で腐敗したギャング団の首領にしても、事情は同じだ。その「ファミリー」がなんらかの理由で彼の「正統性」を認めてくれなければ、彼は「親分」と呼ばれたりはしないだろう。プラトンの『国家』のなかでソクラテスが説明したように、盗賊一味のあいだにさえ、戦利品の分配を認める公平の原則が必ずある。同様に、不法きわまりない残忍な独裁政治であっても、正統性という考えは決定的な意味をもつのである。

ここではっきりといえるのは、ある政権が生き残ろうとする場合、広範な住民に対して正統な権威を打ち立てるには及ばないという点だ。住民の大部分から激しく憎悪され、なおかつ数十年にわたって権力の座に居座ることのできた少数独裁制の例は、現代でも数多い。たとえばシリアのアラウィ派政権や、イラクにおけるサダム・フセインのバース党政権がそうだ。また、ラテンアメリカのさまざまな軍事政権や寡頭独裁政権が国民の広い支持もなしに支配を続けていることはいうまでもない。

たとえ政権の正統性が全住民に浸透していなくても、体制そのものに結びつくエリートたち、とりわけ支配政党や軍隊や警察などの強圧権力を一手に握っているエリートたちのところでその正統性が揺らぎはじめないかぎり、その政権が危機に陥ることはない。政権をうまく機能させていくには、これらエリートたちの団結が不可欠であり、そして独裁制度における正統性の危機というのは、このエリート集団内部における危機にほかならない。

独裁者が正統と見なされるようになる原因はさまざまだ。増長した軍部による個人崇拝もあれば、手のこんだイデオロギーによってその人物の支配権が正当化される場合もある。二十世紀においてこの正統性を右翼の側から首尾一貫した形で、民主主義・平等主義否定の原理として樹立しようとした体系的な試みの最たるものがファシズムであった。

万人共通の人間性や平等な人権の存在を否定するかぎり、ファシズムは自由主義や共産主義のような普遍的教義ではない。ファシストによる超国家主義の主張によれば、その正統性はそもそも民族や国家から生まれ、なかでもゲルマン人のような「支配者民族」が他民族を支配する権利から生まれるとされた。権力や意志が理性とか平等以上に推賞され、権力と意志をもつことがそのまま支配者の資格とされた。ゲルマン民族の優位性を説くナチズムは、他文化との闘争を通じてその主張を積極的に証明しなければならない。だから戦争は異常事態ではなく、むしろ戦争状態にあるほうが正常なのであった。

ファシズムは、その内部でみずからの正統性がぐらつく以前に、外部からの軍事力によって敗北した。ヒトラーと残された部下たちは、ベルリンの地下壕のなかで、ナチスの大義の正しさとヒトラーの権威の正統性を最後まで信じながら死を迎えたのだ。この敗北の結果、ファシズムの魅力はほとんどの人々にとって色あせた過去となってしまった。(3) ヒトラーは、自分の正統性を主張する根拠として世界制覇を約束していたが、実際にゲルマン人が得たものといえば、劣等と考えられていた民族による国土の恐るべき破壊と占領にほかならなかったからだ。

たいまつ行進と無血の勝利を続けていた時期には、ゲルマン人だけでなく世界の多くの人々が、ファシズムに強く魅《ひ》きつけられた。だが、その軍国主義的な体質が敗北という当然の帰結を迎えたとき、ファシズムはナンセンスな存在と化してしまった。ある意味でファシズムは、その内部矛盾に苦しんだといえるかもしれない。つまり、軍事と戦争優先の政策のおかげで必然的に国際体制との闘争へ足を踏み込み、自滅の道を歩んだのだ。第二次世界大戦の終結以降、ファシズムがリベラルな民主主義にとってさほど危険なイデオロギー上のライバルとはならなかった理由もそこにある。

もちろんわれわれは、もしもヒトラーが敗北を喫していなかったらファシズムの正統性は今日どうなっていたかを問うことができるだろう。だが、ファシズムの内部矛盾は、それが国際体制によって軍事的に敗れ去る可能性以上に深く進行していた。仮にヒトラーが勝利者として立ち現われていたとしても、普遍的な帝国の平和が続けば、ドイツはドイツたるゆえんを戦争や征服によってもはや主張できなくなり、ファシズムはみずからの存在理由を失ってしまうにちがいない。

右翼独裁政府にとっての致命的な「アキレス腱」

ヒトラーの敗北のあとも、いくつかの右翼的な軍事独裁政権がリベラルな民主主義に代わるものとしてしぶとく存続してきた。ただし、結局のところそれは一貫した体系や秩序を欠いた独裁であった。

こうした政権のほとんどは伝統的な社会秩序の保持ということ以外にさしたるビジョンもなく、しかも、みずからの正統性について説得力のある長期的な論拠を持ち合わせていないのが何よりの弱点だった。ヒトラーのように永久独裁支配を正当化できる一貫した国家理論を編み出せたところは一つもない。むしろどの政権も、民主主義や国民主権を原理としては受け入れながら、共産主義やテロリズムの脅威、あるいは以前の民主政権時代の経済政策の失敗などさまざまな理由を挙げて、自国の民主化は時期尚早だと主張せざるを得なかった。つまり、最終的に民主主義へ復帰するための移行形態としてしか、みずからを正当化する道はなかったのである(4)。

だが、政権の正統性を主張するための一貫したよりどころがないという弱点にもかかわらず、右翼独裁政府は、ごく短期間に、あるいは必然的に崩壊したわけではない。ラテンアメリカや南ヨーロッパの民主主義政権にも、種々の深刻な社会問題・経済問題を処理する能力の点で、独裁政権と同様、重大な弱点があった(5)。これらの国のほとんどは、急速な経済成長の第一歩すら踏み出せず、またその多くはテロリズムに悩まされていたのだ。

ところで右翼独裁政府の場合は、政治の分野で危機や失敗に直面した際に、その政権の正統性の欠如が決定的なアキレス腱となったのである。正統性をもった政権にはそれまでの評判の蓄積があるため、短期間の過ちなら、それが深刻なものであっても言い訳がきく。首相の更迭や内閣解散で失政を帳消しにすることもできる。ところが正統性を認められていない政権では、失政によって政権自体が一気に転覆させられることもしばしばだ。

その一例がポルトガルである。アントニオ・デオリベイラ・サラザールとその後継者マルセロ・カエターノによる独裁のもとで、この国は表面的には安定が続いたため、ポルトガル国民のことを「自発性がなく、宿命論者で、とめどなく陰気だ」と評する向きもあったほどだ。[6]だが、ちょうどかつてのドイツ人や日本人と同じようにポルトガル人も、この国にはまだ民主主義の機が熟していないとする西側の局外者たちの観察は誤りであったことを証明した。

一九七四年四月、国軍が反乱を起こしてMFA（国軍運動）を結成し、カエターノ独裁政権は崩壊した。[7]ポルトガルが国家予算の四分の一と大量の軍隊を投入しておこなっていたアフリカ植民地戦争の泥沼化が、その直接の契機だった。

もっとも、MFAのすみずみにまで民主主義の理念が浸透していたわけではなく、民主主義への移行もスムーズには運ばなかった。国軍将校の大半は厳格なスターリン主義を奉じ、アルバロ・クニャールが率いるポルトガル共産党の影響下にあったのだ。

しかし一九三〇年代とは対照的に、中道および右派民主主義者の勢力は予期せぬほどの復元力を見せつけた。政治的・社会的な動乱期を経て、一九七六年四月にはマリオ・ソアレス率いる穏健な社会党が選挙で過半数を獲得した。

これは、ドイツ社会民主党からアメリカのＣＩＡにいたる外国組織の少なからぬ支援の結果であった。とはいえ、当のポルトガルに驚くほど強固な市民社会がなければ――諸政党、組合、教会が広範な大衆を動かし民主主義への支持を固めることができなければ――外部からの手助けもまったく無益に終わっていただろう。

また、西欧の消費文明がもつ魅力も、この選挙では一定の役割を果たした。ある論者の言葉を借りれば、「労働者たちは、たしかにデモ行進に参加して社会主義革命のスローガンを唱和したかもしれない……しかしそんな彼らが、西欧流消費社会の生活水準にあこがれ、その手の服や家庭器具、工芸品に自分の金を払っている(8)」のである。

その翌年にスペインで起こった民主制への移行は、独裁政治の正統性の欠如をもっとも純然たる形で示した現代史の事例かもしれない。

フランシスコ・フランコ総統は、いろいろな意味で、王座と祭壇に支えられた十九世紀ヨーロッパの保守主義、フランス革命で打倒された保守主義の最後の体現者だった。だがスペインでは一九三〇年代からカトリック教徒の意識が激変の一途をたどった。一九六〇年代の第二バチカン公会議以降、教会は全体として外に開かれたものとなり、スペインでもカトリシズムの大部分が、西欧のキリスト教民主主義の考え方を採用した。つまり同国の教会は、キリスト教と民主主義との争いがまったく無益であることに気づいただけでなく、人権の擁護者としての、そしてフランコ独裁への批判者としての役割をいっそう担うようになったのである(9)。

この新しい自覚は、カトリック信徒であるテクノクラート（高級技術者・高級管理者・官僚階級）が起こしたオピュス・デイ運動に反映している。このテクノクラートたちの多くは、一九五七年以降に行政府に入り、その後の経済自由化に密接にかかわりあってきた人々だ。だからこそ、一九七五年九月のフランコの死に際して同政権内の主要勢力は、フランコ体制のあらゆる中枢機関の解散、スペイン共産党をふくむ反対政党の合法化、さらには国民議会選挙の実施とそこでの完全な民主憲法の制定を盛り込んだ一連の「協定」を正統なものとして受け入れる用意ができていたのである。

仮に旧政権の有力部分（とくに国王ファン・カルロス）がフランコ体制を、民主的なヨーロッパ諸国、つまり社会面・経済面でスペインがますます接近してきたヨーロッパ諸国のなかでの一種の時代錯誤《アナクロニズム》と考えていなかったなら、このような事態は起こり得なかっただろう[10]。フランコ体制の最後の議会は、次期議会が民主的な選挙によって選ばれるという、事実上みずからの息の根を止める画期的な法案を一九七六年十一月に圧倒的多数で可決したのだ。

ポルトガルと同じようにスペインの国民も、民主中道派を支持することによって、民主主義への最終的な地歩を築き上げた。人々はまず、民主的な選挙の承認をめぐる一九七六年十二月の国民投票を強力に支持し、ついで一九七七年六月の選挙では、穏当な判断を下して中道右派政党の内閣を誕生させた[11]。

政治・経済の無策ゆえにみずからの存在を危うくしていく軍事政権

一九七四年のギリシア、そして一九八三年のアルゼンチンでの民主主義への転換についていえば、両国とも、軍部は力ずくで権力の座から追われたわけではない。むしろ軍内部の分裂が原因となって文民政権へ移行したのであり、それは軍部が統治権への信念を喪失していることのあらわれでもあった。

ポルトガルの場合と同様、失政は表面的なきっかけにすぎない。ギリシアの軍部は一九六七年に権力を握ったが、さまざまな理由から民主主義以外に正統な統治形態をまったく見出せず、現体制は健全かつ刷新された政治システムの復活に向けた準備段階である、と一つ覚えの主張を繰り返してきた(12)。こうした弱い立場にあるギリシア軍事政権は、本土との統一を求めるキプロス内ギリシア系住民への支援と、それに端を発したトルコのキプロス占領、そして全面戦争の危機という事態が起こると、国民の信頼を失うことになった(13)。

一方、一九七六年にイザベル・ペロン大統領から権力を奪い取ったアルゼンチン軍部の場合、そのいちばんの目標は、国内社会からテロリズムを一掃することにあった。したがって、武力による猛烈なテロ弾圧に成功した軍部は、そのことで逆にみずからの存在理由の大半を失ってしまった。さらに、この軍事政権が決断したフォークランド諸島への侵略は、無益で勝算のない戦争を引き起こしたとして国民からの信頼を失う結果を招いたのである(14)。

また、経済問題や社会問題で権威を失墜させた民主政権のあとを受け、強力な軍政が誕生したものの、結局これらの諸問題を処理する能力が不十分だったというケースもある。ペルーでは、経済危機が急激に深まった一九八〇年に軍事政権から民政への移管がおこなわれた。フランシスコ・モラレス・ベルミューデス率いる軍事政府のもとでは、相次ぐストライキや手ごわい社会問題にどうにも対処しきれなかったためだ(15)。

ブラジルは軍政のもとで一九六八年から七三年まで驚くべき経済成長をとげたが、世界的な石油危機と経済不況が到来すると、軍部指導者は自分たちがさしたる経済運営の手腕も持ち合わせていないことに気づいた。最後の軍事政権大統領ジャン・フィゲイレドが選挙で選ばれた文民大統領に権力の座を明け渡したとき、軍部の多くは安堵し、これまでの失政の数々を深く恥じ入りさえしたのである(16)。

ウルグアイでは都市ゲリラ組織ツパマロスに対する「汚れた戦争」を遂行するため、一九七三年から七四年にかけて軍部がはじめて実権を握った。しかしながらウルグアイでは民主主義の伝統がかなり強く、軍政を規定した憲法草案は一九八〇年の国民投票でその是非が問われることになった。この投票で敗北した軍部は、一九八三年には自主的に政権の座からしりぞいた。(17)

南アフリカでのアパルトヘイト制度の考案者たち、たとえば元首相のH・F・ファブートなどは、人間誰しも平等だというリベラルな前提を否定し、人種間には生まれながらに区分や階層があると信じていた。(18)アパルトヘイトとは、黒人労働力の利用を基礎に南アフリカの産業発展をはかりつつも、同時にその産業発展がどんなプロセスをたどろうと当然ついてまわる南アフリカ黒人の都市移住傾向に歯止めをかけようとするもくろみだ。このような社会管理の試みは途方もなく野心的であり、いまから考えるとその究極の目標たるや途方もなく馬鹿げたものでもあった。

自分の勤務先の近くに居住したいという願望を犯罪だと見なすいわゆる「パス法」によって、一九八一年までに一八〇〇万人近い黒人が逮捕されてきた。だが、現代経済の法則には到底背けるはずもなく、一九八〇年代後半にはアフリカーナー（オランダ系白人）のなかに一つの意識革命がもたらされた。デクラークが、同国大統領に就任するかなり前から、「数百万の黒人が都市部に定住するのは経済上のニーズ」であり「このことに頰かむりをしていてもなんの足しにもならない」(19)と主張したのもそのためだ。

こうしてアパルトヘイトは、結局のところ、無益な制度として白人のあいだで正統性を失い、アフリカーナーの多数が黒人との新たな権力分有《パワー・シェアリング》システムを受け入れるようになったのである。(20)

ラテンアメリカ・南ヨーロッパの民主主義移行に見る驚くべき一貫性

このように南ヨーロッパやラテンアメリカ、南アフリカでの民主主義への移行例にはそれぞれ大きな違いも見られるが、反面では驚くべき一貫性が存在している。

ニカラグアのソモサ政権を別にすれば、旧政権が暴動や革命によって権力の座から追われたという例は一つもない[21]。政権交代が生じたのは、旧政権の少なくとも一部が、民主的に選ばれた政府に権力を委譲するという決断を自発的に下したことによる。権力からのこの自主的な撤退は、つねに当面のなんらかの危機をきっかけにしているものの、究極のところでは、民主主義が現代社会で唯一正統性をもつ政体だという信念が広がってきていることによって可能となったのである。

ラテンアメリカやヨーロッパの右翼独裁政権は、自分たちに課した限られた目標――テロリズムの根絶、社会秩序の回復、経済的混乱の収拾など――を達成したとたん、権力にしがみつく根拠を見失い、自信を喪失してしまった。国王自身が民主国家における肩書きだけの君主に甘んじ、あるいは教会が人権擁護の戦いの急先鋒に立った場合には、王座と祭壇の名において人民を殺すことは至難の業だろう。「権勢を自分から進んで手放す者はない」という古い格言も、ここではもはや通用しない。

もちろん、古い独裁政権の多くが一夜にして民主主義に宗旨替えしたわけでないということ、また、これらの政権が往々にしてみずからの無能と誤算の犠牲者であったことはいうまでもない。チリのピノチェト将軍にせよ、ニカラグアのサンディニスタ政権にせよ、選挙戦に臨むときに敗北などはまったく予期していなかった。しかしながら、どんなに頑迷な独裁者であれ、選挙を実施することでわずかでも民主主義者の風を装うべきだと考えていたこともまた事実である。政権を譲り渡した軍部には、個人的にもかなりのリスクがともなった。というのも彼らは、権力委譲によって、虐待を受けてきた側からの報復に対して身を守るすべの大半を失ったからである。

右翼独裁政権が民主主義の理念の力によって政権の座から一掃されたというのは、さして驚くにはあたらないだろう。どれほど強力な右翼国家であっても、経済や社会全体から見れば、事実上かなり限られた権力しか持ち合わせていない。こうした政権の指導者というのは、ますます社会の片隅に追いやられている伝統的社会集団の代表であり、支配権を握る将軍や将校にしても、総じて理念や知性とは無縁の連中なのだ。

だが、共産主義という名の左翼全体主義権力についてはどうだろうか？ 共産主義政権はすでに「強国」という言葉の真の意味について新たな定義を下し、不滅の権力を獲得するための公式をも発見してしまっていたのではなかろうか？

3
あまりにも貧しすぎた「超大国」

さて、ここに、一九六〇年代に入ってから書かれたクイビシェフ市の九年生用教科書の抜粋がある。
「一九八一年。それは共産主義の時代です。共産主義とは物資の豊かさと文化の恵みのことです……。市の交通手段はすべて電化され、有害な経済組織は市外に移されます。私たちは月に暮らし、花の茂みや果樹のそばを歩いているのです……」
だが、われわれが月でパイナップルを食べるまでどれほどの歳月がかかることか？　それよりもこの地上で、いつの日か、トマトを腹いっぱい食べられるようになるといいのだが！

アンドレイ・ニュイキン『蜜蜂と共産主義者の理想』(1)

全体主義は、十九世紀の伝統的な権威主義とはまったく性格を異にする二つの独裁政治、つまり旧ソビエト連邦とナチスドイツについて説明するために第二次世界大戦後の西洋で生まれた概念だ。(2) ヒトラーとスターリンは、非常に大胆な社会的・政治的方針を掲げることによって、強国というもののイメージを一新したのである。

フランコ時代のスペインのような伝統的専制支配にせよ、ラテンアメリカのさまざまな軍事独裁にせよ、社会のなかのプライベートな権益の領域——すなわち「市民社会」——をたたきつぶそうとまではせず、せいぜいその管理をめざしたにすぎない。フランコ率いるファランヘ党もアルゼンチンのペロン主義運動も、体系的なイデオロギーを作り出すことはできず、国民の価値観や気分感情を変えようとする努力も中途半端なものに終わってしまった。

これに対して全体主義国家の場合、その根底には、人間生活の全体を包み込む明確なイデオロギーがあった。全体主義は市民社会の完全な破壊をもくろみ、市民生活のトータルな管理をめざした。

一九一七年にボルシェビキが権力を掌握して以来、ソビエト国家は、反対党、新聞、労働組合、私企業、教会などロシア社会のなかで権力にたてつく可能性のある組織をことごとく弾圧してきた。一九三〇年代末にもこうした組織のいくつかはまだ存続していたが、それらはすべて、かつての精神を骨抜きにされ、国家によって徹頭徹尾コントロールされたものだった。そして結局、住民一人ひとりが原子状態におかれ、全能の政府以外いかなる「仲介機関」からも引き離されているような社会だけが残ったのである。

全体主義国家ソビエトは、報道や教育や政治宣伝の管理を通じて個人の信条や価値観そのものの構造を変え、それによってソビエト人自身を作り変えようとした。このやり方は、人間にとってもっとも個人的で親密なつながりをもつ家族関係にまで及んだ。スターリン警察に自分の両親を告発した若きパービル・モロゾフは、その後長年にわたって政府から、ソビエトの息子の鑑《かがみ》と称えられた。ミカイル・ヘラーは次のように述べている。

「社会が体系だったやり方でバラバラにされていくときには、社会という布地を織りなすさまざまな人間的結びつき——家族、宗教、過去の記憶、言語——が攻撃目標となる。そして個々人の密接なつながりは、その当人のためにあてがわれ国家から認められた別の人間関係にとって代わられる」[3]

自由よりはむしろ「監禁生活」に満足していた入院患者

一九六二年のケン・キージーの小説『カッコーの巣の上で』は、全体主義の野心を示す一例である。これは、精神病院内でビッグ・ナースという暴君に監視されながら幼稚で無意味な生活を送っている入院患者たちの物語だ。

小説の主人公マクマーフィーは、そんな同僚たちを解放するため病院の規則を破り、ついには集団脱走を企てる。だが計画を進める途中で彼は、同僚が誰ひとり自分の意志に反して病院に閉じ込められているのではないという事実に気づく。そして結局、ビッグ・ナースの権威に頼りきっている患者たちはみな外の世界を恐れ、自発的に監禁状態にとどまってしまう。

全体主義の究極の目標もここにある。つまり当時の新生ソ連は、たんに国民から自由を奪い取るだけでなく、自由への恐怖心を与えることで身の安全を守るように仕向け、強制力によらなくても、鎖に縛られているほうが幸福だと自分から思い込むような人間をつくろうとしたのだ。

多くの識者は、ソビエト全体主義がボルシェビズム以前のロシアの権威主義的伝統によって支えられていくだろうと考えていた。フランス人旅行家キュスティーヌはロシア人を、「奴隷状態にうちひしがれ、恐怖と野望以外のことは真に受けようとしない民族」であると述べたが(4)、そこには十九世紀ヨーロッパでのロシア人に対する一般的な見方がよくあらわされている。ロシア人は民主主義に興味もなくその用意もない――そんな思いが、意識するとしないとにかかわらず西洋人の心のなかで、ソビエト共産主義は盤石な体制だという確信の基礎となった。

一九一七年に樹立したソビエト政権は、結局のところ、第二次世界大戦後の東欧とは違って外部からロシア人に押しつけられたものではなく、その支配はボルシェビキ革命以来六、七十年にわたり飢饉や暴動や侵略に耐えて生き残ってきた。これは、支配層の特権階級内部はもとより広範な国民のあいだでもその政治システムが一定の正統性を獲得してしまったことを示しており、権威主義を好むロシア社会の本質がそこには浮き彫りにされている。

西側諸国から見ると、たとえばポーランドの国民なら機に乗じて共産主義支配を打倒したがっていたと信じる根拠は十分にあった。だがそれと同じことは、ロシア人にはまったくあてはまらない。言葉を変えれば、ロシア人は監禁生活に満足した入院患者なのだ。それも鉄格子や拘束服によって監禁されているわけではなく、むしろ安全や秩序や権威を求め、ソビエト政権が投げ与えてくれる大帝国の壮大さとかスーパーパワーの地位とかいう余分な恩恵がほしいために、捕らわれの身に甘んじていたといえよう。かくしてソ連は強国中の強国と見なされ、とくに世界戦略上アメリカの最大のライバルと考えられてきたのである。

「歴史の山」が着実に動き出した

全体主義国家は、それ自体が永遠に存続するだけでなく、ウイルスのごとく世界のすみずみにまで繁殖しかねないと思われてきた。東ドイツ、キューバ、ベトナム、あるいはエチオピアに輸出された共産主義には、前衛党や中央集権化した内閣、警察機関、そして国民生活の全面を統治するイデオロギーが完備された。各国の国民性や文化的伝統の違いにかかわらず、これらの諸制度は有効に機能するように見えた。

この不滅の権力メカニズムは、その後どうなってしまったのだろうか？

一九八九年——フランス革命およびアメリカ合衆国憲法制定から二百年を迎えたこの年、世界史の一つのファクターとしての共産主義は決定的な崩壊をとげたのである。

共産圏では、一九八〇年代前半からきわめて急速でたえまのない変動が続いてきたため、われわれはときとしてこの変化を当然のものと受け止めたり、事態の重大性を忘れたりしがちだ。その意味では、この時期の主要な事件をもう一度振り返ってみるのもむだではないだろう。

＊一九八〇年代に入ると中国共産党指導部は、中国人口の八割を占める農民に対して、自営農作と生産物の販売を許可するようになった。これによって集団農業の形態は崩れ、全国の農村はもとより都市工業にも資本主義的な市場関係が出現しはじめた。
＊一九八六年、ソ連の報道機関はスターリン時代の罪悪を批判する記事を発表しはじめた。こうした記事は一九六四年のフルシチョフ失脚以来差し止められていたものだった。その後、報道の自由は急速に広がり、タブーが次々に打ち破られた。一九八九年にはなんとゴルバチョフらソビエト指導部がマスコミで公然と非難され、一九九〇年から九一年にかけてはソ連全土でゴルバチョフ退陣を求める大規模なデモが起こった。
＊一九八九年二月、ソ連軍がアフガニスタンから撤退した。以後の経緯が示すとおり、これはソ連軍の一連の撤退行動の先駆けにすぎなかった。
＊一九八九年三月、新たに再編された人民代議員大会とソ連最高会議の選挙がおこなわれた。翌年には

ソ連邦内の十五の共和国すべてと地方レベルで選挙が実施された。共産党は選挙を有利に運ぼうと不正工作を試みたが、地方議会のどれ一つとして、非共産党員の代議員を過半数以下に抑えることはできなかった。

＊一九八九年春、北京は、中国の政治腐敗の一掃と民主主義の確立を求める数万人の学生によって一時的に占拠された。六月にはついに軍部がこの学生たちを鎮圧したが、それは中国共産党の是非を世に問うには十分すぎる事件だった。

＊一九八九年初頭、ハンガリー社会主義労働党内の改革派は、複数政党による自由選挙を一年後におこなうと発表した。同年、ポーランドの円卓会議で、統一労働者党と自主管理労組「連帯」とのあいだに権力分担に関する合意が成立した。引き続く総選挙では、共産主義者側の不正工作も功を奏さず、七月には「連帯」が政権の座についた。

＊一九八九年七月と八月に、数万人から数十万人の東ドイツ市民が西ドイツへ逃亡した。その後、急速に深まる危機のなかでベルリンの壁が崩壊し、東ドイツ国家は解体に追い込まれた。

＊東ドイツの解体は、チェコスロバキア、ブルガリア、ルーマニアの共産主義政権崩壊の引き金となった。一九九一年のはじめまでに、アルバニアやユーゴスラビア内の主要な共和国をふくむ東欧の共産主義国すべてにおいて、複数政党による一定の自由選挙が実施された。この結果、ルーマニア、ブルガリア、セルビア、アルバニア以外の各国では最初から共産主義者が政権を追われた。ブルガリアでも、選挙で選ばれた共産党政権がまもなく辞職を余儀なくされた。(5) ワルシャワ条約機構の政治基盤は消滅し、ソ連軍は東欧からの撤退を開始した。

＊一九九〇年一月、ソ連共産党の「指導的役割」を保証したソビエト憲法第六条が廃止された。

＊憲法第六条の廃止にともない、ソ連邦内には非共産主義政党が次々に設立され、共和国の多くで政権を握った。一九九〇年春にボリス・エリツィンがロシア最高会議議長に選出されたのはきわめて特筆すべき出来事であり、それを受けて彼は議会内の同僚たち多数とともに共産党を離脱した。その後、エリツィン率いるこのグループは私有財産と市場制度の復活を提唱しはじめた。

＊一九九〇年の一年間で、ロシアやウクライナをふくむソ連邦内のすべての共和国の自由選挙によって選ばれた議会が、各共和国の「主権」を宣言した。バルト諸国の場合はそれにとどまらず、一九九〇年三月にソビエト連邦からの完全な独立を宣言したが、多くの人々が予期していたような即時の弾圧はおこなわれなかった。この独立宣言は、古い連邦制を維持すべきかどうかをめぐってソ連内の権力抗争を引き起こす結果となった（その後一九九一年九月、ソ連国家評議会がバルト三国の独立を承認。国連も三国の加盟を承認した）。

＊一九九一年六月、ロシア共和国では最初の完全な自由選挙が実施され、エリツィンが大統領に選出された。これは、モスクワから地方への権力移行に拍車がかかっていることを如実に示している。

＊一九九一年八月、ソ連共産党内の強硬派による反ゴルバチョフ・クーデターが失敗した。これは一つには反乱派の無能や優柔不断の結果であったが、同時に、無抵抗で権威至上主義といわれていたソビエト国民が、エリツィンに指導され、民主制度擁護の側に圧倒的な支持を表明したためでもある（一九九一年十二月、ウクライナ共和国の国民投票で独立宣言承認。その後、グルジア共和国をのぞく十一の共和国首脳は、ソ連邦の解体と「独立国家共同体（ＣＩＳ）」創設を宣言した）。

共産主義の問題と真剣に取り組む研究者も、一九八〇年の時点では、いま述べてきた出来事のどれ一つとして以後十年のあいだに現実に起こるとは予想せず、その可能性すら否定していたはずだ。こうした判断はおそらく、事態が右に挙げたような進展を見せれば全体主義的な共産主義権力はその中枢から損なわれ、ひいては体制全体が致命的な打撃を受けることになるし、そんな事態の進展を権力側が許すわけがない、との見解にもとづいてなされたものにちがいない。だが実際には、ソ連の旧体制が崩れ去るという終局を迎え、一九九一年八月のクーデターの責任をとる形で、ソ連での共産党の活動は禁止されたのだ。

それでは、専門家たちの当初の思惑はどうして裏切られる結果となったのか？　ペレストロイカの開始以来われわれの前に露呈されつづけてきたこの強国の桁はずれの弱さを、どう説明すればよいのだろうか？

統計値だけからは計れない「超大国」の驚くべき脆弱さ

旧ソ連の基本的な弱点、西側の観測筋が見逃してきたじつに深刻な弱点は、経済問題である。ソビエト体制においては、経済の失敗を大目に見ることは他国にくらべてはるかに困難だった。なぜならこの政権の正統性は、明らかに国民に物質的な高い生活水準を提供する能力いかんにかかっていたからだ。

いまでは想像もつきにくいことだが、一九七〇年代前半まではたしかに、経済成長がソ連の強さの一つであると考えられていた。一九二八年から一九五五年にかけてソ連のＧＮＰは年率四・四パーセントから六・三パーセントの伸びを示し、その後の二十年間もアメリカのＧＮＰの一・五倍の速さで増加した。フルシチョフが、ソ連はアメリカに追いつきやがてはアメリカを葬り去るだろう、と脅したのもはったりではなかったのだ[6]。

だが、一九七〇年代中期にさしかかると成長率は鈍化し、CIAの概算によると一九七五年から八五年にかけての伸びは年二・〇ないし二・三パーセントにとどまった。しかも、隠されたインフレを考慮に入れていないためこれらの数値にはかなりの誇張がある、との証言も相次いでいる。ソ連国内の改革派経済学者の多くは同時期の成長率が〇・六パーセントから一パーセントだったと主張し、なかにはゼロ成長であったと断定する者すらいる[7]。

全体的なGNPの横ばい状況に、一九八〇年代前半の年率二ないし三パーセントの軍事費の増加を勘案すれば、ゴルバチョフが政権につく以前からソ連の市民経済は相当に冷え込んでいたといえるだろう[8]。ソ連のホテルに泊まり、ソ連のデパートで買い物をし、赤貧生活さえ垣間見える農村部を旅行した者なら誰でも、ソビエト経済が公式統計に完全には反映されないきわめてゆゆしき問題をかかえていることに気づいたはずだ。

この経済危機が、ソ連国内でどのように解釈されていたかというのも重要な点だ。一九八〇年代後半、ソ連の経済支配機構の内部では注目すべき思想改革がおこなわれた。ブレジネフ時代からの保守派グループは、ゴルバチョフが登場して三、四年のあいだにポストを追われ、アベル・アガンベギャン、ニコライ・ペトラコフ、スタニスラフ・シャターリン、オレグ・ボゴモロフ、レオニード・アバルキン、グレゴリー・ヤブリンスキー、ニコライ・シメリョフらの改革派経済学者がそれにとって代わった。彼らはみな自由経済の理論を——いつでも完全にというわけではないが——理解しており、中央集権的な行政命令システムがソ連の経済衰退の原因であると確信していた[9]。

しかしながら、ペレストロイカの経過をたんに経済危機の側面だけで解釈するのは誤りだろう[10]。ゴルバチョフ自身も指摘していたとおり一九八五年の時点でソ連は「危機の前段階」を迎えていたにせよ、危機のまっただなかにいたわけではない。他の諸国はこれまで、もっと深刻な経済的困難を乗りきってきたのである。たとえば大恐慌時代のアメリカでは実質GNPが三分の一近くにも落ち込んだが、だからといってそのことがアメリカの経済システムへの全般的な不信を招きはしなかった。ソビエト経済に重大な弱点があるというのは長年にわたって認められていたことだし、経済の衰退を食い止めるべく一連の伝統的な改革が試みられたことも確かなのだ。(11)

ソ連全体主義の最大の失敗原因

旧ソ連の弱点を理解するには、経済的な困難という問題を、それよりはるかに大きな危機、つまり体制全体の正統性にかかわる危機という脈絡のなかでとらえなくてはならない。経済の失敗は共産主義への信念に対する反発を引き起こし、社会の基礎構造の弱さを露呈させたが、それもソビエト体制の数ある失敗のたった一つにすぎない。全体主義のもっとも根本的な失敗は、思想をコントロールしそこなったことにあるのだ。旧ソビエト市民は、いまにしてわかることだが、自立の精神をずっと失わずにいたのである。

政府の長年のプロパガンダにもかかわらず、その政府が自分たちを欺いていることを多くの国民は理解していた。スターリニズムのもとで耐えぬいてきた個人的な苦難に対して、人々は燃えたぎる怒りをもちつづけた。事実上すべての家庭が農業集団化の過程で、あるいは一九三〇年代の恐怖政治のもとで、あるいは戦争のなかで、肉親や友人を失ってしまったが、スターリンの外交政策の失敗が招いた犠牲はさらにいっそう大きかった。

人々は、これらの犠牲者が不当に迫害されたものであり、ソビエト政権がそうした戦慄すべき犯罪に対する責任を決していさぎよく認めてこなかったことを知っていた。同時に人々は、建て前としては階級がないとされる自分たちの社会のなかに新手の階級制度が台頭してきたことにも気づいていた。それは帝政下の役人同様に腐敗し、特権をもち、しかもはるかに偽善的な、党官僚という階級である。

この偽善者ぶりを立証するには、ゴルバチョフ政権下のソ連で語られるいくつかの言葉、たとえばゴルバチョフが自分の目標を明らかにする際ひっきりなしに口にする「民主化」という言葉の使用法を考えてみるとよい。レーニンの場合は、当然ながら、共産党独裁を通じてソビエト連邦が西欧の名目的な民主主義を乗り越え、真の民主主義を達成したと主張していた。しかしながらいま「民主化」を語る人間は、それはまさしく西欧の民主主義であって、レーニン流の中央集権主義をさすものではない、と確信しているのだ。

「経済的」という言葉にしても（それは「経済的配慮」とか「経済的に最良な」という言い回しで用いられるが）、今日では、資本主義的な需要と供給の法則によって定義される「効率的」という表現と同義なのだ。

また、生活の質の低下に絶望した若者の多くは、ふつうの国、つまりマルクス－レーニン主義のイデオロギーでねじ曲げられていないリベラルな民主主義国に住むのが自分たちの唯一の望みだ、とわれわれに告げることだろう。当地に住む私の友人の一人は一九八八年にこんな話をしてくれた。

「自分の子供に宿題をやらせるのがひと苦労なのよ。だってみんなが好き勝手なことをやれるのが民主主義だと誰もが知っているんだから」

さらに重要なのは、ソビエト体制の犠牲者のみならずそこから恩恵を受けていた者さえ、自国の体制に怒りを感じていたという点である。一九八六年から九〇年まで政治局員としてグラスノスチ（情報公開）政策を立案したアレクサンドル・ヤコブレフ、「新思考」政策の具体化に携わったエドアルド・シェワルナゼ外相（当時）、そしてロシア共和国大統領エリツィンらはみな、共産党機関の中枢で働いてきた。フランコ政権下の国会議員や自発的に権力を明け渡したアルゼンチンおよびギリシアの将軍たちと同様、これらの面々も、ソビエト体制の中心部に巣食うきわめて深刻な病巣に気づいており、だからこそ彼らは、多少とも自分の腕を振るえるような重い責任ある地位につかされたのである。

一九八〇年代後半の改革は、アメリカとの競争上そうせざるを得なかったにせよ、外部からソ連に押しつけられたものではない。むしろ、前世代のエリート階級までが信頼できなくなったという内部的危機の所産としてあらわれたのだ。

ソビエト体制の正統性が損なわれるという事態は、思ったより早く到来したわけでもないし、一夜にして起こったのでもない。ゴルバチョフはグラスノスチや民主化の政策を、最初は自分の指導的地位を強めるための武器として、のちには、硬直化した経済官僚主義に対する国民の反対世論を動員するための武器として利用した。そのかぎりにおいて彼は、フルシチョフが一九五〇年代に採用した戦術から逸脱してはいない(12)。こうした改革策が掲げた政治的な自由という目標も、当初はほとんど飾りものに近かったのだ。ところがそのような政策が、あっというまに独自の生命をはらみ、政治的自由それ自体を求める変革の動きとなっていく。

ゴルバチョフが最初にグラスノスチとペレストロイカを唱えたときから、その訴えは、ソビエト体制の欠陥を重々承知していた多くの知識人のあいだに打てば響くように広がっていった。同時に、ソ連の古い体制を吟味し、その失敗をあばくための一貫したものさしはたった一つしかないことも明らかになってきた。そのものさしとは、リベラルな民主主義、言い換えれば市場志向型経済の生産性と民主政治における自由にほかならない。(13)

全体主義下でのロシア人の政治的成熟ぶり

ソビエト国民は支配者から屈辱を味わい、他のヨーロッパ諸国はおろか自国のインテリからも、全体主義を陰で支える共犯者として蔑まれてきたが、それがじつは間違った見方であったことが判明した。

一九八九年以降、ソビエト社会は、数万におよぶ新しい組織――政党、労働組合、新たな雑誌や新聞、エコロジー団体、文学団体、さまざまな教会、民族主義者のグループなど――の発足を通じて、全体主義の明確な地盤から離脱しはじめた。ソビエト国民が古い権威主義的な社会契約の正統性を受け入れているという幻想は打ち破られた。彼らの大多数は、あらゆるチャンスをとらえて、旧態依然とした共産党の代表に反対の一票を投じたのである。

ロシア共和国初代大統領に、セルビアのミロシェビッチみたいな半分ファシストの扇動政治家《デマゴーグ》やゴルバチョフのごとき中途半端な民主主義者ではなく、エリツィンのような人物が選ばれたことは、ロシア人の政治的な成熟をうかがわせる何よりの証しである。この政治的成熟は、一九九一年八月の保守派クーデターに際したソ連国民がエリツィンの呼びかけに応えて新しい民主主義の諸制度を守るため立ち上がったときに、いっそう如実に示された。東欧諸国民のようにソ連の人々も自分たちが決して無気力でバラバラな存在ではなく、みずからの尊厳や権利を自発的に守る用意があることを証明したのである。(14)

旧ソ連の基盤であった共産主義の信念に対する大いなる幻滅は、一朝一夕にもたらされたものではないし、体制としての全体主義は一九八〇年代に入るかなり前から崩壊していたといってもよい。実際のところ全体主義の終焉は、一九五三年のスターリンの死に続く時期、ソ連当局が見境のない恐怖政治をやめた時期に、すでにそのきざしがあらわれていたようだ(15)。

一九五六年のフルシチョフのいわゆる「秘密演説」(第二十回党大会でおこなった従来の党路線を大幅に修正するスターリン批判)とスターリン治下の強制収容所の閉鎖以降、当局ももはやたんなる威圧によって政策を押しつけることができず、人々を政府の目標に沿って歩ませるには、甘い言葉による取り込みや賄賂という手段にますます頼らざるを得なくなった。

国民に恐怖を味わわせるだけの政治がすたれたのは、ある意味で避けがたいことであった。というのはスターリン体制下では、支配層内部でも誰ひとり安穏としてはいられなかったからだ。スターリン時代の政治指導者イェズホフとベーリヤはともに処刑され、外相モロトフの場合は妻が強制収容所に送られた。スターリンの後継者フルシチョフは、政治局のメンバーがスターリンから妙なまなざしを向けられるたびにどれほど命の縮む思いをしたか生々しく語っている。そしてスターリン自身でさえつねに反乱の陰謀におびえていた。したがって、スターリンの死によって自由を得た指導部からすれば、恐怖支配体制の完全な一掃は当然すぎる成り行きだったのである。

人民の殺害をやめるというソビエト政府の決断によって、国家と社会の力のバランスは後者にぐんと有利に傾いた。同時にその決断は、今後もはやソビエト国家が国民生活すべての面にわたっての管理者でありつづけることはできないということを意味した。

消費者のニーズや闇市場や地方の政治組織は、もはやあっさりつぶすこともできず巧みに操ることも不可能となった。警察による威嚇は国家の重要な武器の一つとして残されたものの、表立った形ではなかなかその武器を行使できず、しかもそれは消費財の供給増を確約するといった他の施策で穴埋めする必要があった。ゴルバチョフ以前のソ連でも、GNPの二〇パーセントまでもが闇市場のなかで、あるいは闇市場を通じて生み出されており、中央の経済計画担当者たちの統制力はまったく及ばなかったのである。一九六〇年代から七〇年代にかけて、ソ連邦内の非ロシア人共和国で多くの「マフィア組織」が出現したのは、この中央統制の弱まりを示す一例である。

たとえばウズベク共和国の悪名高き「綿花《コットン》マフィア」は、共産党第一書記ラシドフのリーダーシップのもとで栄えた。ラシドフはブレジネフ書記長やその娘のガリーナ、娘婿のチュルバーノフ（モスクワの政治局員）らとの個人的なコネを楯に、腐敗した官僚帝国を長年にわたって牛耳ることができた。

この官僚主義者のグループは、共和国内の綿花生産の帳簿の改ざん、銀行の個人口座への巨額の資産の集中、そしてモスクワからいっさいの監視を受けない地方党組織の運営に成功した。この時期には多種多様な「マフィア」が、非ロシア人の共和国内はいうに及ばず、モスクワやレニングラード（現サンクト・ペテルブルク）のような場所もふくめソビエト社会のいたるところで勢力を広げたのだ。

こうした国家体制はもはや全体主義とは呼べないし、ラテンアメリカの独裁主義のような権威主義の一形態でもない。ブレジネフ時代のソ連や東欧をさす最良のレッテルは、おそらくバツラフ・ハベルが使った「ポスト全体主義」という用語だろう。これは、その体制がもはや一九三〇年代から四〇年代の残虐な警察国家とは違うが、その一方では依然として過去の全体主義的な慣行から抜け出せないでいる状態を指す(16)。

全体主義は、こうした社会の民主主義的な考え方を抹殺できるほど十分に強くはなかったが、それでも全体主義の正統性は保たれ、それが以後の民主化の歩みへの桎梏《しっこく》となったのである。

片肺飛行に終わった一九八〇年代の中国近代化と改革

中華人民共和国や東欧諸国でも、全体主義は破綻した。中国における国内経済への中央政府の統制力は、「スターリン主義」のもっとも華やかな時期でさえソ連ほど完全には統制がとれてはおらず、経済の四分の一は国家計画の埒外におかれていた。一九七八年に鄧小平は経済改革に着手したが、中国人の多くが一九五〇年代からの市場経済や企業政策の時代を生々しく覚えていたことを考えれば、彼らが以後十年にわたる経済自由化の流れにうまく便乗できたのも驚くにはあたらないだろう。

鄧小平は毛沢東とマルクス－レーニン主義に口先では忠誠を唱えつつ、農村部での私有財産復活をうまくやりとげ、グローバルな資本主義経済に対して中国の門戸を開いた。この経済改革への着手は、社会主義的中央計画経済の失敗を共産党幹部がいち早く見抜いたことのあらわれであった。

民間経済部門を広い範囲で認めている全体主義は、もはや、定義からいっても全体主義とはいえない。一九七八年から天安門弾圧事件が起きる一九八九年までの時期に、中国ではかなり自由な空気が広がり、自然発生的なビジネス組織、企業家、インフォーマルな組合などの形をとった団体が雨後の筍《たけのこ》のごとくあらわれ、市民社会が急速に再生した。中国指導部では、マルクス主義の教義を後生大事に守りぬくよりむしろ自国の近代化と改革の推進役となるほうが、みずからの正統性を温存できると読んだのである。

しかしながらソ連同様、政権の正統性を確保するのは困難だった。経済の近代化を果たすには、外国の思想や影響を受け入れるべく中国社会を開いてやる必要があった。そのため経済近代化は、国家から力を奪い取り市民社会の勢力を伸ばした。それはまた、一党支配の政治システムのなかでは矯正しにくい腐敗や社会的悪弊を生むきっかけともなった。

同時に大都市においては、ちょうど中産階級と同等の働きをする高学歴の、国際的視野をもったエリートたちを続々と誕生させた。一九八九年四月、胡耀邦の死を契機に天安門広場で抗議行動を開始したのは、こうしたエリート層の子供たちである。[17] この学生たちのなかには欧米で学んだり中国以外の政治制度に詳しかったりする者もおり、彼らはもはや、一定の経済的自由は許すが政治的自由はどんなものであれ認めないという中国共産党の偏った改革には満足しなくなっていた。

天安門広場での学生たちの抗議行動については、それが政治への参加をめざす自然発生的な要求のあらわれというより、むしろ趙紫陽と李鵬による鄧小平の後継争いの反映だとの説も出された。[18] これもうなずける話ではある。趙紫陽は他の指導者より抗議学生に対しては明らかに同情的で、六月四日の武力弾圧に先立って彼らに訴えかけるなどして自己保身に躍起となった。[19]

ただし、当時の抗議行動が上層部からの巧妙な政治的小細工の産物だとしても、その行動が中国社会と既存の政治体制に対する、より根本的な不満の表現であることに変わりはない。しかもこの事件を契機に、独りよがりの全体主義はあらゆる面でもろさを露呈した。

政権継承のための憲法上のメカニズムが広く一般に認められていない場合、リーダーの座を競い合うライバルたちはつねに、政敵を蹴落とす手段として改革という切り札を使いたい誘惑にかられる。だがこの切り札を使えば、新たな社会的勢力や世論を喚起することはほとんど避けがたいし、そうした世論や勢力はやがて、国民を巧妙に操ろうとする者たちの統制の手をすりぬけてしまう。

一九八九年の一連の事件以後、中国はアジアにおける新しい独裁国家となったにすぎない。自国のエリートの大部分、とりわけ将来の国の担い手である若いエリートにとって中国は、内部的な正統性を欠いた存在であり、一貫したイデオロギーに導かれていない国家なのだ。かつての毛沢東時代のように中華人民共和国が世界のなかで革命国家のモデルを演じることはもはやあり得ないし、アジア地域の急速に発展する資本主義諸国とくらべれば、それはなおさら当然の理屈なのである。

共産主義のあとにやってくる偏屈でけんか腰の民族主義

一九八九年夏に東ドイツからの大量亡命がはじまった当初、西欧では次のような見方が大勢を占めた。社会主義がずっと定着してきた東ドイツや他の東欧諸国の人々は、自由を手にしたとき、共産主義でも資本主義の民主国家でもない人道にかなった左翼政権を選び取るだろう、というのである。

だがこの見方はまったくの幻想にすぎなかった。住民の意に反してソビエト型の制度をむりやり押しつけられた東欧では、全体主義がソ連本国や中国よりはるかに急速に崩れ落ちたのだ。だがそれも驚くにはあたらないだろう。程度の差はあれどの国も、市民社会がソ連におけるほど完全に破壊されていたわけではない。たとえばポーランドでは、隣国のウクライナやベラルーシと違って農業の集団化はおこなわれてこなかったし、教会は多少なりとも独立を保ってきた。

これらの国で共産主義の価値観を拒んだ理由はソビエト国民の場合と同じだが、それに加えて、各地の民族主義的な勢力が共産主義政権以前の記憶を温存させるのに一役買っており、一九八九年後半の動乱以後はその記憶が急速によみがえってきたのである。とはいえ、東欧の同盟国への介入や支援の意図はないことをソ連が言明したとたん、それらすべての国で共産党機関がことごとく腰くだけ状態になり、しかも党内保守派の面々がほとんど誰ひとり自衛のために指一本あげようとしなかった点だけは驚くべき展開であった。

サハラ砂漠以南でのアフリカ社会主義や、植民地時代以後の強力な一党独裁の伝統は、大部分の地域で経済の崩壊や内戦を経験したため、一九八〇年末までにほぼ完全に信用を失った。なかでもいちばんの苦渋をなめたのはエチオピア、アンゴラ、モザンビークのような硬直したマルクス主義国家だった。その一方、ボツワナやガンビア、セネガル、モーリシャス、ナミビアではまともな民主主義が機能しはじめ、他の多くのアフリカ諸国でも、独裁者たちが自由選挙を約束するところまで追い込まれている。

もちろん中国をはじめキューバ、北朝鮮、ベトナムでは共産主義政府の支配が続いている。だが、一九八九年七月から十二月にかけて東欧で六つの共産主義政権が一気に崩れ去って以来、共産主義に対する見方は大きく変わった。

かつてはリベラルな民主主義より高度で進んだ文明を自負してきた共産主義も、今後は政治や経済のひどい後進性を連想させるものとなるだろう。共産主義の権力はまだ世界に生き残ってはいるが、それはもはや活力と魅力にあふれた理念ではない。

共産主義者を自称する者たちは、かつての地位や権力の幾分かでも守ろうと、防戦に必死である。専制君主らが二十世紀への生き残りをはかったように、共産主義者も、遠い栄華の日々の古ぼけた反動的な社会秩序を守らざるを得ない立場にいるのだ。ひところ、リベラルな民主主義に向けられていたイデオロギー上の脅威は消え、ソビエト軍の東欧からの撤退にともなって、軍事的な脅威もほとんどなくなった。

民主主義の理念は世界じゅうで共産主義の正統性をぐらつかせてきたが、民主主義それ自体が根づくまでには、まだ相当なむずかしさがある。

中国の学生たちの抗議行動は共産党と軍隊によって弾圧され、その結果、鄧小平の経済改革のいくつかは廃止されてしまった。旧ソ連の十五の共和国においても、まだまだ民主主義の未来が確立したとは言いがたい。ブルガリアとルーマニアでは、共産党が政権の座をしりぞいて以来、政治的混乱が続いている。ハンガリーやチェコスロバキア、ポーランド、そしてかつての東ドイツだけは安定した民主主義と市場経済への移行に前向きな構えを見せているが、これらの国の場合でも、直面する経済的困難は当初の予想よりはるかに大きいことが判明しつつある。

共産主義が滅んだ代わりに不寛容で攻撃的な民族主義が急速に台頭しかけている、との議論もある。強国ソ連の滅亡を祝うのは時期尚早だ――とこの議論は続く――なぜなら、共産主義という名の全体主義は生き残りに失敗したけれども、それが今度は民族主義という名の独裁主義、さらにいえばロシア版やセルビア版のファシズムにとって代わられてしまうだけかもしれないからだ。このような説を唱える人々によれば、ロシアやセルビアの地域は当分のあいだ平和や民主主義の恩恵を受けることもなく、既存の西欧民主主義にとっては旧ソ連と同じくらい危険な存在になるという。

小ロシア主義――新しい民族主義の大潮流

しかしながらわれわれは、これまでの共産主義国が安定した民主主義へ、急速かつスムーズに移行しないからといって驚いたりしてはいけない。むしろ、そんな具合いに事態の進むほうがよほど驚くべきことなのだ。民主主義がうまく発展していくには、その前に乗り越えるべき障害が途方もなく多い。

たとえば旧ソ連の場合、民主化はまったく不可能だった。ソ連が本物の民主主義の名にふさわしいほど自由であったなら、この国はたちどころに、人種や民族の違いにもとづいたいくつもの小国に分かれていっただろう。

もちろんそれは、ロシア共和国やウクライナなどソ連の個々の共和国のレベルで民主化ができなかったという意味ではない。だが、ソ連の民主化には民族の独立分離という苦痛に満ちたプロセスが必ずつきまとうし、それは一朝一夕には、そして流血なしには達成できないのである。一九九一年四月、ソ連の十五の共和国のうち九つの共和国でおこなわれた連邦条約の再交渉とともにこのプロセスははじまり、八月のクーデター失敗後、その動きには急速に拍車がかかってきたのである。

さらにいえば、新たな民族主義のあらわれがどんな場合でも民主主義と必ず矛盾するというわけではない。ウズベク共和国などで近い将来に安定した民主主義が打ち立てられる見込みがほとんどないからといって、リトアニアやエストニアが独立後もスウェーデンやフィンランドほど自由ではないなどと考えるのは理に合わない。また、新しく生まれつつある民族主義が必ずしも領土の拡張や侵略に結びつくとはかぎらない。

その意味で注目すべき点は、一九八〇年代末から九〇年代はじめにかけてソ連のなかに「小ロシア主義」をめざす民族主義の大きな潮流が生まれてきたことだ。進歩派のエリツィンはもとより、エドアルド・ボロディンやビクトル・アスタフィエフら保守的な民族主義者の考えを見ても、それは一目瞭然である。

われわれは、今日の過渡的な状況を何か永続的な状態と混同しないよう気をつけねばならない。旧ソ連や東欧の一部では、マルクス－レーニン主義の政権がさまざまな独裁者や民族主義者、そして軍部にとって代わられる事態も起こり得るだろう。共産主義政権が復活するところさえ出てくるかもしれない。しかしそのような独裁主義は、狭い地域に限定された無秩序な体制にとどまるはずだ。そしてラテンアメリカの多くの軍部独裁政権と同様、やがては、自分たちが長期的な正統性の基盤はもとより今後直面するはずの政治・経済面での長期的困難への正しい処方箋すら持ち合わせていないという事実につきあたるはずだ。

リベラルな民主主義だけが、世界のこのような地域でも広く正統性を享受できる唯一の首尾一貫したイデオロギーなのである。この地域にいま暮らす人々の生きているあいだは、民主主義への移行は無理だとしても、次の世代にはそれが実現できるかもしれない。西欧におけるリベラルな民主主義への移行は長くつらい道のりではあったが、それでも最後にはどの国も民主主義への旅をまっとうすることができたのである。

完全に失敗した全体主義下の「人づくり」

共産主義という名の全体主義は、社会進化の自然で有機的なプロセスに終止符を打ち、その代わりに上からの革命――古い社会階級の破壊、急速な工業化、農業の集団化など一連の革命――を押しつけるための公式とされた。この手の大規模な社会管理計画は国家主導型の社会変革を引き起こすものであり、その点で共産主義社会はそれ以外の社会と一線を画しているとされた。社会科学者たちがノーマルな社会ではほとんど普遍的と見なしている経済や政治のノーマルな近代化も、この共産主義社会では実現されてこなかった。

ソ連や中国での一九八〇年代の変革のプロセスは、それがほとんど功を奏さなかったにせよ、人間の社会的進化という面できわめて重要な発見につながってきた。というのも全体主義は、革命以前のソ連や中国社会の主だった制度をなんとか破壊できたにせよ、ソビエト型あるいは毛沢東型の新しい人間を作り出すという野望の点ではまったく無力だったからである。

ブレジネフ時代や毛沢東時代の両国に出現したエリートたちは、経済発展がほぼ同レベルにある西欧の国々のエリートと、誰もが予期した以上に酷似していた。彼らのなかの先進部分は、西欧やアメリカや日本に相通じる消費文化を共有するとまではいかなくとも、それを味わうことはできた。

ソ連や中国の人々は、じつに多くの面でユニークな「ポスト全体主義」の性格を持ち合わせているが、一方、かつて西欧の理論家たちが予測したように個々人がバラバラにされたり、権力に頼りきったり、喉から手の出るほど権威を求めたりしているわけではないことが明らかになった。むしろ彼らは、うそとまことを、そして正邪の区別を見きわめられる一人前の大人であり、いつの時代の人間もそうだったように、自分が成熟した自律的な存在であると他人から認めてもらいたがっているのだということもはっきりしてきたのである。[20]

4 「千年王国」の旗手

われわれは、一つの重要な時代、精神がもうひと跳びすればそれまでの形態を越え、外観を一新させてしまうような興奮の時代の入り口に立っている。われわれの世界を一つに結びつけてきたかつての心象や概念やきずなは、そのすべてが夢のなかの絵のようにバラバラに崩れ落ちている。精神の新たな形相が登場の準備を整えている。他の者たちがそれに力なく異を唱え、過去にしがみつこうとも、哲学だけはその出現を歓迎し、承認しなければならない。

ヘーゲル、一八〇六年九月十八日の講義より(1)

左翼の共産主義にしても右翼の独裁主義にしても、強い政府の政治的な内部結束力を維持するだけのまともな理念はすでに破綻をきたしてしまった。その政府を支えているのが「一枚岩」の政党であれ、軍部であれ、あるいは一人の独裁者であれ、事情は同じだ。正統な権威が欠けているということは、独裁政権が政治のある分野で失敗を犯した場合、最後の頼みの綱とできるようなより高い原則がもはや存在しないことを意味する。ある者はこの正統性を、一種の積立金にたとえてきた。民主的と独裁とを問わず、どんな政府にも浮き沈みはある。しかしながら、正統性をもった政府だけが危急存亡のときにはこの蓄えに頼ることができるのだ。

右翼独裁国家の弱さは、市民社会を管理しきれなかったところにある。こうした政府の多くは社会秩序の回復や経済統制をおこなう一定の権限をもって権力の座についたのだが、以前の民主政権ほどには、経済の安定成長にてこ入れすることも治安体制への安心感を生み出すこともできなかった。

うまくそれに成功した政権の場合でも、そのことがかえってみずからの命取りとなった。なぜなら、教育が向上し、経済が繁栄し、国民の中産階級化が進むと同時に、独裁政権の尻に敷かれていた社会がしだいに現状の支配体制の枠内に収まりきらなくなってきたからだ。強い政府をよしとしたかつての危機の時代の記憶が薄れるにつれ、その社会は軍事支配に我慢できなくなっていったのである。

左翼全体主義の政府ではこうした轍を踏まぬよう、国民に許される思想の中身までふくめて、市民社会全体をその管理下におこうとした。しかし、このような体制を純然たる形で維持するには、支配者自身をも脅かすような恐怖政治をおこなうしかなかった。ひとたびその恐怖支配の手がゆるんだとき、政権の衰退への長い道のりがはじまり、国家は市民社会の主要な側面を統制する力を失った。

とりわけ問題なのは、人々の信念体系を統制できなくなったことである。しかも経済発展をめざす社会主義の処方箋には欠点が多すぎたため、国家としては、市民たちが国の経済政策の不手際に気づき、そこから自分たちなりの結論を引き出していくのをどうにも防ぎ得なかったのだ。

さらにいえば、一度か二度の後継者争いのごたごたのあとで、なおも政権を継承できた全体主義国家はほとんどなかった。後継者についての一般に認められたルールが存在しない国では、つねに権力の座を狙う野心家がライバルとの抗争のなかで抜本的変革を要求し、それによって全国家体制の是非まで問いただしていこうとする。いたるところでスターリン体制への不満が声高に叫ばれてきた事実を考えれば、改革のカードは強力な切り札である。だからこそフルシチョフはベーリヤやマレンコフに対抗して、ゴルバチョフはフルシチョフ時代の政敵に対抗して、また趙紫陽は強硬派の李鵬に対抗して、反スターリン主義という切り札を使ったのだ。

政権継承の過程では、旧政権の避けがたい悪弊の暴露を通じてその政権の信頼性が損なわれがちであり、そのため、権力の座を狙う個人あるいはグループが真の民主主義者かどうかという点はさしたる問題とはならない。リベラルな発想をより深く身につけた新しい社会勢力や政治勢力は束縛を解かれ、じきに、限定つき改革の最初の立案者たちの支配下から脱していったのである。

強国のもつ弱さのために、かつての独裁主義国の多くはいまや民主主義に道を譲り、他方かつてのポスト全体主義国家も民主国家に生まれ変わるか、さもなければたんなる独裁国となりはてた。旧ソ連では、連邦を構成していた各共和国に権力が移された。いまだ独裁の続く中国でも、その政権は社会の主要部分への統制力を失っている。両国ともはやマルクス－レーニン主義から与えられたイデオロギー上の一貫性を持ち合わせてはいない。ソ連での改革に反対する保守派は、壁の上にレーニンの絵と並べて東方正教会の聖画を貼り出しかねないし、一九九一年八月のクーデター未遂の首謀者たちは、将軍や警察官僚が幅を利かすラテンアメリカの軍事政権の連中と瓜二つなのである。

政治的権威主義の危機に加えて、さほど目立ちはしないけれどもやはり重要な変革が、経済の分野で進行してきた。それは東アジアにおける第二次世界大戦以降の驚異的な経済成長という形であらわれ、このことが同時にその変革を推し進める要因ともなった。経済成長という成功物語《サクセスストーリー》は、いち早く近代化をなしとげた日本のような国だけにとどまらず、市場原理を採用しグローバルな資本主義経済システムに完全に溶け込もうとしたすべてのアジア諸国が結局はその仲間入りを果たした。

これらの国の経済繁栄は、勤勉な国民だけが唯一の資源であるような貧しい国でも国際的な経済システムの間口の広さをうまく利用して思いもよらぬほどの新たな富を生み出し、ヨーロッパや北米のより堅固な資本主義列強とのギャップをたちまち埋めていけるのだということを示している。

歴史の荒波に耐えてよみがえる自由主義《リベラリズム》の力

東アジアの奇跡の経済成長は世界じゅうで注目されたが、なかでも並々ならぬ関心を寄せたのが共産圏諸国だった。共産主義の末期的危機というのは、ある意味で、中国の指導者がアジアの他の資本主義国から取り残されてしまったことに気づき、社会主義的な中央計画経済が自国の後進性と貧困を運命づけてきたことを悟った時点からはじまったといえよう。それ以降の中国での経済自由化の改革は、穀物生産の五カ年計画に対する不信感をつのらせ、同時に市場原理の強さを改めて見せつける結果となった。

その後、アジアでのこの教訓を汲み取ったのが旧ソ連の経済専門家だった。彼らも、中央政府による計画経済が自国にひどい浪費と非効率性をもたらしてきたことを知っていたのだ。東欧諸国の場合は、そんな教訓を学ぶ必要もないほどだった。それというのも、自分の国の生活水準がヨーロッパの隣国に追いつけなかったのは戦後ソ連から押しつけられた社会主義体制が原因だということを、他の共産国以上によくわかっていたからだ。

もっとも、東アジアの奇跡の経済成長から教訓を引き出したのは共産圏だけではない。ラテンアメリカ諸国でも、経済思想の面では注目すべき変化が起こってきた。(2) アルゼンチンの経済学者ラウール・プレビッシが国連ラテンアメリカ経済委員会の長を務めていた一九五〇年代には、ラテンアメリカのみならず広く第三世界全体の後進性をグローバルな資本主義システムのせいだとする論調が流行した。いち早く発展をとげた欧米諸国は世界経済をまんまと自国に有利な形にねじまげ、後発国を原材料供給者という従属的な地位に追い込んだ、というのである。

だが一九九〇年代初頭までに、こうした考えは一変した。メキシコのカルロス・サリナス・デゴルタリ大統領、アルゼンチンのカルロス・メネム大統領、ブラジルのフェルナンド・コロル・デメロ大統領らは、いずれも市場競争と世界経済への門戸開放の必要性を認め、遠大な経済自由化計画の実現をめざした。チリでは一九八〇年代のはじめにピノチェト政権下で自由経済原理が実践に移され、その後、パトリシオ・エイルウィン大統領の指導のもとに、独裁政治からの脱却をはかりつつ南半球ではいちばん健全な経済を作り上げた。

これらの民主的に選ばれた新しい指導者たちは、自国の後進性が資本主義固有の不公正のためではなく、むしろこれまでの資本主義政策の実践の不十分さにある、との前提から出発している。国有化や輸入代替（現在輸入している製品を国産化していく経済発展戦略）という言葉に代わって、民営化や自由貿易が新たなスローガンとなった。

マルクス主義を信奉するラテンアメリカの知識人は、ヘルナンド・デソトやマリオ・バルガス・ローサやカルロス・ランゲルといったエコノミストたちから、ますます激しい非難の矢面に立たされるようになっている。そしてこれらのエコノミストたちは、リベラルで市場志向型の経済理念に対する大勢の賛同者を獲得しはじめている。

人類が千年王国の終わりに近づくにつれ、独裁主義も社会主義的中央政府の計画経済も、ともに似たような危機に見舞われ、普遍的な有効性を秘めたイデオロギーとして戦いのリングに立つ競技者はただ一人を残すのみとなった。リベラルな民主主義、すなわち個人の自由と人民主権の教義こそがそれである。フランスとアメリカでの革命の起爆剤として登場して以来二百年、この自由と平等の原則は歴史の荒波に耐え得るだけでなく、幾度でもよみがえる力があることをみずから証明してきたのである。(3)

自由主義《リベラリズム》と民主主義は密接に結びついているが、概念としては別物である。政治的自由主義とは、簡単にいえば、確固たる個人的権利、あるいは政府支配からの自由を認めた法原則のことである。

基本的人権についての定義はじつにさまざまだが、ここでは民主主義に関するブライス卿の古典的労作のなかの定義にのっとることにする。その著書では、人間の基本権を次の三つに限定している。第一は公民権、つまり「各自の人格や財産について社会から支配を受けないこと」。第二は宗教権、つまり「宗教上の見解の表現や信仰の実践に際して支配を受けないこと」。第三に挙げているのは政治権、すなわち「管理統制もやむなしとするほど公共の福祉に明白な影響を与えたりしないことがらについては、支配を受けないこと」であり、これには出版の自由という基本的権利がふくまれている。(4)

雇用、住宅、あるいは医療の権利など、各種の二次的あるいは三次的な経済権を認めさせようと迫るのは社会主義国の常套手段であった。このような権利のリストは延々と続くが、問題はそれらの権利の獲得が、財産や自由な経済取引など他の諸権利とはっきり両立しているとは言いがたいところにある。したがって基本的人権の定義にあたっては、ブライス卿のより簡潔で伝統的な三つの権利にこだわるべきだし、それはアメリカ人権宣言に盛られた諸権利となんら矛盾しないものなのである。

一方で民主主義とは、すべての市民が「政治的な力を共有する」という普遍的な権利、つまりすべての市民が選挙で投票し、政治に参加できる権利のことである。ここでいう政権に関与する権利というのは自由主義がもつ基本的人権——しかもそのなかでもっとも重要な権利——とも考えることができ、そのため自由主義は歴史的にも民主主義と密接に結びつけられてきたのである。

ある国家が民主主義的であるかどうかを判断するには、民主主義のきわめて形式的な定義を用いるのがよい。国民が、成人の平等な普通参政権(5)にもとづき、複数政党制の定期的な無記名投票を通じて自分たちの政府を選ぶ権利を認められているなら、その国は民主主義である。[6]

もっとも、形式上の民主主義だけに頼っていればいつでも平等な政治参加や諸権利が保証されるというわけではない。民主主義の手続きは特権階級によって巧みに操作される場合もあるし、民主的な手続きを踏んだからといって国民の意向や真の利益がつねに正確に反映されるとはかぎらない。とはいえ、いったんこのような形式的な定義から離れると、民主主義の原則がどこまでも乱用される危険性が生まれてくる。

二十世紀、民主主義の最大の敵対者たちは実質的な民主主義の名において、この形式的な民主主義を攻撃した。レーニンとボルシェビキの党がロシア国民議会を閉鎖して一党独裁を宣言する際に、人民の名において実質的な民主主義が達成されるはずだとの正当化をおこなったのも、そのあらわれだ。だが、独裁を防ぐ真の制度的な安全弁を与えてくれるのは形式上の民主主義にほかならず、最後には実質的な民主主義を生み出す可能性もこちらのほうがはるかに高いのである。

イラン・イスラム共和国に見る自由主義と民主主義の大矛盾

通例、自由主義と民主主義とは表裏一体だが、理論上は切り離して考えることもできる。自由主義の国なのにさほど民主主義的ではないということもあり得るのだ。たとえば十八世紀のイギリスでは参政権をふくむ幅広い権利が一部の特権階級に対しては十分に保護されていたものの、残りの国民には閉ざされていた。その逆に、民主主義の国なのに自由主義的ではない、つまり個人や少数派の権利が守られていないということもあり得る。

その典型が今日のイラン・イスラム共和国だ。ここでは第三世界の基準からすればかなり公正な選挙が定期的に実施され、王政時代にくらべて民主主義は広がってきた。にもかかわらずイランは自由主義国家ではない。言論、集会、そしてとりわけ宗教の自由がまったく保証されていないからだ。イラン国民のもっとも基本的な権利が法律では守られておらず、少数民族や宗教的少数派の場合はさらに劣悪な状況におかれている。

経済の面でいえば、私有財産と市場を基盤にした自由な経済活動や経済取引の権利を認めることが自由主義である。「資本主義」という言葉には、長い年月のあいだに多分に蔑視的な意味合いがこめられてきたので、最近では「自由市場経済」という表現が流行している。だがどちらにせよ、経済的な自由主義の代用句であることに変わりはない。この経済的な自由主義というかなり幅広い定義に関しては、ロナルド・レーガン時代のアメリカやマーガレット・サッチャーのイギリスから、スカンジナビアの社会民主主義国やメキシコおよびインドのようなむしろ国家統制主義的な政権にいたるまで、じつに多様な解釈が可能である。

今日の資本主義国はどこでも大きな民間部門を有しているし、社会主義国もそのほとんどがある程度の私的経済活動を認めるようになった。公共部門がどこまで大きくなるとその国は自由主義でなくなってしまうのかという点については、これまでずいぶんと議論がなされてきた。しかしながら、正確なパーセンテージで境界線を定めようとするよりはむしろ、その国が私有財産や企業の正当性に対して原則としてどのような姿勢でいるのかを見たほうが有益だろう。

私有財産や企業活動の権利を擁護している国を、われわれは自由主義国家と見なすのである。それらの権利に反対し、あるいは他の原則（たとえばいわゆる「経済的正義」のような原則）に基礎をおく国は、自由主義の名にふさわしくない。

ところで、今日危機に瀕している独裁主義は必ずしもリベラルな民主主義政権の登場にはつながらないし、新たに生まれた民主主義国のすべてが安定を得ているわけでもない。東欧に誕生したばかりの民主主義諸国は経済の大変動に直面しており、ラテンアメリカの新しい民主主義国も経済管理の失敗という過去の遺産にひどく苦しめられている。

東アジアで急速に発展してきた国々も、経済的には自由主義でありながら、政治的な自由化を受け入れるまでにはいたっていない。中東のような地域は、自由主義革命の波にほとんど触れることなく取り残されてきた。さらにペルーやフィリピンなどの国では、直面する困難の重みに押しつぶされてなんらかの独裁主義へと逆戻りすることも考えられる。(7)

ただし、民主化の途上で後退や失望が見られるにせよ、また市場経済のすべてが繁栄を手にできるわけではないにせよ、そのためにわれわれは世界史にあらわれつつあるより大きなパターンから目をそらすべきではない。世界の国々がどのようにして政治的・経済的な制度を作り上げていくか――その決断における選択肢の数は、時代を経るにつれて明らかに減少しつつある。人類史の過程では、これまで君主政治や貴族政治、神権政治、そして二十世紀のファシズムや共産主義独裁など各種の政権が登場してきたけれども、二十世紀の終わりまで無傷で生きながらえた政府形態はリベラルな民主主義のほかにはなかった。

別な言い方をすれば、勝利者としてあらわれつつあるのは、実際の自由主義国というよりむしろ自由主義の理念なのである。つまり世界の大部分の地域にとっては、いまやリベラルな民主主義と張り合えるほどの普遍的な装いをまとったイデオロギーは存在しないし、人民主権という理念以上に正統性をもつ普遍的な原則も存在しないということになる。

イスラム原理主義の復活が真に意味すること

君主政治にもさまざまな形はあったが、そのほとんどは二十世紀の初頭に敗北を喫した。リベラルな民主主義にとってのこれまで最大のライバルであるファシズムと共産主義は、どちらもすでに信用を失墜させてしまった。もしも旧ソ連（あるいはその後継国家）が民主化に失敗し、ペルーやフィリピンがなんらかの独裁制に逆戻りしたとしても、それは、ロシア人やペルー人やフィリピン人の代表者づらをする軍部や官僚の前に、民主主義がとりあえず一歩を譲ったと考えるのがいちばん妥当だ。そして今後は、非民主主義者たちでさえ、あるべき政権の普遍的かつ唯一の基準から自分たちが逸脱していることを正当化するために、民主主義という言葉を持ち出さざるを得なくなっていくだろう。

イスラム教が自由主義や共産主義と同様、独自の道徳律や政治的・社会的正義の教えをもとに体系的かつ一貫したイデオロギーを作り上げているのは事実である。イスラム教は、特定の人種や民族集団の構成員にとどまらず広く全世界の人々をとらえるだけの潜在的な魅力をもっている。しかもこの宗教は、イスラム世界の各地でリベラルな民主主義を現実に打ち破り、直接にその政治的影響力が及ばない国にとっても自由主義に対する深刻な脅威となってきた。ヨーロッパでの冷戦の終結直後、西側諸国はイラクの挑戦を受けたが、イスラム教がその一つの要因であるといえなくもないのである。[8]

しかしながら、最近になってイスラム教がその勢いを回復し、どれほどの力を見せつけたとしても、この宗教は、結局のところイスラム文化圏以外の地域では実質的な影響力を持ち合わせていないのである。イスラムによる文化征服の時代は、すでに過ぎ去ったと考えてよい。この宗教は、異端に走った者たちの信仰を取り戻せはしても、ベルリンや東京やモスクワの若者の共感を得ることはない。十億に近い人々がイスラム文化に属してはいるが、彼らはその理念水準において、リベラルな民主主義には到底太刀打ちできていない(9)。

実際、長い目で見ればむしろイスラム世界のほうが自由主義の理念に膝を屈しつつあるように思える。過去一世紀半にわたって、この自由主義は数多くの熱狂的なイスラム教徒を魅《ひ》きつけてきたのだ。近年のイスラム原理主義の復活はある意味で、伝統的なイスラム社会が自由主義にもとづく西欧的価値観の大きな脅威を認識してきた結果なのである。

過去四百年でもっとも注目すべき現象

長年にわたる安定したリベラルな民主主義のなかに暮らすわれわれはいま、これまでとは一風変わった状況に直面している。われわれの祖父母の時代、まともな考え方をする人々の多くは、私有財産や資本主義が廃止され、政治そのものもある程度不要になるような輝かしい社会主義の未来を予見できた。ところが今日では、現状よりはるかにすばらしい世界など想像しがたいし、本質的に民主主義的でも資本主義的でもない未来を思い浮かべるのは困難だ。

もちろんそのような未来においても多くの面で改善が進んでいくかもしれない。われわれは家のない人々に家を与え、少数民族や女性に機会を保証し、競争を緩和し、新しい雇用を作り出せるのかもしれない。またその一方で、いまよりはるかに劣悪な未来――民族的・人種的あるいは宗教的な不寛容がよみがえったり、戦争や環境破壊に打ちのめされたりするような未来——を想像することもできる。とはいえわれわれは、現状とは本質的に異なり、同時に現状よりすぐれている世界の未来図を描くことは不可能なのだ。もちろん、現在ほど深く物事を考えなかった時代の人々にしても、やはり自分の生きている世界がいちばんすばらしいと思ってはいた。だがわれわれは、リベラルな民主主義より立派であるべきだと思われた世界の追求にとことん疲れ果てた結果、彼らと同じ結論に達してしまったのである(10)。

以上の事実と、世界のすみずみまで自由主義革命が波及している現状を考え合わせたとき、次のような疑問が頭をもたげてくる。

われわれはリベラルな民主主義の運勢が一時的に好転した姿を目撃しているだけにすぎないのだろうか？ それとも、そこには何か長期的な発展パターンが存在し、その働きがあらゆる国を最後にはリベラルな民主主義へと導いていくのだろうか？

世界が民主主義へ進んでいくという今日の社会趨勢は、とどのつまりは周期的な現象であるとも考えられる。一九六〇年代から七〇年代前半の時代をちょっと振り返ってもらいたい。

当時、ベトナム戦争やウォーターゲート・スキャンダルに巻き込まれたアメリカは、自信喪失の危機に見舞われていた。OPECの石油輸出禁止措置のおかげで、西欧全体が経済危機の渦中に投げ込まれた。軍事クーデターによってラテンアメリカの民主政権は次々と転覆させられた。一方ではソ連、キューバ、ベトナムからサウジアラビア、イラン、南アフリカにいたるまで、非民主主義あるいは反民主主義の政権が世界じゅうで栄華をきわめているように見えた。

とすれば一九七〇年代のこうした状況が、いやもっと悪くすると民主主義への憎悪のイデオロギーと衝突した一九三〇年代の状況がふたたびめぐりくる可能性をどうして否定できようか？　それに加えて、近年の独裁主義の危機は政治的な諸要素がたまたま重なり合わせたものであり、今後数百年のあいだ二度と起こり得ないような偶然にすぎないと言えはしないだろうか？

独裁主義が衰退に向かった一九七〇年代から八〇年代にかけてのさまざまな経緯を注意深く研究すれば、偶然の力の関与している事情がそこかしこから読み取れるにちがいない。ある特定の国を深く知れば知るほど、その国に隣国とは違った道を歩ませた「外部的偶発事の大渦巻《メールシュトレーム》」の実態と、民主主義という成果を生み出すにいたった見るからに幸運な状況が、いっそうよくわかってくる。[11] まかり間違えば、事態はまったく違った方向へ進んでいたはずだ。たとえば一九七五年の時点で、ポルトガル共産党が勝利していたかもしれない。またファン・カルロス国王があれほどの政治手腕と節度を持ち合わせていなければ、スペインは民主化を成し得なかったかもしれない。

自由主義の理念も、それを実行に移す人間と無関係に力を発揮するわけではない。だからもしアンドロポフかチェルネンコがもっと長生きしていたら、あるいはゴルバチョフが別な人格の持ち主だったら、一九八五年から九〇年にかけてのソ連と東欧の事態の成り行きはがらりと変わっていたにちがいない。

社会科学における流行のこうした考え方に従えば、指導者のリーダーシップや世論など予測できない政治的要素が民主化のプロセスを支配しており、民主化の先行きは国によってまったく千差万別だと思いたくなるのも無理のないところだろう。

しかしながら、たんに過去の十何年間だけでなく歴史の全体像に目をやれば、リベラルな民主主義はまさに歴史のなかで特別な地位を占めつつあることがわかる。もちろん世界的に見ると民主主義は逆境の時期と順風の時期を繰り返してきたが、同時に、民主主義へ向かって延々と続いてきた明確な潮流も

リベラルな民主主義の世界的な広がり[12] I								
国　名	1790	1848	1900	1919	1940	1960	1975	1990
アメリカ合衆国	○	○	○	○	○	○	○	○
カナダ			○	○	○	○	○	○
スイス	○	○	○	○	○	○	○	○
イギリス		○	○	○	○	○	○	○
フランス	○		○	○		○	○	○
ベルギー		○	○	○		○	○	○
オランダ		○	○	○		○	○	○
デンマーク			○	○		○	○	○
イタリア			○	○		○	○	○
スペイン								○
ポルトガル								○
スウェーデン			○	○	○	○	○	○
ノルウェー				○		○	○	○
ギリシア			○			○		○
オーストリア				○		○	○	○
(旧) 西ドイツ				○		○	○	○
(旧) 東ドイツ				○				○
ポーランド				○				○
チェコスロバキア				○				○
ハンガリー								○
ブルガリア								○
ルーマニア								○
トルコ						○	○	○
ラトビア								○
リトアニア								○
エストニア				○				○
フィンランド				○	○	○	○	○
アイルランド					○	○	○	○
オーストラリア				○	○	○	○	○
ニュージーランド				○	○	○	○	○
パプアニューギニア								○

リベラルな民主主義の世界的な広がり[12] Ⅱ								
国　名	1790	1848	1900	1919	1940	1960	1975	1990
アルゼンチン			○	○				○
チリ			○	○		○		○
ウルグアイ				○	○	○		○
ブラジル						○		○
パラグアイ								○
コロンビア				○	○	○	○	○
コスタリカ				○	○	○	○	○
メキシコ					○	○	○	○
ベネズエラ						○	○	○
ペルー						○		○
エクアドル						○		○
エルサルバドル						○		○
ニカラグア								○
ボリビア						○		○
ホンジュラス								○
ジャマイカ							○	○
ドミニカ共和国								○
トリニダードトバゴ							○	○
日本						○	○	○
インド						○	○	○
スリランカ						○	○	○
シンガポール							○	○
大韓民国								○
タイ								○
フィリピン						○		○
モーリシャス								○
セネガル							○	○
ボツワナ								○
ナミビア								○
イスラエル						○	○	○
レバノン						○		
合計	3	5	13	25	13	36	30	61

そこには存在しているのだ。九六~九七ページの表は、長年にわたるこのようなパターンをはっきり示している。

この表からもわかるとおり、民主主義の成長過程は平坦な一本道ではなかった。一九七五年におけるラテンアメリカの民主主義国は一九五五年にくらべて数が少ないし、世界全体で見ても一九一九年の時点より一九四〇年のほうが民主主義国は減少している。つまり、民主主義をめざす気運がナチズムやスターリニズムに代表される妨害勢力のおかげで根こそぎ断ち切られ、あるいは後退を余儀なくされているのだ。

とはいえ、こうした後退現象にも最後には歯止めがかかり、時代を経るにつれて民主主義国の数は世界のいたるところでめざましく増加してきた。しかも、近い将来に旧ソ連や中国がその全体であれ一部であれ民主化を達成したなら、民主主義政権下で暮らす人々の世界人口に占めるパーセンテージは急激に膨らむだろう。

実際のところリベラルな民主主義の成長発展は、その伴侶ともいえる経済的自由主義の成長とあいまって、過去四百年の政治をマクロの視点で見た場合のもっとも注目すべき現象となっているのである。

「歴史の窓」から見た将来の展望

もちろん、民主主義政体が人類史のなかでかなり特異な存在であったことはたしかである。なにしろ一七七六年(アメリカ独立)以前の世界には民主主義国が一つもなかったのだ(ペリクレス時代のアテネについては、個人の権利が体系的に守られていなかったので民主主義と呼ばれる資格がない(13))。

だが、存続年月の長さだけを考えるなら、工場生産や自動車や数百万人が住む大都会などにしても同じように特異な存在といえるし、それに対して奴隷制や世襲の君主制や王朝維持のための婚姻制度ははるかに長い時代を生きながらえてきたのである。

むしろある物事の重要性は、どれだけ頻繁に起こったとか、どれだけ長く存続しつづけたとかいうことではなく、それが将来への潮流となり得ているかどうかという点にかかっている。この発展した世界に生きていながら、近い将来に都市や自動車が消滅するなどと考えるのは、奴隷制の復活を予想するのと同じくらい馬鹿げた話だといえよう。

こうした背景に照らせば、今日の世界で顕著にあらわれている自由主義革命の進展状況はとりわけ重要な意味を帯びてくる。というのもそれを通じて、人間社会すべてに共通の進化のパターン――端的にいえばリベラルな民主主義をめざす人類の「普遍的な歴史」のようなもの――をつかさどる奥深い潮流の存在がいっそう明らかに読み取れるからだ。

この進化のパターンに山もあれば谷もあることはもちろん否定できない。しかし、特定の国や、さらには世界全体でのリベラルな民主主義の失敗を引き合いに出して民主主義全般の弱点を証明した気になっていたのでは、驚くべき視野の狭さが露呈されるだけだ。

ある現象の周期的な繰り返しや不連続性は、歴史が普遍的であり一定の方向をめざして進んでいることとなんら矛盾しない。それは、景気に必ず好況不況の波があるからといって長期的な経済発展の可能性が打ち消されるわけではないのと同じ理屈だ。

民主主義政権が従来の西ヨーロッパや北アメリカの枠だけにとどまらず、政治的・経済的伝統も文化的伝統も異なる地域にまで進出してきたことは、民主主義国の数の増加に劣らず印象的な出来事である。

たとえばかつては、イベリア半島には「権威にもたれかかり、世襲を重んじ、カトリックの教えを守り、身分の上下をわきまえ、集団を大切にする根っから半封建的な伝統」が歴然と存在するといった議論がなされてきた。[14] スペインやポルトガル、あるいはラテンアメリカ諸国を西ヨーロッパやアメリカのリベラルな民主主義の基準に縛りつけようとするのは「自民族中心主義」の罪悪であるともいわれた。[15]

ところが実際には、イベリア半島の伝統を背負った人々みずからが、この普遍的な諸権利の基準を選び取り、そして一九七〇年代中期以降スペインとポルトガルは安定した民主主義国の仲間入りを果たし、経済的に統一されたヨーロッパとの絆をいっそう強めたのである。ラテンアメリカや北欧、アジアなど多くの地域でも事情は同じだ。じつにさまざまな地域と、じつにさまざまな国民のあいだで、民主主義は勝利を収めてきた。その事実からもわかるように、自由と平等の原則は偶然や自民族中心主義という偏見の産物ではなく、まさに本来の人間性に根ざしたものである。そしてその正しさは、人々がますます国際人としての視野を身につけるにつれ、いっそう明確になっていくのである。

あらゆる時代とあらゆる国民の経験を考慮に入れた普遍的な歴史というようなものがはたして存在するのか――この疑問は新しいものではない。これは実際には非常に古くからある疑問で、近年のさまざまな事件を契機に新たにむしかえされてきたのだ。

普遍的な歴史を体系的に書き表わそうと本腰を入れて取り組んだ人々は、当初から、自由の発展ということを歴史の中心テーマにすえていた。これまでの歴史はいろいろな出来事の盲目的な連鎖ではなく、全体として一つの意味をなし、正しい政治的・社会的秩序のあり方に関する人間の理念もそのなかで発展をとげ、外の世界への働きかけをおこなってきたのだ。だが、もしわれわれが現時点で、自分たちの世界とは本質的に異なる世界を想像できず、現在の社会秩序を根底から改善していくための明確な将来展望をなんら見出せないとしたら、人類の歴史そのものがもはや終点に行き着いたのかもしれないという可能性をも考えてみるべきだろう。

そこで本書の第二部では、これまで身につけてきた悲観主義を振り払うことがはたして道理にかなっているのかという問題を取り上げ、あわせて、人類の普遍的な歴史を書くことははたして可能なのかという問題についても改めて考え直してみたい。

第二部

幻想のうちに崩壊した「自由の王国」

——ヘーゲルの予言はなぜマルクスよりも正確だったのか

1 人間にとって「普遍的な歴史」とは何か

たとえ夢のなかでさえも、歴史的想像力がこれほどまでにはばたいたことはなかった。なぜなら、いまや人類の歴史は、動物や植物の歴史のたんなる延長線にすぎないからである。普遍的な歴史を書こうとする者は、深い海底にさえ、生きた泥土という形で人類の進化の足跡を発見する。人類が駆けぬけてきた巨大な道のりに直面して、歴史家は立ちすくむ。そしてこの道のりをすべて見通すことのできる現代人の登場という、いっそう巨大な奇跡を目のあたりにして、歴史家は震えおののく。現代人は、世界進歩のピラミッドの上に誇らしげに立っている。彼はみずからの知識の最後の石をそこに積み終えながら、耳を澄ませる自然に向かってこう叫んでいるかのようだ。「われわれは頂点にいる、われわれは頂点にいるのだ。われわれこそが自然のもっとも完成された姿なのだ」と。

ニーチェ「生に対する歴史の功罪」[1]

人類の「普遍的な歴史」は、世界の通史と同じものではない。なぜならそれは、人類について知られているあらゆることがらの百科事典的なカタログではなく、むしろ、広く人間社会全体の発展のなかに意味深いパターンを探ろうという試みだからである[2]。

普遍的な歴史を書こうとする試みそのものも、すべての国民や文化に共通して見られるわけではない。西洋の哲学的・歴史的伝統がギリシアからはじまったのは事実であるが、古代ギリシアの著述家たちは決してそんな試みに手を出そうとはしなかった。

プラトンは『国家』のなかで、政治体制には一種の自然なサイクルが見られると述べた。また、アリストテレスは『政治学』において、革命がなぜ起こり、ある政治体制がいかにして他の政体にとって代わられるかという点を論じている。[3] アリストテレスは、どんな政治体制も人間を完全に満足させることはできず、その不満が原因となって政権交代がはてしなく繰り返されるのだ、と考えた。

こうしたサイクルのなかで民主主義は、善悪の面でも、安定性という面でも、他の政治体制にくらべて特別な評価を与えられてはいない。むしろプラトンもアリストテレスも、民主主義は専制政治にとって代わられる傾向があると指摘している。さらにアリストテレスは、歴史が一貫して進んでいくとは考えていなかった。つまり政権交代のサイクルは、より大きな自然のサイクルの一部にほかならず、洪水のような災厄が既存の人間社会だけでなくその過去の事跡をもことごとく消し去ってしまうため、人間は歴史のプロセスをはじめからもう一度やりなおすはめになる、と信じていたのだ。[4] 歴史は永続的なものではなく繰り返すものだというのが古代ギリシア人の見解であった。

西洋の伝統に普遍的な歴史という考え方がはじめてあらわれたのは、キリスト教文明においてであった。[5] ギリシア人やローマ人は、それまでに知られている世界の歴史を書こうと努力したが、それに対してキリスト教は、神の目から見れば人は誰でも平等であり、その結果として世界じゅうの人々が同じ運命を共有している、という考えを最初に取り入れた。

聖アウグスティヌスのようなキリスト教徒の歴史家は、ギリシア人やユダヤ人の個別の歴史そのものにはまったく興味を抱かなかった。むしろ人類全体の救済とか、地上において神の意思を実現している出来事のほうに関心が向けられた。あらゆる国家は、人類という大樹から分かれた小枝であり、その運命は人類に対する神の広い思し召しを通じて明らかになるとされた。

さらにキリスト教は、神の人類創造とともにはじまり神の最後の救済とともに終わる有限な歴史という考え方を持ち込んだ。(6) キリスト教徒にとって地上の歴史は、天の王国の門が開く審判の日、この世もこの世の出来事も文字どおり消えてなくなるその日に書き記されるはずなのだ。

こうしたキリスト教の歴史観からすれば、普遍的な歴史を書けば、必ずそこに「歴史の終わり」がふくまれることになる。歴史上の個々の出来事は、もっと大きな目的との関連においてのみ意味をもち、その目的が達成されれば歴史のプロセスは必然的に幕を閉じる。そして人類の歴史が終わりを告げたときはじめて、あらゆる個々の出来事の意味がはっきり示されるというわけである。

限りなく進歩発展する「科学的精神」

ルネサンス期になって古代文明への関心がよみがえるにつれ、思想のなかに、古代人には欠落していた歴史的な視野が導入された。人類史を一人の人間の生涯になぞらえるようなたとえ話や、現代人も古代文明の業績に縛られているかぎり「人類の旧時代」に生きているのだといった考えが、パスカルをふくむこの時期の幾人かの著作には示されている。(7)

しかしながら、宗教色ぬきで普遍的な歴史を書き上げようという重要かつ先駆的な試みは、十六世紀における科学的研究法の確立とともにはじまった。ガリレオやベーコン、デカルトの名前を連想させるこの科学的研究法は、人間の知の可能性と自然を征服する可能性を当然のものとして認める反面で、一貫した普遍的な諸法則に支配されてもいた。こうした諸法則についての知識は、一般の人間にも理解できただけでなく次々に蓄積されたため、次世代の人々は前世代の人々の苦労や失敗を改めて繰り返さずにすむようになった。
このように、進歩という近代の発想は近代自然科学の確立をその起源としており、だからこそベーコンも、羅針盤や印刷技術や火薬の発明を引き合いに出しながら古代に対する近代の優越を主張したのである。一六八八年にベルナール・ルボビエ・ド・フォントネルは、知識を次から次へとかぎりなく手に入れていくことが進歩である、とじつに明確に述べている。

啓発された立派な精神は、いってみればそれまでの世紀に存在したすべての精神を持ち合わせている。そして、まさにこうした精神だけが、いつの時代にも発展と改善をとげてきた。……このような精神に恵まれた人間は決して老いることがない、と私はあえて言いたい。彼はいつになっても、若い時期にふさわしい仕事を十分うまくこなせるし、人生の盛りの時期にふさわしい仕事をもさらにうまくこなしていけるだろう。単刀直入に言えば、人類は決して退化せず、人類の英知の成長と発展には終わりなどないのである。(8)

フォントネルの考える進歩とは、もっぱら科学的な知識の領域に属するものであり、社会的・政治的な面での進歩についての理論は展開されていない。社会進歩についての近代的な考え方の生みの親となったのはマキャベリである。彼は、政治が古典的哲学の道徳的制約から解き放たれるべきだと唱え、人間は運命《フォルトゥーナ》の女神を征服すべきだと論じた。また、ボルテール、フランス百科全書派、経済学者テュルゴー、テュルゴーの友人で伝記作家のコンドルセなど啓蒙主義の思想家たちも、進歩についてのさまざまな理論を展開した。

コンドルセの著した『人間精神の進歩』には、人類の普遍的な歴史の十の発展段階が記されている。その最後の――まだ到達していない――発展段階は、機会均等、自由、合理性、民主主義、普通教育の時代とされた。[9] フォントネルと同様コンドルセも、人間が完全な存在になれるかどうかという点はまったく論じていないが、当時の人間にとっては未知の、歴史の十一番めの発展段階があるという可能性はほのめかしている。

「歴史には必ず終わりがあるはずだ」

普遍的な歴史を書き表わそうとするもっとも真剣な試みは、ドイツ観念論の伝統のなかで生まれた。偉大な哲学者カントが、一七八四年に著した『世界公民的見地における一般歴史の構想』のなかで、普遍的な歴史という概念を提唱したのである。わずか十六ページたらずのこの論文は、のちの時代に普遍的な歴史を書こうとしたすべての人々にとって必須の参考文献となっている。[10]

カントは、「人間界に起きた一連の愚かしい事件」が表面上はなんら特定のパターンを示していないように思えること、そして人類史が戦争と残虐行為の連続であるらしいことを十分に悟っていた。にもかかわらず彼は、個人の目から見れば混沌このうえない人類史のなかにも、長期間にわたるゆっくりした進化の歩みを示すような規則的な動きが存在しているのではないかと考えた。

とくにそれは、人間の理性の発展についてはっきりとあてはまる。たとえば、数学についてすべてをつまびらかにすることは一個人の力では望むべくもないが、知識の積み重ねによって、それぞれの世代は、前世代の業績をもとにさらに研究を進めていけるようになるのだ。[11]

カントは、歴史には終点があるはずだと述べている。この終点とは、いわば現在の人間の潜在能力のなかに秘められた最終目標のことで、それがあるおかげで歴史全体の意味も明らかになるという。カントのいう最終目標とは、人間の自由の実現ということであった。なぜなら、「社会的立法のもとで自由があらがいがたい権力、すなわち公正このうえない市民的機構と不可分に結びついている社会の実現こそ、自然が人類に与えたもっともむずかしい課題」であるからだ。

このような公正な市民的機構を打ち立て、それを全世界に広めていくことが、歴史の進歩を理解できるかどうかの尺度となる。同時にそのことは、歴史の素材をなしている雑多な現実の要素のなかから人間の進歩にとって不可欠なものを選び出すという途方もない作業に取り組む際にも、一つの判断基準を与えてくれるのである。

それでは、あらゆる社会と時代を考慮に入れた場合に、人類全体が共和制の政府——今日われわれがリベラルな民主主義として理解している政治体制——に向かって進んでいると判断できるような一般的な根拠がはたして存在しているのだろうか。カントにとってはこの点が、普遍的な歴史によって解き明かされるべき問題なのであった(12)。

カントはまた、自由主義というういっそう合理的な制度へと人類を駆り立てるメカニズムについてもおおまかに説明している。このメカニズムとは理性ではなく、むしろそれとは正反対のわがままな敵意である。人間の「社会性と非社会性の雑居状態」から生じるこのわがままな敵意のおかげで、人はかえって人間相互の全面的な戦いから手を引き、市民社会にともに加わり、さらにはその社会が他の社会に負けないようにとの思惑から芸術や科学の振興につとめていくようになる。つまり、競争心や虚栄心や支配への願望こそが社会の創造性の源泉であり、「理想郷《アルカディア》の牧歌的生活からは生まれなかった人間」の潜在能力の実現を保証してくれるものであった。

カントが六十歳のときに書いたこの論文自体は、普遍的な歴史を書き記すという体裁をとってはおらず、ただ、人類の歴史的進化の普遍的な法則を説明できる新しいケプラーやニュートンのような人物の必要性を指摘しているにすぎない。カントによれば、普遍的な歴史に責任をもてる天才こそ人間のいとなみにおいて何が大切かを理解できる哲学者として認められ、同時に、すべての時代と国民の歴史に統一的な意味を与えることのできる歴史家として認められるべきだとされる。このような天才なら、「ギリシアを征服したローマ帝国の構造に、善かれ悪しかれ感化を及ぼしたギリシア史の影響力、次いで、そのローマを滅ぼした蛮人に及ぼすローマの影響力という具合に、われわれの時代にまで受け継がれる歴史の影響力の足跡をたどっていける」

とカントは述べ、さらにこう続けている。

「もし、そこに文明国のもろもろの国民史からいくつかの逸話をつけ加えたなら、わが大陸においても国家の形態が規則的に進歩をとげてきたことがわかるだろう（おそらく最後には他の大陸もすべて、このような進歩の流れに従うようになるだろう）」

歴史とは文明の破壊の連続であるが、どの文明もそれに先立つ時代の遺産を破壊することによって、さらに高度な生活水準を打ち立てる道を切り開いていったのである。カントは、自分にはこのような歴史を書き記す力はないと謙遜しながらも、もしもその記述に成功したなら、人類に対して未来への明確なビジョンを与えることができ、ひいては共和制にもとづく世界政府を建設するための一助ともなり得るだろうと結論づけている。(13)

真の自由が実現するヘーゲルの「歴史の終点」

普遍的な歴史を書き記そうとするカントの哲学的に重要な、そして経験主義的歴史への深い造詣にもとづいた試みはヘーゲルに引き継がれ、カントの死後の世代のなかで完成を見た。

アングローサクソンの世界では、ヘーゲルはこれまでずっと評判が悪く、プロシア王政の反動的擁護者とか二十世紀の全体主義思想の先駆者だという非難を受けてきた。なかでもイギリス的な見地からは、難解な形而上学者であるとして毛嫌いされた。[14] この偏見が近代をつくった主要な哲学者の一人であるヘーゲルの偉大さを見失わせてきた。だが、ヘーゲルに対するこのような負い目を認めるかどうかは別にして、われわれ現代人の意識はもっとも根本のところでヘーゲルの影響を受けているのである。

ヘーゲルの体系には、普遍的な歴史という考え方を提唱したカントの主張が、形式の面でも内容の面でも驚くほど細部にいたるまで盛り込まれている。[15]

カントと同じようにヘーゲルも、「秘められた精神」（ここでは人間の集団的意識のこと）についての知識を作り上げていく過程で、精神の内容そのものを提示してくれる」ような普遍的な歴史を書くことを自分の目標とした。[16] 彼は、歴史に実在したさまざまな国家や文明の「善い面」や、これらの国家や文明が結局は滅びてしまった理由、そしてその滅亡のあとも生き残ってさらに高度な発展への道を開いた「啓蒙の種子」について説明しようとした。人間を「社会性と非社会性の雑居状態」と考えたカントの場合もそうだったが、ヘーゲルも、歴史の進歩は理性の着実な発展からではなく、人間を対立や革命や戦争に導く情念の盲目的な相互作用から生まれると考えた。それが「理性の狡智」というヘーゲルの有名な言葉の意味である。

　歴史はたえまない抗争のプロセスを通過するが、そこでは政治と同様に思想の体系も、みずからの内部矛盾のために衝突し合い、ばらばらに壊れてしまう。そしてその代わりに、より矛盾が少なく、したがってより高度な体系が登場するのだが、その体系もまた新しい別の矛盾を生み出していく——これがいわゆる弁証法である。

　ヘーゲルは、インドや中国などヨーロッパ以外の「諸国民の国民史」を正面から取り上げた最初のヨーロッパ人思想家の一人であり、自分の総合的な理論体系のなかにそれを組み入れた。またカントと同じくヘーゲルも、歴史のプロセスには終点が存在し、地上での自由の実現がその終点であると考え、「世界史とは、自由という意識の進歩にほかならない」と述べた。つまり、普遍的な歴史の進展とは、すべての人間に平等に自由が与えられていく過程として理解し得るものであり、その点をヘーゲルは次のような警句にまとめている。

「東洋の諸国家では、ただ一人の人間が自由であることを知っていた。ギリシア・ローマ世界では一部の者のみが自由であるとされた。ところが現在のわれわれは、すべての人間が（まさに人間であるという理由で）絶対的に自由であることを知っている[17]」

　ヘーゲルによれば、人間の自由は近代的な立憲国家——これもわれわれのいうリベラルな民主主義体制——のなかで実現されることになっていた。人類の普遍的な歴史とは、人間が完全な合理性に向かって徐々に進歩し、また、リベラルな自治政府のなかにあらわれているこの合理性への自覚的な意識を徐々に高めていくことなのであった。

　ヘーゲルは国家と権威の礼賛者として、ひいては自由主義や民主主義の敵として、これまでしばしば非難されてきた。この非難について詳細な検討をおこなうことは、本書の枠を越えている。[18]とりあえずここではヘーゲル自身の言葉を借りながら、彼が自由の哲学者であり、歴史の全プロセスは具体的な政治的・社会的制度における自由の確立によって完結すると考えていたことを述べるだけで十分だろう。

ヘーゲルは、国家の擁護者としてよりむしろ、市民社会の守り手と見なすことができる。つまり彼は、国家の管理から独立した個人の経済的・政治的活動の領域を広く守ろうとした哲学者だった。マルクスは、まさにヘーゲルをこのような人物として理解したのであって、彼がヘーゲルをブルジョア階級の擁護者として攻撃した理由もそこにある。

ヘーゲルの弁証法についてでは、これまでかなりの曲解がまかりとおってきた。そのきっかけをつくったのはマルクスの協力者フリードリッヒ・エンゲルスであり、彼は弁証法をヘーゲルの思想内容から切り離した一つの「方法論」として利用すべきだと考えた。

また、ヘーゲルにとって弁証法とは、実際の歴史的な出来事の経験的データや知識とは無縁であり、先験的あるいは論理的な第一原理から人類史全体を推し量るための形而上学的な道具であった、と主張する者もいた。

弁証法に対するこのような見解にはまるで根拠がない。歴史に関するヘーゲルの著作を読めばわかるとおり、そこでは歴史的偶然や不測の事態が大きな役割を果たしている。[19]ヘーゲルの弁証法は、プラトン学派の先駆となったソクラテスの弁証法と似ている。ソクラテスの弁証法とは、善の本質や正義の意味といった重要なテーマをめぐる二人の人物の対話だった。

こうした議論を解決する基礎となるのは、矛盾の原理である。つまり、矛盾のいっそう少ないほうが議論に勝つ。そしてもし、議論中にどちらの意見もつじつまの合わないことがわかった場合には、その矛盾を解消した第三の意見が登場する。だがこの第三の意見も、前もって予見できなかった新たな矛盾をはらんでいるかもしれない。その結果、またしても新しい議論がはじまり、新しい結論が得られる。

ヘーゲルによればこのような弁証法は、哲学上の論争だけでなく社会と社会とのあいだでも、また、現代の社会科学者が指摘するように、社会経済システム同士でも起こるものとされる。歴史もまた社会相互間の弁証法として描くことができ、そこでは内部に重大な矛盾をかかえている社会は敗北し、その矛盾を解決できた社会にとって代わられていくのである。だからヘーゲルにとってローマ帝国の最終的な崩壊の理由は、万人に法的な平等を与えながら、一方で彼らの諸権利や内面的な人間の尊厳を認めなかったためだった。そしてユダヤ・キリスト教の伝統だけがこのような権利や尊厳を認め、人間の倫理的自由を基礎とした人類の普遍的平等を打ち立てたのである[20]。

ところがキリスト教世界にも、別な矛盾があらわれてくる。その典型例が中世都市だ。都市のなかで保護されていた商人たちは、やがて資本主義的な経済秩序の核となり、最後には彼らのじつに効率的な経済活動によって、経済生産性に対するそれまでの道徳的制約の不合理な実態が暴露されていった。かくして商人を生み出した中世都市自体が、その商人たちの手によって滅ぼされたのである。

ヘーゲルが見た「人間の欲望と本性」

ヘーゲルと、フォントネルやコンドルセなどヘーゲル以前の時代に普遍的な歴史を書こうとした人々との違いは、彼が自然や自由、歴史、真実、理性といった概念に対して、はるかに深い哲学的洞察力をもっていた点である。

ヘーゲルは、歴史を論じた最初の哲学者ではなかったかもしれないが、「歴史主義」にのっとった最初の哲学者——歴史の観点から見るとき真理とはそもそも相対的なものだと確信していた哲学者だった[21]。ヘーゲルによれば、人間のあらゆる意識は、その周囲の特定の社会的・文化的条件——言い換えれば「時代」に制約されているのである。過去の思想は、それが庶民のものであれ、偉大な哲学者や科学者のものであれ、絶対的あるいは客観的に正しかったことはなく、その人物が生きた歴史や文化のなかで相対的な位置を占めていたにすぎない。だから人類の歴史というものは、各種の文明の連続や、さまざまなレベルの物質的達成として把握するだけでは十分とはいえず、さまざまな意識形態の連続として考えることがもっと重要になってくる。

意識——善悪という根本問題のとらえ方、神々に対する考え方、さらにいえば人間の世界観——は時代に応じて抜本的に変化してきた。しかもこのような善悪や世界の見方が互いに矛盾し合ってきたことからわかるように、それらの大部分はまちがったものであり、あるいはのちの時代によって「偽りの意識」形態であることが暴露されたのだ。

ヘーゲルにすれば、世界の大宗教もそれ自体が真理なのではなく、その宗教を信仰する人々の特定の歴史的ニーズから生まれた「イデオロギー」だった。ことにキリスト教は奴隷制から発生したイデオロギーであり、人間はあまねく平等だというキリスト教の主張は、みずからの解放を願った奴隷たちの利益にも沿うものであった。

ヘーゲルの歴史主義がもつラディカルな性格を今日なかなか理解しがたいのは、むしろそれをわれわれ自身がきわめて当然のものとして受け入れているためである。われわれは思想に歴史的な「遠近法主義」が存在するのをあたりまえと見なし、当世風でない考え方には一様に偏見を抱いてしまう。

自分たちの母や祖母が示した肉親や家庭への献身を奇妙な過去の残りカスだと考えている近年のフェミニストの立場には、この歴史主義が垣間見える。男性優位の文化に昔の女性がいそいそと服従したのは、その時代なら正しかっただろうし、場合によってはそのほうが幸せでさえあったのかもしれない。だがそれは、もはや現在では受け入れられない「偽りの意識」形態なのだ。

また、白人には「黒人であることの意味」などまるでわかりはしない、と主張する黒人の態度にもやはり歴史主義が見られる。というのも、歴史的時代が違うために、黒人と白人の意識が分断されたわけではなかったが、この両者は生まれ育った文化や経験の世界が切り離され、しかも相互のコミュニケーション手段がきわめて限定されているからである。

ヘーゲルの歴史主義の急進性は、彼の人間というもののとらえ方に顕著にあらわれている。ルソーという偉大な例外をのぞいて、実質的にヘーゲル以前の哲学者はみな「人間の本性」――すなわち情念、欲望、才能、徳など人間を人間たらしめている多少とも永続的な性格――の存在を信じてきた。[22] 一人ひとりの人間はそれぞれに異なるが、人間の本質的な性格についていえば、古代中国の農夫であろうと近代ヨーロッパの労働組合員であろうと、時代によってなんら変わりはしない、というわけである。こうした哲学的見解は、貪欲や煩悩や残忍さなど、あまり魅力のない人間の性格を表現する際によく用いられる「人の本性は曲げられぬ」という使い古された格言にも反映している。

これに対してヘーゲルは、食欲や睡眠など肉体からくる自然な欲求は否定しなかったものの、人間のもっとも本質的な性格の部分はなんら決定されておらず、したがって自由に自分の本性を作り上げていけると考えていた。[23] ヘーゲルによれば、人間的な欲望とはもともと一定不変なものではなく、歴史的な時期や文化のなかで変化していくとされた。[24] 一例を挙げると、今日のアメリカ人やフランス人や日本人は、モノ——特定のタイプの自動車や運動靴やデザイナーズブランドのガウンなど——あるいはステイタス——立派な住宅環境や学歴や仕事——を手に入れようと多大な努力を払っている。

こういう欲望の対象は、過去の時代には存在せず、したがってそれが求められることもなかった。また現代にあっても貧困に苦しみ、治安や食糧などもっと身近なニーズを満たすために汲々としている第三世界の人々ならば、おそらくそんなものは欲しいとは思わないだろう。消費文化やそれに迎合するマーケティング学では、文字どおり人間自身の手でこれまで作り上げられてきた欲望、そして将来には別なものにとって代わられるはずの欲望を扱っているのだ。[25]

われわれの現在の欲望は、社会の環境に左右されているが、その社会環境はまた過去の歴史全体から生み出されたものである。そして、何かが取り立てて欲望の対象にされたとしても、それは時代とともに変化してきた「人間の本性」のたんなる一側面にすぎないし、時代の動きにつれて、何が重要な欲望かという基準も人間性のさまざまな面とのかかわりで変わってきたのである。

このようにヘーゲルのいう普遍的な歴史では、知識や制度の進歩のみならず人間の本性そのものの変化についても説明がなされている。ヘーゲルからすれば、人間には固定した性格など何もない。彼は人間の本性を、ある定められた状態にあるのではなく、以前とは違った性格になっていくことだと考えたのである。

一八〇六年の「イエナの会戦」で一つの歴史は終わった

ヘーゲルは、フォントネルやのちのいっそう急進的な歴史主義者とは違って、歴史のプロセスは無限に続くわけではなく、現実の世界で自由な社会が実現したときにその終末を迎えるだろうと信じていた。言い換えれば「歴史の終わり」が存在するということである。

とはいえ、それは人間の誕生や死や社会的活動から生じるさまざまな出来事に終わりがくるという意味でも、世界の現実についての知識が限界に達するという意味でもない。そうではなくヘーゲルは、歴史をより高度な合理性と自由の実現に向けての人間の進歩と見なし、人間が絶対的な自意識を手に入れた時点でそのプロセスは論理的な終着点に達すると考えたのだ。

そして彼は、自分の哲学体系のなかにこの自意識が完全な形で表現されたように、フランス革命後のヨーロッパやアメリカ独立革命後の北アメリカに生まれた近代自由主義国家のなかにこそ人間の自由が花開いたのだと確信した。

ヘーゲルは一八〇六年のイエナの会戦（ナポレオン対プロシアの戦い）で歴史が終わったと宣言したが、それをもって自由主義国家の世界的な勝利を主張したのでないことは明らかだ。当時ドイツの片田舎に住んでいた彼には、そんな勝利を確かめるすべさえなかった。

ヘーゲルが言いたかったのは、もっとも進歩的な国々のなかに、近代自由主義国家の基礎をなす自由や平等の原理が見出され実現されてきたこと、そして自由主義よりすぐれた別の社会的・政治的な制度や原理はあり得ない、ということだった。別な言葉でいえば、リベラルな社会はそれ以前の社会制度の特徴とされてきた「諸矛盾」から解き放たれ、その結果、歴史の弁証法的発展も終わりを告げるということであった。

ヘーゲルが自分自身の思想体系を築き上げた当初から、近代自由主義国家の成立とともに歴史は終わりを迎えるという彼の主張は、さほどまともには取り上げられなかった。しかも、ほぼ時を同じくして彼は、普遍的な歴史を書き記そうとした十九世紀のもう一人の偉大な人物、カール・マルクスからの攻撃を受けることになる。

ヘーゲルが今日の知的世界にどれほど大きな影響を与えたか、われわれ自身気づいていないのは、ヘーゲルの遺産がマルクスを経由してわれわれに手渡されたためだ。マルクスは、ヘーゲルの体系の大部分を自分の目的に合うようにうまく利用したのである。人間のいとなみが根本のところで歴史に制約されているという観点や、人間社会が原始的な社会構造からより複雑で高度に発展した構造へ時代とともに進化していくとの考え方を、マルクスはヘーゲルから受け継いだ。

また、歴史が根本的には弁証法のプロセスをたどること、つまり、先行する政治組織や社会組織は内部に「諸矛盾」をかかえており、時が経つにつれ、その矛盾が表面化して崩壊と組織交代の道をたどるという点でも、マルクスはヘーゲルに同意している。

さらにマルクスは、「歴史の終わり」の可能性を信じるというヘーゲルの見解をも受け入れていた。つまり彼は、内部にまったく矛盾をはらまない最終的な社会構造を予想し、そのような社会の実現が歴史のプロセスを終了させると考えたのである。

ただしマルクスは、歴史が終わりを迎えたときどんな社会が成立するかという問題についてはヘーゲルと意見を異にした。

マルクス流の「歴史の終わり」

マルクスは、自由主義国家では階級対立やブルジョアジーとプロレタリアートとの闘争などの根本的矛盾をなんら解決できない、と確信していた。彼はヘーゲルの歴史主義を使ってヘーゲル自身を非難し、自由主義国家ではヘーゲルがいうように万人に自由が認められるわけではなく、ブルジョアジーという特定の階級が自由を勝ち取るだけにすぎない、と論じた。

ヘーゲルにすれば、自由主義国家がもたらし得る自由についての哲学的認識を通じて、疎外という問題――人間が自分自身と別物になり、その結果として人間が自分自身の運命を支配できなくなってしまうという問題――も歴史の終わりを迎えるまでに適切に解決されているはずであった。ところがマルクスは、自由主義社会ではもともと人間が作り出したはずの資本がいつしか主人となって人間を支配・管理しているため、人間はいつまで経っても疎外されたままに残される、と見ていた(26)。

ヘーゲルは、自由主義国家の官僚制度を全国民の利益を代表しているという理由から「普遍的な階級」と呼んだが、マルクスにすればこうした官僚制は、市民社会を支配する資本家の利益だけを代表したものにすぎなかった。そして彼は、ヘーゲルについても、「絶対的自意識」を手にした哲学者などではなく、あくまでもその時代の産物でありブルジョアジーの擁護者である、と考えた。

マルクスの見解によれば、真の「普遍的な階級」であるプロレタリアートが勝利を収めたときにのみ歴史は終わりを迎え、世界的な共産主義ユートピアの実現によって階級闘争は永遠に終止符が打たれるとされたのである(27)。

ヘーゲルの予言はなぜマルクスより正確だったのか

マルクス主義の立場からのヘーゲル批判や自由主義社会批判は、いまではすっかりおなじみになっているので、あえてここでは繰り返さない。だが、現実の社会を構築する理論的基盤としてのマルクス主義の途方もない失敗――『共産党宣言』刊行後百四十年ではっきり示された失敗を目にするとき、結局はヘーゲル流の普遍的な歴史のほうが正確な予言ではなかったかという問題が出てくる。二十世紀なかば近くにこのような疑問を投げかけたのが、アレクサンドル・コジェーブだった。

ロシア系フランス人のコジェーブは、一九三〇年代にパリの実業高等研究院で連続講義をおこない、思想界に大きな影響を与えた。[28] マルクスが十九世紀最高のヘーゲル解釈者だとするなら、二十世紀においてもっともよくヘーゲルを理解したのはまちがいなくコジェーブだった。マルクス同様コジェーブも、たんにヘーゲル思想の解説だけをめざしたのではなく、ヘーゲルの思想を創造的に活用して、自分自身の近代理解を深めていこうとした。レイモン・アロンはコジェーブのすぐれた才能と独創性を次のように評している。

（コジェーブは）疑惑や批判に傾きがちな超インテリの聴衆を魅了した。なぜか？　それはコジェーブの才能、弁舌の妙のなせる技なのだ。……（講演者としてのコジェーブの手腕は）取り上げたテーマや自身の人柄と密接に結びついていた。彼のテーマは世界の歴史であり（ヘーゲルの）現象学であった。現象学は世界史を解明する道具だった。彼の語るすべてが、なにかしらの意味をもっていた。

歴史の摂理を疑い、弁論の才の陰に何か策略が隠されてはいまいかと勘ぐる者でさえ、この魔術師には太刀打ちできない。コジェーブが時代や諸事件に対して示した聡明な理解が、そのなによりの証明であった。[29]

コジェーブは講義の核心として、ヘーゲルの主張が本質的には正しく、世界史はこれまでさまざまな紆余曲折を経てきたが、実際上は一八〇六年（イエナの会戦）の時点で終末を迎えたのだ、と聴衆の度肝をぬく主張をおこなった。皮肉に満ちたコジェーブの著作から彼の真意を読み取るのはむずかしいが、一見風変わりなこの結論の背後には次のような考えがある。

つまり、フランス革命から生まれた自由と平等の原理がコジェーブのいう近代的な「普遍的で均質な国家」に体現されているという事実を見れば、人間のイデオロギー的発展がこれ以上進み得ない地点にまで達したことがわかる、というのだ。もちろんコジェーブも、一八〇六年以降に血なまぐさい戦争や革命が数多く起きたことは承知しているが、こうした出来事は、彼にいわせれば本質的には「諸地域の調整作業」だった。[30] 言い方を変えれば、共産主義はリベラルな民主主義よりイデオロギー的に少しも高等ではなく、世界全域に最終的に自由と平等を広めていくはずの歴史のなかでは両者とも同じ段階にある、ということになる。

ロシア革命と中国革命はこの時代の記念碑的事件に見えるが、両革命がもたらした唯一の永続的な効果は、これまで発達が遅れ抑圧されてきた諸国民に自由・平等という既存の原理を広めたこと、そしてすでにこの原理を取り入れていた先進諸国に対してもっと完全な自由と平等を実現するよう迫ったことだった。

次の文章を読めば、コジェーブの聡明さとその独自性の一端が理解いただけるだろう。

自分のまわりで起きた事件を観察し、またイエナの会戦以後に世界で起きたことを深く考えるとき、私には、イエナの会戦に歴史の終わりを見てとったヘーゲルの正しさが理解できる。この会戦において、そしてこの会戦によって、人類の前衛たちは人類史の進歩の限界につきあたり、同時に歴史がめざす最終目標を手に入れたのである。これ以後の出来事は、ロベスピエールからナポレオンにかけてのフランスで実際に起きた普遍的な革命運動のたんなる延長にすぎない。真に歴史的な観点からすれば、二つの世界大戦とそれにともなう大小さまざまな革命は、周辺地域の遅れた文明をもっとも進んだヨーロッパの歴史的位置まで引き上げただけにすぎない。

ロシアのソビエト化や中国の共産化に、ドイツ帝政の（ヒトラー流の）民主化やトーゴランドの独立達成や、さらにはパプア・ニューギニアの民族自決以上の意味、あるいはこれらと違った意味があるとすれば、それは両国にロベスピエールやナポレオン的な独裁体制が誕生したという点である。そしてこのような体制の出現のおかげで、ナポレオン以後のヨーロッパでは、革命前への復古をめざす多かれ少なかれ時代錯誤的な事件を取り去る動きがいっそう加速していったのである。[31]

コジェーブによれば、フランス革命の諸原理が完全に実現したのは第二次世界大戦後の西欧諸国、すなわち、高い物質的豊かさと政治的安定を手にした資本主義・民主主義体制においてだった。[32]なぜなら、これらの社会にはいかなる根本的な「諸矛盾」も存在しないからである。自己充足と自立をとげたこのような社会では、必死に求めるべきさらに大きな政治目標などなく、ただひたすら経済活動に専念していられたのだ。

後年のコジェーブは教壇に立つことをやめ、ＥＣ（現在はＥＵ）の官吏として働いた。歴史の終わりとは大規模な政治対立や紛争の終結を意味するだけでなく哲学の終わりでもある、と彼は考えていたのだ。その点でヨーロッパ共同体は、歴史の終末を象徴するにふさわしい組織だったといえよう。

シュペングラーとトインビーの「ペシミズム」

普遍的な歴史を書き記すというヘーゲルとマルクスの記念碑的業績は後代にも受け継がれたが、そこにはさほどの精彩が感じられない。たとえば十九世紀後半には、実証主義者のオーギュスト・コントや社会ダーウィニズムなどが社会進化についてのかなり楽観的な理論を次々と展開した。スペンサーの場合は、社会進化をより大きな生物学的プロセスの一部と見なし、生物界での適者生存と類似した法則がこのプロセスを支配していると考えた。

二十世紀にも、オズワルド・シュペングラーの『西洋の没落』や、そこから着想を得たアーノルド・トインビーの『歴史の研究』など、普遍的な――とはいえ明らかに陰気な性格をもった――歴史を書こうとする試みがあった[33]。シュペングラーもトインビーも歴史を個々の国民史――シュペングラーの場合は「文化」、トインビーの場合には「社会」とされるもの――に分割し、この国民史は成長と衰退をつかさどる一定不変の法則の支配下にあると考えた。

この点でシュペングラーとトインビーは、キリスト教徒の歴史学者からはじまりヘーゲルやマルクスで頂点に達する人類史の単一的で進歩的な解釈の伝統と袂を分かつことになった。つまり二人とも、ある意味でギリシアやローマの史書の特徴であった、個々の国民を中心とする循環的な歴史観に立ち戻ったのである。二人の著作はその当時は広く読まれたが、そのどちらにも、文化や社会を強引に生物体になぞらえるという社会有機体説の欠陥があった。

シュペングラーはそのペシミズムのゆえにいまでも人気を保ち、ヘンリー・キッシンジャーのような政治家にも影響を及ぼしてきたようだが、彼にせよトインビーにせよ、ヘーゲルやマルクスのようなドイツの先輩ほど深い影響力はもてなかった。

「近代化理論」に死を宣告した自民族中心主義

二十世紀にはもう一つ、普遍的な歴史を書こうとする試みがあった。それは一個人の仕事ではなく、第二次世界大戦後、おもにアメリカ人を中心とする社会科学者グループが「近代化理論」という名のもとにおこなった集団作業である。[34]

『資本論』第一版の序文でマルクスは、「産業がより発展している国は、より発展の遅れている国に対して、ただその国の将来像を示すのみである」と述べたが、この言葉は、気づいていたかどうかは別として、近代化理論のそもそもの前提となっている。

近代化理論では、マルクスの著作やウェーバー、デュルケームら社会学者の著作にずいぶん頼りながら、産業発展は一貫した成長のパターンをたどっており、やがては国家や文化の違いを越えた均一な社会的・政治的構造を生み出す、と述べている。[35] つまり、工業化や民主化をいち早く実現したイギリスやアメリカなどの国を研究すれば、すべての国が最後にはたどっていくはずの普遍的パターンを解き明かせるというわけだ[36]。

マックス・ウェーバーは、人類の歴史的「進歩」にともなう合理主義や非宗教主義の高まりを絶望と悲観の目で見ていたが、戦後の近代化理論は、彼の思想にいかにもアメリカ的と言いたくなるほど楽観的な色彩をつけ加えた。単線的な歴史の発展とはどのようなものか、近代化を達成する道筋は一つしかないのか、などの問題については近代化理論の研究者にも意見の相違がある。だが、歴史には一定の方向性があり、その行き着く先には先進工業国のリベラルな民主主義体制が横たわっているという点は、誰も疑っていない。一九五〇年代から六〇年代にかけてこのような近代化論者は、独立したばかりの第三世界諸国の経済と政治の発展のために、自分たちの新しい社会科学を役立てようと強い意気込みを示したのである[37]。

ところが近代化理論は、最後には「自民族中心主義」であるとの非難にさらされてしまう。すなわち、西ヨーロッパや北アメリカでの社会発展を、その地域自体の「文化的な制約」について、何も考えないまま普遍的な真理のレベルにまで高めてしまったことが非難されたのだ[38]。ある研究者は、次のような批判を投げかけている。

「西洋が政治面でも文化面でも主導権を握っているおかげで、たんなる西洋での政治発展の形をどこにもあてはまるモデルなのだとする手前勝手な考え方が助長されてきた[39]」

この批判は、近代化にはイギリスやアメリカのような国家がたどってきた経路以外にも多くの道筋がある、という素朴な意見よりもいっそう本質を突いている。というのもこの批判は、近代化という考え方そのものに疑問を投げかけ、とくに、どの国もはたしてほんとうに西洋のリベラルな民主主義の原理を受け入れたがっているのかという問題、さらにはどの国にもそれぞれにふさわしい文化的出発点と終点があるのではないかという問題を提起しているからだ[40]。

自民族中心主義という批判は、近代化理論の死を告げる弔鐘であった。というのも近代化理論を作り上げてきた社会科学者たちは、自説に対する批判者のよりどころとなっていた相対主義的な諸前提を受け入れたからである。そのため彼らは、リベラルな民主主義の価値を守りきれるだけの科学的・経験的根拠を見失い、自分たちには特定民族の文化を中心に議論を進めるつもりなど毛頭なかったと弁解するのが関の山だったのである[41]。

なぜ「楽観論」より「悲観論」を選ぶほうが安全なのか

二十世紀に生まれた歴史に対する深刻な悲観論は、普遍的な歴史像に対する信頼を失わせてきたといってもよいだろう。マルクスの用いた「歴史」という概念は、ソ連や中国、その他の共産主義国での恐怖政治を合理化する道具とされたこともあって、多くの人々にとって、とりわけ不吉な意味をはらむようになってきた。

歴史は方向性と意義をもち進歩するものであり、理解することさえできるという考え方は、現代思潮の主流からいえばまったくの異端である。世界史についてヘーゲルのような語り方すれば、世界の錯綜した現実や悲劇性をことごとく悟っているといわんばかりの知識人から、冷笑されたり鼻であしらわれたりするだろう。二十世紀において普遍的な歴史を論じて人気を博してきたのが、シュペングラーやトインビーなど、西洋の価値や制度の衰退と堕落を説いた者だけだったというのは、決して偶然ではない。

しかしながら、このような悲観論が理解できるものではあるにせよ、二十世紀後半に実際に起きた一連の事件の経験は、そのペシミズムと真っ向から対立する。われわれはこうした悲観主義が、十九世紀の楽観主義と同じように手軽に身につけてしまった気取りのポーズにすぎないのではないか、と問う必要がある。

たしかに、期待が裏切られたうぶな楽観主義者が愚か者に映る一方で、悲観主義者の場合は、自分の誤りが明らかにされても、なおその周囲に深遠さや真摯さといった雰囲気がただよいつづける。だから、楽観論よりは悲観論の道を選ぶほうが安全なのだ。

とはいえ、予想もしなかった地球上のある地域に民主主義勢力があらわれ、権威主義的な統治体制の基盤が揺らぎ、リベラルな民主主義に対抗できる一貫した「理論的」選択肢がまったく消え去ってしまった今日では、われわれは、カントの提示した古い問題を新しい形で取り上げざるを得なくなっている。

それは、カントの時代に可能であったよりもはるかにコズモポリタン的な視点から見た場合、はたして人類の普遍的な歴史といったようなものが存在しているのかどうか、という問題である。

2 歴史に見る人間の「欲望」のメカニズム

ここで、いわば振り出しに戻ったつもりで、これまでの権威ある歴史理論に頼らずに次の問題を考えてみよう。歴史には一定の方向性があるのだろうか？　全世界がリベラルな民主主義に向かって進歩をとげていると考えられるだけの根拠があるのだろうか？

まず手はじめに、歴史には方向性があるかどうかという問題だけを取り上げることにし、その方向性が道徳や人間の幸福の面で、ほんとうに進歩といえるかどうかについてはひとまず置くとしよう。すべての社会、あるいは大部分の社会は、特定の方向性を持ち合わせているのだろうか？　それとも、歴史は堂々めぐりを繰り返したり、まったく気まぐれな道を進んでいるのだろうか？[1]

もし後者のほうだとすれば、人類は、過去の社会や政治上の出来事をひたすら繰り返していくしかなくなるだろう。たとえば奴隷制がよみがえるかもしれない。ヨーロッパでは王政や帝政が復活し、アメリカでは女性が投票権を失うかもしれない。逆に、歴史には方向性があると考えるならば、いったんすたれた社会組織は同じ社会では二度と繰り返されないことになる（もちろん、発展段階の異なる別々の社会においては、一方に見られたのと似た発展パターンがもう一方の社会で繰り返されてもおかしくはない）。

ところで、もしも歴史が決して繰り返さないとすれば、そこには歴史を一つの方向に進展するように仕掛け、過去の記憶を保存して現代にまで伝えてくれる一定不変のメカニズムや歴史的な第一原因が存在するはずだ。

もちろん、歴史が循環するとか、でたらめに進むとか考えたにしても、社会変化の可能性や発展にある程度の規則性が否定されるわけではない。だが、こうした見解をとると、歴史を動かす唯一の原因などは必要がない。しかもその反面で、過去に得られた意識がすべて消し去られてしまうような退歩のプロセスに目を配らなくてはいけなくなる。というのも歴史が完全にぬぐい去られることなどあり得ないとするなら、ある歴史のサイクルは、どんなに些細なやり方であれ、それ以前のサイクルの経験のうえに積み重ねられていくはずだからである。

歴史は「同じ道」を繰り返さない

歴史に方向性を与えるメカニズムを理解するため、ここではフォントネルやベーコンの例にならって、知識——ことに科学を通じて手に入れられる自然界の知識——が歴史を方向づけるカギであると考えてみよう。人間の社会的活動の分野をくまなく見渡してみても、一歩一歩の積み重ねで進歩していることが誰の目にも明らかな領域は、近代の自然科学だけである。

このような性格は、絵画や詩や音楽や建築のような分野にはあてはまらない。たんに二十世紀に生きているというだけの理由で、ラウシェンバーグがミケランジェロより画家として上だとか、シェーンベルクの音楽がバッハよりすぐれているとか断言できるわけはない。シェークスピアにしても、パルテノン神殿にしても、ある種の完璧の域に達しており、それを乗り越えるうんぬんというのはまったくナンセンスな話だ。

これに対して、自然科学は積み重ねの学問である。かの偉大なアイザック・ニュートンにさえ見えなかった自然界の「事実」を、それ以後の時代に生まれたというだけで、いまでは物理学科の大学生なら誰でも理解できるのだ。自然に対する科学的理解は、堂々めぐりを繰り返しもしなければ、でたらめな進み方もしない。人類が周期的に昔と同じ無知な状態に戻ることはないし、近代自然科学の成果が人間の気まぐれに左右されることもない。もちろん、人がどの分野の科学を追究するかは本人の自由であり、その成果は自分の望みどおりに利用できる。だが、いかなる独裁者や議会がそう望んだにせよ、自然の法則を無効にすることは無理なのである(2)。

科学の知識はじつに長い期間にわたって蓄積されてきたし、よく見逃されることではあるが、人間社会の根本的な特質を形づくる際にも、たえまない影響を与えてきている。鉄の精錬や農業の技術をもっている社会は、石器や狩猟採集生活しか知らない社会とは雲泥の差がある。とはいえ、科学的知識が歴史のプロセスに質的な変化をもたらすようになったのは、近代自然科学の興隆、つまり十六世紀から十七世紀にかけてデカルト、ベーコン、スピノザらが科学的研究法を発見して以降のことである。

近代の自然科学は自然を征服する道を開いたが、それはどの社会にもあてはまるというわけではなく、特定の時代に特定のヨーロッパ人たちだけが成し得た業績であった。しかし、いったん科学的研究法が考案されると、それは広く理性的な人間全体の財産となり、文化や国籍の違いにかかわらず誰にでも利用できるようになった。

科学的研究法の発見によって、歴史は同じ道を繰り返すのではなく、過去から未来へ進歩していくものだという基本的な考え方が確立した。同時に、ひきつづく近代自然科学のたえまない進歩は、それ以後の歴史発展のさまざまな側面を説明するにあたっての理論的枠組みを与えてくれたのである。

なぜ世界の歴史は一定の方向へ動いているのか

近代の自然科学は、何よりもまず軍備競争を通じて、世界の歴史を一定の方向へ動かしている。科学のもつ普遍性は人類の世界的な統合への基盤となっているが、その第一の理由として、国際的な戦争や紛争の頻発が挙げられる。

近代自然科学は、テクノロジーの発展・創造・実用化をもっとも効率よくおこなえる社会に決定的な軍事的優位を与えているし、テクノロジーの発展スピードが速まるにつれて、その軍事的優位は増大していく。(3) ズールー族の槍では、いかに戦士一人ひとりが勇敢であってもイギリス人のライフル銃には太刀打ちできなかった。科学を使いこなせたからこそ、ヨーロッパは十八世紀から十九世紀にかけて、いまでいう第三世界の大部分を征服できたのだし、その科学がヨーロッパから他地域に普及したおかげで、二十世紀に第三世界はいくぶんかでもその主権を回復できたのだ。

戦争の可能性は、社会制度の合理化をうながし、文化の違いを越えた均質な社会構造を作り出すための大きな要因である。どの国も、政治的な独立を保とうとすれば、敵国や競争相手のもつテクノロジーを取り入れざるを得ない。しかしそれ以上に、戦争の脅威は、各国に対してテクノロジーを最大限に創造し利用できるような社会システムの再編成を強いてくる。

たとえば国家というものは、隣国と対抗するために一定の規模をもたねばならず、それが国家統一の強力な動機となる。あらゆる国内資源を戦時体制に組み込む能力も必要で、そのためには徴税や諸規制を実施できるだけの強力な中央集権制の確立が求められていく。

また国家としては、国民の団結を妨げる恐れのあるさまざまな地方的、宗教的、血縁的な結びつきを断ち切らなくてはいけない。テクノロジーを扱う能力のあるエリート育成のため、国民の教育水準の向上をはからねばならない。国境の向こう側で起きている出来事に対しては、つねに目を光らせ、情報収集につとめなくてはならない。さらには、ナポレオン戦争期に国民皆兵制度が導入されてからというもの、有事における国家総動員体制を確立するために、社会の底辺階層にもせめて政治参加の機会だけは与える必要が出てきた。このような社会システムの再編成はすべて、他の要因――たとえば経済的要因――によっても起こり得る。だが、戦争は、社会の近代化の必要性をじつに鮮明な形で示し、同時にその近代化が成功したかどうかのはっきりした試金石となっているのである。

　歴史を見ると、軍事的な脅威にさらされてやむなく一連の改革をおこなったという、いわゆる防衛的近代化の事例が数多くある。[4] ルイ十三世治下のフランスやフェリペ二世治下のスペインなど、十六世紀から十七世紀にかけての強力な中央集権国家は、隣国との戦争に必要な歳入を確保するため、領土全域にわたる権力の統合強化をはかった。

　十七世紀の百年を通じ、これらの王朝間で平和が保たれたのはわずか三年間にすぎない。とはいえ、軍隊育成のための膨大な経済的ニーズに応えようとしたことが、中央政府にとっては、封建的な地方政権を打ち破って近代的な国家構造を作り上げるきっかけとなった。[5] こうして誕生した絶対君主制が、今度は貴族の特権を減らすことによってフランス社会の均一化を推し進め、フランス革命で重要な働きをする新しい社会階層を生み出していったのだ。

　同じようなプロセスは、オスマン帝国や日本でも見られる。一七九八年のナポレオン率いるフランス軍のエジプト侵攻は、エジプト社会を震え上がらせ、総督ムハンマド・アリによるエジプト軍の大改革をもたらした。ヨーロッパからの援助を受けて訓練を積んだこの新しい軍隊は、やがて中近東の大部分の支配権を握るオスマン帝国への脅威となるまでに成長した。そのためオスマン帝国の皇帝マフムト二世は、過去二世紀のヨーロッパ諸王朝のやり方をまねて徹底的な改革に着手する。彼は、イェニチェリ軍（エリート近衛歩兵軍団）を撃滅して旧封建秩序を打ち壊し、非宗教的な学校を次々に開設し、帝国の中央権力を一気に増大させたのである。

同じように日本でも、ペリー提督率いる黒船の脅威は、開国と国際競争への参加以外に選択の余地がないことを諸大名に悟らせるうえで決定的な出来事だった（もちろん、それには抵抗もなかったわけではない。一八五〇年代後半になってさえ、砲術家の高島秋帆《しゅうはん》が西洋の軍事技術を取り入れるよう主張したため投獄されるという事件が起きている）。そして日本の新しい支配層は、「富国強兵」のスローガンのもと、従来の寺子屋に代わって国家運営の義務教育制度を導入し、サムライではなく農民をつのって巨大な軍隊をつくり、全国的な徴税・金融・通貨制度も築き上げた。

ほぼ明治維新期に実現した日本社会の変化と国家的権力の再集権化は、清国のようにヨーロッパの植民地政策に屈して国家の独立を失いたくなければ西洋の技術を吸収すべきだ、というせっぱつまった問題意識に支えられていた(6)。

戦争が「近代国家」をつくるという歴史の皮肉

戦争で屈辱的敗北を喫したため、社会機構を合理化するための改革を採用しやすくなったというケースもある。プロシアでのシュタイン、シャルンホルスト、グナイゼナウらの改革がそうだ。イエナやアウステルリッツの会戦で祖国がナポレオンにあっさり敗北したのはプロシア国家の後進性と閉鎖性のためだ、という認識がこの改革をもたらしたのである。同国では、国民皆兵制を柱とする兵制改革にひきつづいてナポレオン法典が導入されたが、それはヘーゲルにとってはドイツ近代化の到来を告げる出来事であった。(7)

ロシアでも、軍事的な野心とその敗北が、過去三百五十年にわたる近代化と改革の原動力となってきた。(8) ロシアの軍事的近代化は、ロシアをヨーロッパ的な近代君主国に変えようとしたピョートル大帝の努力からはじまる。彼の名にちなんだ都市サンクトペテルブルク（旧レニングラード）は、当初ネバ川の河口に位置する海軍基地として構想されたものである。その後もクリミア戦争の敗北を直接のきっかけにして、アレクサンドル二世が農奴解放をふくむ一連の改革をおこない、さらに日露戦争での敗北は、ストルイピンの自由主義的な改革と一九〇五年から一九一四年にかけての経済成長をもたらした。(9)

「防衛的近代化」のもっとも最近の事例は、おそらくミハイル・ゴルバチョフによるペレストロイカだろう。ゴルバチョフや他の旧ソビエト高官の演説からも明らかなように、このまま手をこまねいていては二十一世紀に向けて経済的・軍事的競争力を維持できなくなってしまう、というのが抜本的改革を決断させたいちばんの理由である。ことに、レーガン米大統領の戦略防衛構想（ＳＤＩ）は重大な挑戦状であった。というのも、この計画はソビエトのあらゆる核兵器体系を時代遅れなものにし、米ソの競争の舞台をマイクロ・エレクトロニクスなど、ソ連が不得手な先進技術分野に移してしまいかねない危険性をもっていたからだ。ソビエト指導者は、多数の軍部首脳もふくめて、ブレジネフ以来の腐敗した経済システムではＳＤＩが支配する世界に太刀打ちできないと悟り、長期的な国家の生き残りを考えて、短期的な軍縮を喜んで受け入れたのである。(10)

こう考えると、逆説めいた話だが、国家間のたえまない戦争と軍拡競争は、かえって諸国家の統一に大きく寄与していることになる。戦争は国家を滅亡に導くものだが、その一方で国々に近代的な科学技術文明とそれを支える社会構造を受け入れさせていくのだ。

好むと好まざるとにかかわらず、人類は近代自然科学を身につけざるを得ない。ほとんどどの国でも、国家としての自立性を保とうとするなら、近代の科学技術上の合理主義を拒んではいられないのだ。歴史の変化は人間の「社会性と非社会性の雑居状態」から生じる、つまり人間同士の協調関係ではなく、むしろ対立関係のおかげで人間は社会で生活するようになり、その社会の可能性ももっと十分に引き出されていくのだ、と論じたカントの観察の正しさは、ここにもあらわれている。

隔絶された地域や未開の地域に暮らしているのであれば、一定期間のあいだは科学技術の合理化の要求に背を向けていられるかもしれない。さもなければ、その国がよほどの幸運に恵まれている場合だ。たとえば、どれほどイランが野心的な隣国イラクからホメイニ政権を守ろうとしても、イスラム教にもとづく「科学」ではＦ４戦闘爆撃機もチーフテン戦車も生産できはしなかった。

だがイランには、こうした兵器を購入するだけの石油資源からの収入があり、ただそれだけの理由で、近代兵器を製造する西欧諸国の合理主義を攻撃することも可能となったのだ。イランの支配者たちは、地面から噴き上げる貴重な資源をただじっとながめていればよく、その分だけ世界的なイスラム革命の成就などという計画――イランと違って石油に恵まれていない国にはとうてい無理な計画――にふけることができるというわけだ[11]。

「規模の経済」がもたらす奇跡

近代の自然科学は、軍備競争を通じてだけでなく、人間の欲望を満たすために自然を徐々に征服することを通じても歴史を一定方向へ変化させている。こうした征服の企てを、われわれは経済発展と呼んでもいいだろう。

工業化とは、生産プロセスにテクノロジーを集中的に応用したり、新しい機械を発明したりすることだけではない。そこには、社会の組織化や合理的な分業化などの問題に、人間の理性を発揮することもふくまれる。そしてこの理性は、新しい機械の発明と生産プロセスの組織化という二つの面で、かつての科学的研究法の提唱者たちがまったく予期しなかったほどうまく併用されてきた。西欧では一七〇〇年代なかばの時点で一人当たりの国民所得がすでに今日の第三世界を上回る水準にあったが、現在はさらにその十倍以上に膨れ上がっている。[12] このような経済成長は、それ以前の社会構造がどうであれ、すべての社会に、同じ形の変容をもたらしてきたのである。

近代自然科学は生産の可能性をたえず押し広げ、それによって経済成長に一定の方向性を与える。[13] また、こうしたテクノロジー上の発展の方向性は、労働の合理的な組織化とじつに密接に結びついている。[14] たとえば、通信運輸技術の発展——道路建設、船舶および港湾設備の発展、鉄道の発明など——によって市場は大きく広がり、それが今度は労働の合理的な組織化を通じて「規模の経済」を生み出していく。一つの工場で二、三の村を相手に商売をしているうちは儲かりもしないような特殊なビジネスが、取り引き先を国内全域、さらに国際市場へと広げたとたんに大きな価値をもつようになる。[15] このような変化によって生産性が高まると、やがて国内市場は拡大し、いっそうの分業化が新たに必要とされてくるのである。

労働の合理的な組織化が必要となるにつれ、その社会の構造も一貫した大規模な変化を余儀なくされる。工業社会は都市に集中せざるを得ないが、それは、都市だけが近代工業の運営に欠かせない熟練労働力を十分に提供でき、きわめて専門化した大企業を支える基幹施設《インフラストラクチャー》やサービス施設を備えているからである。

南アフリカのアパルトヘイトが最終的に失敗したのは、この政策が黒人の工業労働者をなんとか永久に農村部に留めたままにしておけるという予測のうえに成り立っていたためだ。労働市場が効率的に機能するには、労働力がもっと自由に動き回れる余地が必要だ。労働者を死ぬまで特定の仕事や場所や社会関係に縛りつけておくことはできない。彼らには、転居し、新しい仕事や技術を身につけ、いちばん高い給料を出す会社に労働力を売る自由を与えなくてはいけないのだ。

このことは、部族や氏族、親戚縁者、宗派などといった伝統的な社会集団に大きな影響を及ぼす。伝統的な社会集団は、一面では人間として満足のいく生活をもたらしてくれるかもしれないが、経済的効率性という合理的な原則にそって組織されてはいないために、今日ではすたれていく傾向にある。

このような伝統的な社会集団にとって代わるのが、近代的で官僚化された組織である。労働者は血縁や身分ではなく、当人の教育や能力に応じてこの組織に組み込まれていく。そして各人の業績は既定の普遍的な基準によって評価される。こうした近代的官僚システムでは、複雑な仕事をもっと単純で、大部分はベルトコンベア式に処理できるような仕事に細分化し、それを系列的に積み上げることで労働の合理的な組織化をはかっている。

政府機関であれ、労働組合や企業、政党、新聞、慈善団体、大学、あるいは専門団体であれ、長い目で見れば、そこにはこの合理的な官僚システムが波及していく傾向にある。十九世紀との比較でいうと、当時はアメリカ人の八〇パーセントが自営業で、どんな官僚システムにも組み込まれていなかったが、現在そのような部類に入る人は、十人に一人しかいない。このいわば計画されざる革命は、その国が資本主義か社会主義かに関係なく、また工業が発展する以前の社会の宗教や文化の違いにも関係なく、あらゆる先進工業国で判を押したように引き起こされてきたのである。(16)

マルクスの理想「朝は狩り、昼は釣り、夕方は……」の大誤算

もちろん、工業が発展したからといって必ずしも官僚システムの規模がどんどん大きくなったり、巨大な工業合同が起きたりするわけではない。官僚システムの規模がある一線を越すとその効率はぐんと悪くなるし――これは経済学者のいう「規模の不経済」の影響だ――より小さな組織がより多くあったほうがよほど能率が上がるということになる。また、ソフトウェア設計などある種の現代産業の場合は、とくに大都市に会社を構える必要もない。だが、このような小規模な組織でもやはり合理的な原則にもとづいた組織化は欠かせないし、都市社会からの支援も必要とされるのである。

労働の合理的な組織化と技術革新とは、本質的に切り離された現象としてとらえるべきではない。これらは経済生活の合理化ということの両面であり、前者は社会の組織化という側面、後者は機械生産という側面を示しているのだ。

マルクスは、近代資本主義における生産性の基盤が分業ではなくむしろ機械生産（つまり科学技術の

応用）にあると考え、いつの日か分業という形態は廃止されるだろうと予想していた[17]。科学技術は都市と農村との隔たりをなくし、石油成金と油田労働者との違いを消し去り、そして人間が「朝は狩りに出かけ、昼に魚を釣り、夕方は牛の世話をして、晩餐のあとに議論をする」ような社会を生み出すというのである[18]。

だが、その後の世界の経済発展の歴史を見るならば、マルクスの予言が真実であることを示すものは何もない。労働の合理的な組織化は依然として近代経済の生産性の根幹をなしており、しかもテクノロジーの発展によって、単純作業が労働者の精神を麻痺させるといった悪影響は緩和されてきた。分業を廃止し、細分化された仕事への隷属状態を終わらせようとする共産主義政権の企ては、マルクスが非難したマンチェスターの工場主以上に凶暴な独裁を生み出しただけにすぎない[19]。

毛沢東は一九五〇年代末の大躍進《グレート・リープ》運動とその十年後の文化大革命の時期に、都市と農村、精神労働と肉体労働の差異をいくつかの点でなくそうと努力した。しかしこのような試みはいずれも人々に想像を絶する苦しみを与えたし、さらにこれよりひどい例としては、一九七五年以降カンボジアでクメール・ルージュ（赤いクメール）が農村と都市の融合政策を強行したために起きた大虐殺を挙げることができよう。

産業革命の時点でも、労働の組織化[20]や官僚システム[21]はなんら目新しいものではなかった。ただし、経済効率の原理に従って徹底した合理化をおこなうというのは、産業革命前にはなかった点である。この合理性の追求こそが、工業化を進めつつある社会すべてに画一的な発展をもたらしたのだ。

工業が発達する以前の社会ならば、人が追い求める目標はそれこそ千差万別だったろう。宗教や伝統は人々に、武勇の誉れ高い貴族の生活のほうが都市商人の暮らしより立派なものだと教えたかもしれない。司祭さまがある商品について「公正な価格」を指し示し得たかもしれない。しかし、このようなルールに従って暮らしている社会では資源を効率よく分配することはできず、結局のところ合理的なルールにもとづいた社会ほどすみやかな経済発展は望めないのである。

分業が社会の均質化にどれほど寄与したかを見るため、社会関係に及ぼす分業の影響力を具体的な事例を挙げながら考えてみよう。

スペイン内乱でフランコ将軍が人民戦線勢力を倒して勝利を収めたとき、この国は圧倒的に農業国家であった。右派勢力を支える社会基盤は農村部の地方名望家と地主であり、彼らは伝統や個人的忠誠心を利用して、多くの小作農民から支持を取りつけることができた。マフィアもまた、その活動の場がニュージャージーであろうとパレルモであろうと、これと似たような人のつながりや血縁に頼っており、エルサルバドルやフィリピンのような第三世界諸国で地方政治を長く牛耳っている軍閥の場合も同じことがいえる。

ところが一九五〇年代から六〇年代にかけてのスペインの経済発展は、農村部に近代的な市場関係を持ち込み、それによって引き起こされた計画されざる革命が地主・名望家と小作農との伝統的な親分子分の関係を破壊してしまったのである[22]。土地を追われた農民は大挙して都会に流れ込み、地方名望家は支持者を失った。一方の地主連中は、もっと割のよい農業生産者に変身し、国内はおろか海外市場にも目を向けはじめた。そして村に残った小作農民は労働力を売る契約労働者となった[23]。

つまり、もし今日第二のフランコがあらわれたとしても、軍隊を編成するための社会的基盤はすでに失われているのである。このような経済的合理化の圧力の強さを考えれば、なぜマフィアが工業化の進んだイタリア北部ではなく相対的に発展の遅れた南部に根づいているかも理解できるだろう。経済を仲立ちとしない親分子分の関係はたしかに現代社会にも残されている――誰もが知っているとおり、ボスの息子は同僚より出世が早く、人を雇うにもボスの人脈がものをいうのだ。だが、このような関係は不法なものだと宣告されるのがおちで、おおっぴらには振る舞えないのが実状である。

万能とは言いきれない「歴史の舵取り役」としての近代自然科学

この項では、歴史には方向性があるのかどうかという問題を提起しようとしてきた。われわれのなかには、ほんのわずかでも歴史が一定の方向性を示すことを否定する悲観主義者が山ほどいるので、この問題については、わざと素朴な形で提起してきたつもりだ。

また、方向性をもった歴史発展の底に横たわっているはずの「メカニズム」として、ここでは近代自然科学を取り上げたが、それはこの科学が、一歩一歩の積み重ねで進歩していると万人の認め得る唯一の大がかりな社会活動だからである。

近代自然科学が着実に前進しているおかげで、人は歴史的進化を示す具体的な事実の多くを理解できるようになる。たとえば、人間が自動車や飛行機に乗る以前には馬車や鉄道を利用していた理由とか、時代が進むにつれて社会が都市化していった理由、あるいは、工業の進んだ社会では近代政党や労働組合や近代的民族国家が部族や氏族に代わって集団的忠誠心を発揚するひのき舞台となった理由がわかるのである。

しかし、近代自然科学によってたやすく説明のつく現象もある反面、個々の社会がどんな形の政治体制を選ぶかといった問題のように、説明がじつにやっかいなものもある。しかも、近代自然科学がおそらくは歴史の進歩の「舵取り役」だと見なすことはできるにせよ、まかりまちがっても歴史の進歩の究極的な原因だと考えるのは許されない。もしそんなふうに考えたなら、「どうして近代自然科学にそんな力があるのだ？」という疑問にすぐさま突きあたってしまうだろう。

科学がなぜいまのような形に発展してきたかについては、その科学自身がはらむ論理で説明がつくかもしれないが、人間が科学を追い求めてきた理由について、科学そのものは何も教えてはくれないのだ。社会現象としての科学が発展したのは、たんに人間が森羅万象に好奇心を抱いてきたためだけでなく、身の安全を求め無限の財産を求める欲望が、その科学によって満たされてきたからだ。現代の企業は、純粋な知識愛だけに衝き動かされて研究開発活動を続けているわけではなく、それはあくまでも金儲けのためなのである。

経済的に発展したいという欲望は、今日の事実上すべての社会に通じる特質のように思える。だが、もしも人間がたんなるエコノミック・アニマルではないとしたら、こんな説明だけでは不完全かもしれない。

この問題についてはもう少しあとで再度ふれることにする。

本書ではこれまでのところ、近代自然科学によって示される歴史の方向性というものに対して、どんな道徳的あるいは倫理的評価も下してはいない。当然すぎる話ではあるが、分業や官僚システムの発達という現象が人間の幸福に対してもつ意味はきわめて曖昧模糊としているのだ。それは、このような現象が近代生活の本質であることをはじめて指摘したアダム・スミス、マルクス、ウェーバー、デュルケームらの学者も強調してきた点である。

目下のところわれわれには、経済的生産性を高めてくれる近代科学の力のおかげで人間が昔にくらべて道徳心が向上したとか、もっと幸福になったとか、あるいは暮らし向きがよくなったとか決めつける必要はひとかけらもない。本書の議論の出発点としてはとりあえず、近代自然科学の発展によって生み出された歴史には一貫した方向性があるという十分な根拠が存在することを明らかにできればよいのである。その結論から何が導き出されるかは、その先の検討課題といえよう。

さて、近代自然科学の発見によって一定の方向性を備えた歴史が作り出されるとするなら、おのずと次のような疑問がわいてくる。

歴史が作り出されないなどという事態はあり得るのだろうか？　科学的研究法がわれわれの生活を支配するのをやめてしまうことがあり得るのだろうか？　工業の発展した社会が前近代の、前科学の社会に戻ることがあり得るのだろうか？　一言でいうなら、歴史は後戻りすることがあり得るのだろうか？

3 歴史は決して「逆流」しない

オーストラリアの映画監督ジョージ・ミラーの『マッドマックス2』には、石油文明が終末戦争によって破壊されたあとの世界が描かれている。そこは科学が失われた世界である。生産テクノロジーが消滅した結果、西ゴート族やバンダル族まがいの未来人がハーレー・ダビッドソンやデューンバギーで疾駆し、ガソリンや銃弾の争奪戦が繰り広げられることになるのだ。

近代の技術文明が壊滅し、未開社会に突然われわれが引き戻される可能性は、SF小説の題材として繰り返し取り上げられてきた。第二次世界大戦後、核兵器の発明でその可能性が現実味を増してからはとくにそうだ。SFのなかで人類の未来像とされている未開社会は、多くの場合、社会がまだ未発展だった時代の単なる再現ではなく、王侯貴族が宇宙船に乗って太陽系を旅するといった具合に、大昔の社会形態と近代テクノロジーが奇妙に入り混じっている。だが、近代の自然科学と近代的社会組織との相互依存関係についての前項での仮定が正しいとするなら、このような「混在」状況はそう長くは続かないだろう。というのも、科学的研究法を破壊したり拒んだりしないかぎり、最終的に近代自然科学は復活し、多くの面で今日の近代的で合理的な世界がよみがえっていくはずだからである。

そこで、次のような問題を考えてみよう。科学的研究法の破壊や拒絶を通じて人類全体が歴史を逆戻りさせることはあり得るのだろうか？　この問題は二つに分けて考えてみてもよい。第一に、現存する社会が近代自然科学を意図的に拒むことはあり得るだろうか？　第二に、グローバルな大変動によって近代自然科学が意図せざるままに消滅するということはあり得るのだろうか？

近代において、テクノロジーや理性的な社会を意識的にしりぞけようという運動は、十九世紀初頭のロマン派思想から一九六〇年代のヒッピームーブメント、さらにはアヤトラ・ホメイニが率いるイスラム原理主義にいたるまで数多い。なかでもいちばん一貫して技術文明に明確に反対を唱えているのが環境保護運動である。現在の環境保護運動は、立場の異なった団体が集まり思想的背景もさまざまだ。なかでもいちばん急進的なグループは、科学を用いた自然の征服という近代的な試みのいっさいを攻撃し、自然を操作するのではなく、その本来の、工業が発展する以前の状態に接近していくほうが人はもっと幸せになれると論じてきた。

このような反技術主義のほとんどは、歴史の「進歩」がはたして善であるかどうか疑った最初の思想家ジャン・ジャック・ルソーの影響を広く受けている。彼はヘーゲル以前に、人類の経験が本質的に歴史から制約を受けており、人間の本性自体が時代とともに移り変わっていくことを理解していた。けれどもヘーゲルと異なっていたのは、歴史の進歩が人類を大きな不幸に追い込んできたと考えた点である。

近代経済が人間の欲求をどこまで満足させられるかという能力の問題を取り上げてみよう。

文明人へ警鐘を鳴らしつづけていたルソーの真意

『人間不平等起原論』でルソーは、人間にとっての真の欲求は現実にはきわめて数少ないと指摘している。人にはたしかに雨露をしのぐ家や食糧がいるだろう。だが、安全の確保などは必ずしも人間に不可欠なものではない。なぜなら安全確保という発想が生まれるのは、他人とのかかわりのなかで生きる人間なら当然お互いに脅威を与えたがるという前提に立っているからだ(1)。

そしてその他いっさいの欲求は幸福になるための必需品ではなく、隣人と自分をくらべたがり、他人の所有物が自分にはないとき欠乏感を感じるという人間の特質から生じる。つまりそれらは、近代の消費文化が作り出した欲求、言い換えれば人間の虚栄心が作り出した欲求なのだ。

ここで問題となるのは、歴史のなかで人類が生み出す新しい欲求は無限に膨らみがちで、しかも完全には満たされないという点である。近代経済は、いかにすばらしい効率性と技術革新力をもっているとはいえ、一つの欲求を満たすごとにまた新たな不足を生み出していく。人間が不幸になったのは、ある特定の欲求が満たされなかったためではなく、ある欲求を満足させても次々に新しい欲求が出てくるという永遠のイタチごっこのためなのである。

こういう現象を説明するためルソーは、いま所有しているコレクションでよしとせず、まだ品物が完璧にそろっていないと嘆く蒐集家の例を挙げた。高度に技術革新の進んだ今日の家電産業の場合は、もっと現代的な例となるだろう。一九二〇年代から三〇年代にかけては、一家に一台ラジオをもつのが消費者にとっての最高の夢だった。だが今日のアメリカでは、ほとんどのティーンエイジャーがラジオを二、三台はもっており、なおかつファミコンやポータブルCDプレーヤーなどがなければまだ満足できないというありさまなのだ。さらに、こうした商品を手に入れたとしても彼らが少しも満ち足りた気分にならないのは明らかだ。なぜなら、そのころにはすでに日本人が、若者好みの新しいエレクトロニック仕掛けを考案しているからである。

現代版「ルソー主義」の限界

ルソーによれば人間が幸福を得るには、近代テクノロジーのもたらす果てしない消費の拡大、そしてそれが生み出す欠乏と充足の無限の繰り返しから逃れ、自然人の無垢な人間性を取り戻す必要があった。ここでいう「自然人」とは、社会をつくって生活せず、他人と自分をくらべたりせず、社会が人為的に作り出した恐怖や希望や期待の世界に生きていない人間のことである。自然人はむしろ、自分が生きていることを肌で感じ、自然のなかで自然に暮らすときに幸福を得るのだ。こうした人間は理性を使って自然を征服しようとはしない。自然が本来恵み深いものである以上、このように理性を使用する必要はないし、他人から孤立して生きる人間には、理性など不自然このうえないものだからだ。(2)

文明人へのルソーの批判は、自然を征服しようとする試み全体と、森や山を憩いと瞑想の場所ではなく、たんなる資源としてしかとらえないものの見方に対する最初の、そしてもっとも根本的な疑問を投げかけたものである。ジョン・ロックやアダム・スミスが想定した「経済人」という人間像に対するルソーの苦言は、今日でも、際限のない経済成長に対する大多数の批判の根拠となり、現在の環境保護論者の多くにとっても(しばしば当人たちは気づいていないが)その理論的なよりどころとなっている。(3)工業化と経済成長が続き、その結果として自然環境の破壊がますます明らかとなっていくにつれ、経済の近代化に対するルソーの批判はいっそう輝きを増してきたのである。

さてそれでは、このような現代版ルソー主義にのっとり、自然の征服をめざした近代の試み全体や、そのうえに打ち立てられた技術文明を拒絶しようとするようなきわめて急進的な環境保護主義が出現する可能性はあるのだろうか？　さまざまな理由からいって、答えはノーであるように思える。

その理由の第一は、現在の経済成長が生み出す将来展望と関連がある。個人や小規模な社会でなら自然に還ることは可能だ。投資銀行家や土地開発業者のような仕事をやめて、ニューヨーク州北東部のアディロンダック山地の湖のほとりに住めばよいのだから。しかし、社会全体がテクノロジーを拒んだ場合は、ヨーロッパの一国、あるいはアメリカや日本という国がまるごと工業文明から離脱することになり、その結果として、貧困に苦しむ第三世界諸国と同じ状態に陥ってしまうだろう。

大気汚染や有毒廃棄物は減るかもしれないが、一方で近代的な治療や通信はレベルダウンし、産児制限はうまくいかず、ひいては性解放もますます困難となっていくだろう。ほとんどの人々は、新しい欲求の無限のサイクルから解き放たれるというよりむしろ、肉体労働の無限のサイクルのなかで土地に縛りつけられた貧農の生活に逆戻りしてしまうのだ。

もちろん、長いあいだ自給自足農業のレベルで生きてきた国は多いし、そこで暮らす国民もそれなりの幸福を得てはきた。だが、いったん消費文化になじんだ人間がこのような暮らし向きを受け入れるとは考えにくいし、社会全体がそれをよしとする可能性となればなおさらだ。しかも、依然として工業化を進める国がほかにあれば、工業文明を脱ぎ捨てた国民は、つねに自分の国をその国とくらべてしまうようになる。第二次世界大戦後のビルマ（現在のミャンマー）は、第三世界に一般的だった経済成長という目標を拒絶して国際的な孤立の道を選んだが、工業が発達する以前の世界でならいざしらず、シンガポールやタイなど経済成長に沸く国に囲まれた地域で、こうした政策を持続するのが至難の業であることはいまでは証明ずみである。

「健全な環境」を作り出すための富と経済のダイナミズム

ある特定のテクノロジーだけを選び出して破棄するというやり方なら、まだ多少は現実味があるかもしれない。つまり、なんらかの方法でテクノロジー上の発展を現在のレベルのまま凍結させ、あるいは技術革新の許される分野を狭く限定するわけだ。この方法なら、当座のあいだは現在の生活水準をうまく保持できるかもしれないが、それにしても、テクノロジーの水準を勝手気ままに決めてしまうような生活が、さほど満足のいくものだとは考えにくい。こんなやり方ではダイナミックに成長する経済の恩恵にもあずかれず、かといってとことん自然に還れるわけでもない。

テクノロジーを凍結しようという試みは、アーミッシュやメノー派教徒が暮らす小規模な宗教的共同体では功を奏してきたにせよ、大規模で階層分化をとげた社会で成功する見込みなどほとんどない。今日の先進国社会には、たしかに社会的・経済的不平等が存在しているが、分配すべき「経済のパイ」が大きくなっているかぎり、その不平等が政治的な亀裂を生む恐れはほとんどない。アメリカが不景気な旧東ドイツそっくりになるような事態でもなければ、深刻な政治問題は生じないはずだ。

さらに、今日の先進国がもつ高水準のテクノロジーを凍結することが切迫した環境危機に対する適切な解決法だとは思えないし、そんなことをしても、第三世界の技術力がいずれ先進国レベルに追いついたときに地球の生態系が耐え得るかどうかという問題は、未解答のまま残されている。分野を選んで技術革新をおこなうとするなら、どんなテクノロジーの開発は許されるかを決める権限の所在をめぐってむずかしい問題が生じてくる。こうして技術革新が政治問題となれば、経済の成長全体にゆゆしき影響が出るのは避けられない。

もっといえば、現代のテクノロジーやそこから生まれた経済世界と断絶することは、環境保護にとって不可欠な要素ではなく、むしろ長い目で見れば、技術や経済の発展こそが環境保護の前提として必要になってくるのである。

実際、ドイツの緑の党フンディ派など一部の急進派はさておき、環境保護運動の主流は、環境保全につながる代替テクノロジーの創造が環境問題のいちばん現実的な解決法ではないかと考えている。健全な環境を作り出すという贅沢を手に入れるためには、富と経済のダイナミズムとによって支えられた技術を利用するのが最善の道だ。

しかも、有毒廃棄物の投げ捨てにせよ熱帯雨林の伐採にせよ、環境をいちばん破壊しているのは発展途上国である。発展途上国は、相対的な貧困を解決するには自国の天然資源を開発する以外に手がないと感じているし、環境立法を制定するだけの社会的規範も持ち合わせていない。一方、酸性雨による森林の侵食にもかかわらず、アメリカ北東部や北ヨーロッパの人部分の地域では、百年前、いや二百年前と比較しても、いまのほうが森は豊かさを増しているのである。

以上のような理由を考え合わせると、われわれの文明がルソーの唱えた道を自発的に選び取り、今日の経済生活における近代自然科学の役割を拒絶するという可能性はほとんどなさそうだ。しかし、ここではさらに、地球的規模での核戦争や環境破壊などの大変動によって、最善の努力を払ったにもかかわらず、現在の人間生活の物質的基盤が壊され、その結果、こちらの思惑にかかわらずなんらかの選択を強いられるという、もっと極端なケースについても検討してみよう。

たしかに近代自然科学の成果を破壊することは可能である。なにしろ近代テクノロジーがわれわれに、一瞬のうちにそのような破壊をおこなうための手段を与えてくれているのだから。だが、近代自然科学そのものを破壊し、人間生活を支配してきた科学的研究法の制約からみずからを解放し、人類全体を科学が誕生する以前の文明に永久に引き戻すことははたして可能なのだろうか(4)?

大量破壊兵器を使用した地球的規模での戦争を例にとってみよう。ヒロシマ以降、地球的規模の戦争といえばすぐ核戦争を思い浮かべるようになったが、今日では、生物兵器や化学兵器など、おぞましい新兵器によっても同じような結末にいたる危険性はある。

こうした兵器が核の冬や人類絶滅の危機の引き金にはならないと仮定したにせよ、戦争になれば敵国やおそらくはその主要同盟国の人口、国力、富の大部分を破壊し、さらには中立国にも大きな影響を与えるのは確かだ。また、軍事的破局が生態系の破局につながり、大規模な環境の変動が起こるかもしれない。世界政治の枠組みが大幅に変わる可能性もある。

交戦国は大国としての地位を失い、領土は分割され、傍観を決め込んでいた第三国に占領されるかもしれないし、人っこ一人住めないほど国土が汚染されることもあり得る。大量破壊兵器を生産できる技術先進国はことごとく戦争に巻き込まれ、工場や研究所、図書館や大学が破壊され、巨大破壊兵器組み立ての知識は根絶やしにされるかもしれない。

戦争の直接の被害をまぬがれた地域でも、戦争と技術文明への嫌悪感が膨れ上がり、多くの国がみずからの意志で、先進兵器やそれを生んだ科学と縁を切ろうとするかもしれない。戦争に生き残った者は、人類を破滅から守り得なかったような抑止政策を現在よりもっとストレートに拒否し、新しいテクノロジーをいまよりはるかに徹底したやり方で管理する道をあせらず懸命に模索していくかもしれない(地球の温暖化現象による氷冠の溶解や北アメリカ・ヨーロッパでの砂漠化の進行など生態系に大変動が発生した場合も、その原因となった科学技術を管理しようとする同じような動きが起こるだろう）。科学が引き起こした惨劇は反近代・反技術の宗教をよみがえらせ、そしてその宗教が、新しい破壊的なテクノロジーの創造に道徳面・感情面から歯止めをかけていくかもしれない。

人類文明に対するテクノロジーの支配力と科学の「復元力」

しかしながら、こうした極端な例を想定したとしても、人類文明に対するテクノロジーの支配力や科学そのものの復元力が失われてしまう可能性はまずないといっていいだろう。その理由は、やはり科学と戦争との関係にある。近代兵器が破壊され、その製造方法に関する特定の知識が消し去られても、兵器生産を可能にした科学的研究法の記憶までは根絶やしにできない。

近代的な運輸通信手段を通じて、人類文明が統一化への道を歩んできた結果、いかなる地域も――いまのところは技術を生み出したり知識をうまく応用したりする能力をもたない地域でさえも――科学的研究法とその潜在能力に無知ではいられなくなってきた。言い換えれば、近代の自然科学の力に気づかぬような真の野蛮時代などは訪れようがないのである。そしてそれが真実であるかぎり、近代自然科学を軍事目的に応用できる国家は、それができない国家よりも優位に立ちつづけるだろう。

戦争によって、近い将来に無意味な破壊がもたらされたとしても、それで人々が必ずしも軍事技術はまったく非合理なもので役に立たない、と考えるとはかぎらない。むしろ、もっと新たな技術が自分たちに決定的な優位を与えてくれると確信するかもしれないのだ。

善良な国家が戦争の破局から自己抑制の必要という教訓を引き出し、その破局の原因となったテクノロジーを管理しようとしても、その国が地球上で対峙すべき相手は、戦争という災厄をみずからの野心のために利用しようとする邪悪な国家かもしれないのである。近代初頭にマキャベリが教えたように、善良な国家といえども、いやしくも国家として生き延びていくには、邪悪な国家の行動に範をとらねばならない。(5)

国家は、たんに自衛のためだけであっても、一定レベルの科学技術を維持しなければならないし、敵国が軍事分野で技術革新をおこなう以上、こちらも負けてはいられない。新しいテクノロジーの開発を抑制しようとする善良な国家でさえ、やがては、いささかの躊躇や制約はあるにせよ、徐々に科学技術という守護神を壷のなかから呼び戻さざるを得なくなるだろう。(6) 地球規模での大激変を経た人類は、それが生態系上の変動であった場合には、近代自然科学への依存度をいっそう強めていくだろう。なぜなら科学技術こそが、地球を再び居住可能にする唯一の手段だからである。

一つの文明が、のちの時代になんの痕跡も残さず消滅してしまう可能性を仮定した場合にのみ、歴史が堂々めぐりを繰り返すという想定も可能となる。そして、近代自然科学の誕生以前にはたしかにそうであった。

しかしながら今日では、この近代自然科学が目的の善し悪しはともかく大きな影響力をもっているため、人類が物理的に絶滅でもしないかぎり、科学が完全に忘れ去られたり停滞したりする状況はほとんど考えられない。そして、日々発展する近代自然科学の支配力が消えてなくなりはしないとすれば、歴史の方向性やそこから生じる経済、社会、政治上の潮流が、抜本的な意味で逆戻りすることはあり得ないのである。

4 社会進歩のメカニズムと資本主義体制

われわれの国は幸せではなかった。この国はマルクス主義の実験をおこなうように決定づけられていた——運命がわれわれをまさにその方向へと追いやったのである。この実験は、アフリカのどこかの国ではなく、まさにわれわれの祖国で開始された。そしてつまるところ、マルクス主義の理論など存在する余地はないことが立証された。この理論はわれわれを、世界の文明国がたどった道から踏み外させただけだ。国民の四割が貧困に悩む今日の現状、さらには配給切符を見せて商品を受け取るという、いつもながらの屈辱のなかに、そのことははっきりとあらわれている。この耐えざる屈辱は、この国において諸君が奴隷の存在であることを一時間ごとに思い起こさせてくれるのだ。

ボリス・エリツィン、一九九一年六月一日モスクワでの民主ロシアの集会における演説

われわれはこれまで、近代自然科学の進歩的発展が歴史に方向性を与え、個々の国家や文化の違いに関係なく、ある種の均一な社会変化を生み出すことを見てきた。テクノロジーと労働の合理的組織化は工業の発展に欠かせず、この工業化によって都市化、官僚組織の発達、大家族制や種族的な血縁関係の崩壊、教育水準の向上といった社会現象が生じるのである。またわれわれは、いかなる状況であれ人間生活に対する近代自然科学の支配力が衰える可能性は少ないことを、もっとも極端な例もふくめて検討してきた。とはいえこれまでのところ、科学が経済面で資本主義体制を生み、あるいは政治面でリベラルな民主主義を生む必然性について論じてはこなかった。

そして実際、工業化の初期段階を過ぎて経済発展や都市化や宗教と政治の分離を達成し、強力で集権的な国家構造と国民のかなり高い教育水準を維持しながら、なおかつ資本主義でも民主主義でもない国家は存在している。多年にわたってその典型となってきたのがスターリン主義ソビエトである。

一九二八年から一九三〇年代後半にかけて、ソ連では国民の経済的・政治的自由が認められないまま、小作農中心の国家から活力ある工業国家へと驚くべき変貌をとげた。この急速な社会変化のおかげで、ソビエト国民の多くは警察国家の専制支配のもとで中央統制を実施したほうが、自由市場で人々が自由に活動するよりもっと効率的に急速な工業化を達成できると考えるようになった。アイザック・ドイッチャーなどは一九五〇年代の論文でも、中央計画経済は市場経済の無政府的な活動より効率的であり、国有化された工業のほうが民間部門より工場・設備をうまく近代化していけると主張していた(1)。

また、社会主義でありながら経済的にも発展した東欧諸国が一九八九年の激変にも生き残ってきたことは、中央計画経済と経済の近代化とが両立可能である証拠のようにも見えた。

道徳的に悪臭を放つがゆえの「資本主義」の適応力

共産主義世界でのこうした事例が示すように、近代自然科学の発展はつねにオープンで創造性にあふれたリベラルな社会をもたらすとはかぎらず、むしろマックス・ウェーバーの見た合理的かつ官僚的な専制政治という悪夢を人類にもたらす場合もあり得る。したがって、これまで論じてきた社会進歩のメカニズムという考えは、もっと広げていく必要がある。つまり、経済発展をとげた国家が、なぜ都市化した社会や合理的な官僚機構をもつのかという問題の説明はもとより、なぜ世界は最終的に経済・政治の両面で自由主義の方向に進んでいくはずなのかという点についても、このメカニズムによって証明していかなければならない。

本項と次項では、先進工業社会および発展途上社会という二つの対照的な事例を取り上げながら、社会進歩のメカニズムと資本主義体制とのかかわりについて考察してみたい。そして、社会進歩のメカニズムが必然的に資本主義体制をもたらすということを確認できたなら、次に、このメカニズムが資本主義と同様に民主主義体制をも生み出し得るのかどうかという問題に戻ってみたいのである。

伝統主義的・宗教的な右翼勢力にとっても、社会主義的・マルクス主義的な左翼にとっても、資本主義は道徳的に悪臭を放つ存在ではあった。だが、社会進歩のメカニズムとのかかわりでいえば、資本主義が世界で唯一生存能力のある経済システムとして勝利を収めた理由を説明するほうが、政治面でリベラルな民主主義の勝利した理由を説明するよりもたやすい。というのも、工業経済の成熟という状況のもとでは、テクノロジーの開発や利用の面でも、またグローバルな分業化という急速な変化への対処の面でも、資本主義体制が中央計画経済体制よりはるかに効率的だということは、すでにはっきり立証されてきたからである。

なぜマルクス－レーニン主義は「脱工業化」に失敗したのか

「工業化《インダストリアライゼーション》」というのは、ある国が突如として経済の近代化を達成したという一過性の出来事を指すのではない。むしろこれは継続した発展過程を表現した言葉であり、今日では近代的とされているものが明日に急に時代遅れとなるような明確な転換点がそこにあるわけではない。とはいえヘーゲルのいう

「欲求の体系」を満足させる手段は、その欲求自体が変化するに従って確実に変化してきた。

マルクスやエンゲルスのような初期の社会理論家にとって工業化とは、イギリスの繊維工業やフランスの磁器工業といった軽工業を指していた。けれどもまもなく鉄道が普及し、鉄鋼や化学や造船などの重工業が生まれ、単一の国内市場が成長してくると、レーニンやスターリン、そしてソビエト体制の後継者にとっては、こうした発展こそが工業の近代化を意味するようになった。イギリス、フランス、アメリカ、ドイツはほぼ第一次世界大戦までにこのような発展段階に達し、第二次世界大戦までには日本と残りのヨーロッパ諸国で、そしてソ連と東欧諸国では一九五〇年代にこのレベルに達した。

もっとも、今日から見るとこの工業発展もあくまで中間点であり、最先進国の立場からすれば、はるか昔に通りすぎた道にすぎない。そして現在の到達段階は「工業社会の成熟期」とか「高度大衆消費社会」、あるいは「情報化時代」「脱工業化社会」などさまざまな名称で呼ばれている。[2] こまかな定義の差はあれ、これらすべてが強調しているのは、重工業に代わって情報、技術的知識、サービスの役割が非常に重要になってきたという点である。

近代自然科学は、それが工業化の初期段階に入りつつあった社会を規定したのとほぼ同じような形で――つまり技術革新や労働の合理的組織化というなじみ深い形で――「脱工業化」社会の特徴を規定しつづけている。一九六七年の著書でダニエル・ベルは、新しい技術の発明から商業ベースでの応用までにかかる時間が、一八八〇年から一九一九年の時期には平均で三十年だったのが、一九一九年から一九四五年の時期には十六年、そして一九四五年から一九六七年には九年と短縮されてきたことを指摘した。[3] それ以後もこの時間はさらに短縮され、コンピューターやソフトウェアのような最先端産業の生産サイクルの場合、現在は年単位ではなく月単位ではかられるようになっている。しかもこうした数字は、一九四五年以降に生み出された商品やサービス――その多くはまったくの新製品――の信じがたいほどの多様性について、あるいは複雑さを増す経済のしくみやその経済をうまく機能させるために必要な技術的知識――科学やエンジニアリングはもとよりマーケティングや金融、流通に関する知識――については何も語ってくれないのである。

同時に、マルクスの時代には予言されていたが、ごく不完全にしか実現されなかったグローバルな分業体制も現実のものとなってきた。ここ三十年あまり、国際貿易は複利計算で毎年一三パーセントも成長し、国際金融のような特定部門では、さらに高い伸び率を示してきた。これに先立つ数十年間では、国際貿易の成長率が三パーセントを越すのはきわめてまれだった。[4] 運輸や通信コストが一貫して低下しつづけたため、アメリカや日本、あるいは他の西欧各国がもつ最大の国内市場ですら太刀打ちできないほど大きな規模の経済が実現したのだ。この結果、もう一つの予期せざる革命が徐々に引き起こされてきた。ドイツ製の自動車やマレーシアの半導体、アルゼンチンの牛肉、日本製ファックス、カナダ産小麦、そしてアメリカ製の飛行機を売買するため、人類は(共産主義世界を除いて)その大部分が単一の市場に統合されたのである。

技術革新と高度に複雑化した分業体制は、経済全般にわたって技術的知識への需要を激増させ、ひいては――荒っぽい言い方をすれば――体を動かす人間より考える人間が強く求められるようになってきた。これは科学者やエンジニアだけでなく、公教育や大学、情報産業などこれらの人々を支えている社会構造すべてにあてはまる。現代経済のより高度な情報的性格は、サービス部門――専門職、管理職、ホワイトカラー、貿易やマーケティング・金融にかかわる人々、そして公務員や医療産業従事者――が伝統的製造業にたずさわる職種を犠牲にして発展してきたという事実にも示されている。

「脱工業化」をはかろうとする経済においては、政策決定の分権化と市場重視の方向への発展が事実上避けがたい。中央計画経済を採用した国でも、たしかに資本主義国のあと追いをして石炭や鉄鉱や重工業の時代に入ってはいけたが、そういう国が今日の情報化時代のニーズを満たすのは、はるかにむずかしいのである。(5) つまり、非常に複雑でダイナミックな脱工業化経済世界のなかで、経済体系としてのマルクス－レーニン主義は、まさにワーテルローの会戦に直面したといっても過言ではない。

「中央計画経済」崩壊の最大原因

中央計画経済の失敗は、要するに技術革新の問題と関連している。科学研究は、人々が自由に考え自由にコミュニケーションをおこなえる環境、さらに重要な点でいえば人々が技術革新の功績に対して報酬をもらえるような環境のもとでこそもっとも進んでいく。たしかに旧ソ連も中国も、とくに基礎研究や理論研究という無難な分野では科学研究を奨励し、航空宇宙や兵器開発といった部門では技術革新を促進するため報酬制度をつくってきた。

だが現代経済における技術革新は、ハイテクのような特定産業だけではなく、ハンバーガー販売のマーケティングとか新タイプの保険の開発など、あまりパッとしないような分野も含めて、全体に行き渡るものでなくてはならない。ソ連は核物理学者を甘やかす一方で、頻繁に爆発事故を繰り返すテレビの設計技術者たちにはろくな待遇を与えなかった。また、新たな消費者に新たな商品を売り出すというソ連や中国ではまったく未知の分野に挑もうとする者たちにとっても、事情は同じであった。

中央計画経済は、合理的な投資決断に失敗し、生産プロセスへの新テクノロジーの効率的な導入にも失敗してきた。こうしたことは、決断を下すための適切な情報が市場価格という形で経営者に提供された場合にのみうまくいく。つまるところ、価格システムを通じて得られる情報の正確さを保証するのは競争である。ハンガリーやユーゴスラビアのかつての改革では、経営者にそれまでよりいくぶん大きな自主性を与えようとしたし、ソ連の場合も多少はそれを試みた。だが、合理的な価格体系がそこに存在していなかったため、経営者の自主性はほとんど育たなかったのである。

現代経済は、集権化された官僚システムの管理能力がいかに進歩しようとも、それを簡単に凌駕してしまうほど複雑である。ソ連の経済計画担当者たちは、需要主導の価格システムの代わりに、社会的に公正な資源配分というやり方を上から押しつけようとした。多年にわたって彼らは、より巨大なコンピューターとより厳密な線型計画《リニア・プログラミング》が資源の効率的な中央計画的配分を可能にする、と信じてきたのだ。それが夢物語だったことは、いまでははっきりしている。

物価統制に関するかつての国家委員会ゴスコムツェンでは、毎年約二十万品目の商品価値を見直さねばならなかったが、これは同委員会で働く役人が、一人につき毎日三ないし四品目の価格を改訂していた勘定になる。しかもこの数字は、毎年ソ連の役人が決定している価格品目全体のわずか四二パーセントにすぎず(6)、仮にソビエト経済が西側の資本主義経済と同様の多様な商品やサービスを提供したとすれば、そこに占めるパーセントははるかに小さくなってしまうはずである。

モスクワや北京におさまっている官僚たちも、数百種かせいぜい数千種の商品を生産するだけの経済を管理するというのなら、効率的価格らしきものを決定できたかもしれない。けれども、一機の飛行機にさえ数十万個の部品が必要な時代に、そんなことができるはずはない。さらに現代経済では、品質の相違がますます価格決定に反映するようになっている。クライスラー社のルバロンとＢＭＷの技術仕様はどこをとっても優劣はつけがたいが、消費者は車へのある種のフィーリングをもとにしてBMWに軍配をあげるのだ。どう考えても、旧ソ連や中国の官僚たちがきちんとその違いを見分けられるとは思えない。

価格の管理と商品割当の維持をはからざるを得ない中央計画経済の立案者たちは、国際的分業体制への参加を禁じられ、その結果、こうした分業によって可能になる規模の経済の実現もままならなくなってしまう。一七〇〇万の人口をかかえた共産主義国家・東ドイツでは世界経済のシステムを国内にそのまま引き移そうと勇敢な試みをおこなったが、実際のところは公害をまき散らすトラバント車からエーリッヒ・ホーネッカーご推奨のメモリーチップまで、外から買えばはるかに安くつくような品物の粗悪な模造品を大量に生み出したにすぎなかった。

結局のところ中央計画経済は、もっとも貴い人的資産、すなわち勤労を善とする労働倫理を台無しにしたのである。労働意欲を否定する社会・経済政策を採用すれば、どんなに強固な労働倫理も破壊されてしまうし、それをもう一度取り戻させるのはきわめて困難な場合が多い。

のちに第四部でも論じるが、多くの国に存在する強固な労働倫理は、近代化というプロセスの結果として生まれたのではなく、むしろ近代以前の文化や伝統の残滓《ざんし》であると考えてよいだろう。強固な労働倫理をもつことは、脱工業化経済を成功に導く絶対条件ではないにせよ、その助けとなるのはまちがいないし、こうした経済圏において生産より消費を重視する傾向とバランスを取るうえでも、決定的な役割を果たすかもしれない。

共産主義の「墓掘人」を演じた技術官僚《テクノクラート》

テクノロジーの発展は必然的に産業の成熟をもたらし、その結果として共産主義体制下での中央の統制は弱まり、よりリベラルな市場志向型経済にとって代わられるだろう、と期待する人はこれまでも多かった。レイモン・アロンは「テクノロジーがいっそう複雑になっていくにつれて、空論家や軍人は駆逐され、代わって管理職階級の力が強まるだろう」と述べたが、この意見は、技術官僚《テクノクラート》は「共産主義の墓掘人である」という彼のかつての主張と響き合っている。[7]

結果から見ると彼の予言はまったく正しかったのだが、西側の人間にとって見当もつかなかったのは、この予言がいつになったら実現するのかという点であった。旧ソ連も中国も、自国の社会を石炭と鉄鉱の時代へと育て上げる能力をもっていることは完全に立証した。もちろん、それに必要な技術はさほど複雑ではなく、農場から強制的に連れてきて単純な組み立てラインに並べただけの、ほぼ文盲の小作農でさえマスターできるものだった。このような経済を運営する程度の専門知識を備えたスペシャリストたちは従順であり、政治的な支配も容易だった。[8]かつてスターリンは、著名な航空機設計者ツポレフを強制収容所にぶちこんだが、そこでツポレフは最高の飛行機の一つを設計した。スターリンの後継者たちは、共産主義体制への忠誠と引き換えに地位と報酬を与えながら、管理職や技術者を取り込んでいった。[9]

だが中国での毛沢東のやり方は違っている。彼はソビエトにいるような特権的なインテリ技術者が生まれるのを防ぐため、まず一九五〇年代後半の大躍進の時期に、そしてさらに一九六〇年代後半の文化大革命期に知識人に対する全面戦争を宣言した。エンジニアや科学者は農産物の収穫やその他の肉体労働を強制され、一方で技術的能力が必要とされるはずの役職には、政治的なお眼鏡《めがね》にかなったイデオロギー信奉者が配置されたのである。

もちろん、全体主義国家や権威主義国家がかなり長期間にわたって――旧ソ連や中国では数十年にわたって――経済的合理化の要請を拒みつづけてこられたその能力を過小評価してはいけない。しかしこうした拒絶は、最終的に経済停滞という犠牲をもたらした。中国や旧ソ連は一九五〇年代の経済水準を乗り越えようとしたものの、中央計画経済の全面的失敗によって国際舞台で有力な役割を演じることができなくなり、果ては自国の安全さえままならなくなった。

中国では、文化大革命期に毛沢東が有能な技術者を迫害したため、一世代前の状態に逆戻りするほどひどい経済的苦境に陥った。一九七〇年代中葉に権力を掌握した鄧小平がまず第一に実行したのは、技術系知識人の名声と権威を回復し、イデオロギーが先行する政治の気まぐれからこれらの知識人を保護することであった。つまり、一世代前にソ連が採用したインテリ懐柔策を取り入れたのだ。しかし、技術系エリートを取り込んでイデオロギーに奉仕させようとする努力は、また別の形での問題を生み出した。自分で考えたり外の世界について研究する自由がかなり広く認められた知識人たちは、さまざまな現代思想に精通するようになり、そしてそれを受け入れはじめたのだ。毛沢東が恐れたように、技術系知識人は「ブルジョア自由主義」の主要な紹介者となり、その後の経済改革において重要な役割を果たすこととなったのである。

一九八〇年代末までに中国、ソ連、さらに東欧諸国は、先進産業国の経済論理に屈服してしまったと見てよいだろう(10)。天安門事件後の政治弾圧にもかかわらず、中国指導部は、市場経済や経済政策決定における分権化の必要性を認め、さらにグローバルな資本主義的分業体制へ積極的に参加する必要性も認めてきている。同時に、技術系エリートの進出にともなって、社会階層がより幅広く分化していく現状を進んで受け入れようという姿勢も示している。また一九八九年の民主化革命以降東ヨーロッパでは、時期や速度に違いはあるものの、すべての国が市場経済システムへの復帰を選択した。それにくらべてソビエト指導部には市場経済への全面的移行に対するためらいも見られたが、一九九一年八月のクーデター失敗によってもたらされた政治的変動以後、遠大な自由主義的経済改革の道へその第一歩を踏み出したのである。

ある社会が資本主義経済を規制し計画化しようと望んだにせよ、それはある程度まではその社会の裁量の範囲内である。社会進歩のメカニズムの論理をもってしても、それをとやかくいうことはできない。しかしながら、テクノロジー主導の経済的近代化の進展によって先進諸国は実質的な経済競争と市場メカニズムによる価格決定システムを認め、かつ資本主義経済の普遍性を基本のところで受け入れるよう強く迫られている。そしてすでに明らかなように、完全な経済近代化へといたる道はこれ以外にはあり得ないのである。

5 自由市場経済の圧倒的勝利

政治体制がどうであれ、鎖国政策を維持したまま近代化を果たした国家などこれまで世界じゅうに一国もなかった。

鄧小平の演説より、一九八二年(1)

先進諸国にとって、資本主義体制がある意味で不可欠なものであり、一方、マルクス－レーニン主義にもとづく社会主義体制は、富や近代的技術文明を作り出すうえでの深刻な障害だったという事実は、二十世紀の最後の十年までにほとんど常識と化したように思える。それにくらべて見落とされがちなのは、一九五〇年代ヨーロッパにおける工業化のレベルにも達していない後進国にとって、社会主義がもっていた資本主義との相対的メリットである。

石炭と鉄鉱の時代さえ夢にすぎないような貧困国にすれば、旧ソ連が情報化時代のテクノロジーに遅れをとっていることなどさして気にはならない。もっと大切なのは、ソ連という国が、わずか一世代足らずのうちに都市化し工業化した社会を作り上げたという点なのである。社会主義的な中央計画経済の魅力が長続きしたのは、資本の蓄積と、均衡のとれた産業発展に向けた国家資源の合理的再配分を速やかになしとげる方法を指し示してくれたためだ。いち早く工業化したアメリカやイギリスのような国が、数世紀かかって政治的強制力を用いずになしとげたこのプロセスを、ソ連では一九二〇年代から三〇年代の露骨な恐怖政治のもとで、農業部門の収奪を通じて達成してしまったのである。

社会主義体制は第三世界諸国の発展戦略にとって有利な道だとする議論がかなり説得力を強めたのは、ラテンアメリカのような地域で資本主義では継続的に経済成長できないことが明らかになったためである。実際のところ、第三世界が存在しなければ、マルクス主義は二十世紀のもっと早い時期に死滅していたであろう。だが、低開発諸国のとめどない貧困がマルキシズムの教義に新たな生命を吹き込んだのである。左翼勢力は貧困を最初は植民地主義のせいにし、植民地が消滅すると「新植民地主義」のせいにし、最後には多国籍企業のせいにすることができたのである。

マルクス主義を生き長らえさせようという第三世界でのごく最近の試みは、いわゆる「従属理論」と呼ばれている。おもにラテンアメリカで発達したこの理論は、一九六〇年代から七〇年代にかけて、豊かで工業化の進んだ北の諸国に対して、貧しい南の諸国が一丸となって自己主張を繰り広げる際の学問的よりどころとなった。とはいえこの従属理論は、南の諸国の民族主義と結びついた結果、その学問的正当性以上に大きな影響力を振るうことになり、ほぼ三十年近くにわたって、第三世界の多くの地域で、本来可能であったはずの経済発展を台無しにしてしまったのである。

南北の格差を資本主義の矛盾ときめつけたレーニンの「従属理論」

従属理論の事実上の父ともいうべき存在はレーニンである。彼は一九一四年の有名な論文『資本主義の最高段階としての帝国主義』で、ヨーロッパの資本主義が労働者階級の絶対的貧困をもたらさず、むしろ現実には生活水準が向上し、労働者内部にかなり自己満足的な組合主義的発想を根づかせたことについての説明を試みた[2]。

レーニンによれば資本主義は事実上、ヨーロッパの「剰余資本」を吸収できるだけの労働力と原材料をもった植民地へと搾取を輸出することによって存続をはかってきたのである。「独占資本主義」間の競争は低開発諸国の政治的分割をもたらし、ひいてはそれが対立や戦争、そしてその国の内部に革命をもたらす、というのだ。マルクスとは対照的にレーニンは、資本主義を崩壊させる最終的な矛盾が先進国内部の階級闘争ではなく、進んだ北と遅れた諸国の「世界的プロレタリアート」とのあいだの階級闘争にある、と主張した。

一九六〇年代になって従属理論にもいくつかの学派が生まれるようになったが[3]、その起源をたどると、どれもアルゼンチンの経済学者ラウール・プレビッシに行き着く[4]。一九五〇年代に国連ラテンアメリカ経済委員会の長をつとめ、のちに国連貿易開発会議（ＵＮＣＴＡＤ）の事務局長となったプレビッシは、世界経済の「中心国」に比較して「周辺国」は相対的に悪い条件のもとで貿易をおこなっている、と指摘した。そして、ラテンアメリカのような第三世界地域の経済停滞はグローバルな資本主義経済秩序のせいであり、こうした経済秩序のせいで第三世界は永続的な従属的発展状態にとどまっていると論じた[5]。つまり、北の地域が豊かになればなるほど、その直接の結果として南の地域はますます貧しくなっていくというわけだ[6]。

古典的な自由貿易理論からいえば、開放的な世界貿易システムへの参加によって、ある国はコーヒー豆だけを売り、別の国はコンピューターだけを売ったとしても、すべての国が最大の利益を得られるはずだ。経済的な後進国でも、このシステムに参加すれば、テクノロジーをみずから開発せずに先進国から輸入すればすむのだから、経済発展にとってはたしかに有利なのである[7]。

だが従属理論は、逆に、発展の遅れた国は永久に後進性を運命づけられていると論じた。先進国は世界貿易を支配し、多国籍企業を使って第三世界諸国にいわゆる「不均衡な発展」――すなわち、原材料や商品のほとんど未加工状態での輸出を強いている。そして発展した北側諸国は、世界市場を自動車や航空機など洗練された商品のために独占し、第三世界を事実上、世界の「柴刈り人や水汲み人」の地位におとしめている、というわけだ。[8] しかも従属理論家の多くは、国際経済秩序を、キューバ革命のあとを追ってラテンアメリカ各国で権力の座についた独裁主義政権と結びつけて考えていた。[9]

東アジア諸国で見事に自滅した「従属理論」

従属理論から生まれた政策は、自由主義の理念と真っ向から対立するものであった。わりあい穏健な従属理論家にしても、西側の多国籍企業に取り込まれず、輸入への高関税障壁の設定や輸入代替と呼ばれる政策を通じて自国産業を保護育成するよう主張した。もっとラジカルな従属理論家の場合は、革命の機運を高めたり、資本主義的な貿易システムから手を引いたり、キューバを見習ってソ連ブロックへの統合をはかったりすることによって、世界経済秩序全体を台無しにせよという主張をおこなった。[10]

かくして一九七〇年代初頭に、ソ連や中国においてすら、すでに現実社会を支える土台としてはそっぽを向かれていたマルクス主義の理念が、第三世界および欧米の大学の知識人たちの手で後進世界の未来を開く処方箋として息を吹き返してきたのである。

この従属理論は、今日でも左翼知識人のあいだでは命脈を保っているが、もはやそれではどうにも説明のつかない一大現象が生じたために理論モデルとしては破綻してしまった。その現象とは、第二次世界大戦後の東アジアの経済発展だ。

従属理論とは、経済発展の源から目をそらさせることでみずからが経済成長の障害となってしまうような自滅的な理論である。そしてアジア諸国の経済の成功は、それらの国々にいかなる物質的恩恵が与えられていたかは別にして、こうした理論をようやく安らかな眠りに導くだけの健全な効果をもっていた。というのも、仮に従属理論の主張どおり、第三世界の後進性が発展途上国の世界的資本主義秩序への参加によるものだとすれば、韓国や台湾、香港、シンガポール、マレーシア、タイなどの国々で起きた驚異的な経済成長をどうやって説明すればよいのだろうか？

第二次世界大戦後これらの国々のほとんどすべては、のちにラテンアメリカを席捲する自給自足と輸入代替の政策を巧みに回避し、その代わりに輸出志向型の経済成長をひたすら追い求め、多国籍企業との連携を通じて外国市場や外国資本と自国とをうまく結びつけたのである[11]。

しかも、これらの国々は天然資源や昔からの資本蓄積があったから不当に有利な条件で出発できた、などという議論は成り立たない。中東のような石油成金の国とも、ラテンアメリカの鉱山資源に恵まれた国とも違って、東アジアの国々は、国民という人的資本以外は何ももたずに経済の国際レースに参加したのである。

眠りから覚めた「四頭の虎《フォー・タイガーズ》」の歴史的背景

第二次世界大戦後のアジアの経験は、まさに古典的な自由貿易理論の予言どおり、遅れて近代化を果たした国が、既存の産業大国にくらべて相対的に有利であることを証明している。日本をはじめ、遅れて近代化を果したアジア諸国は、アメリカやヨーロッパから最先端テクノロジーを買うことができ、老朽化し効率の悪い生産基盤《インフラストラクチャー》に悩まされもせず、一世代から二世代のうちにハイテク分野で競争力を身につけることができた（アメリカ人の多くは、競争力をあまりにも身につけすぎた、というかもしれないが）。

これは、アジアをヨーロッパや北アメリカと比較した場合だけでなく、アジア内の国同士についてもあてはまる。タイやマレーシアのような国では経済発展が日本や韓国よりも遅れてはじまったが、それでもなんら不都合はなかった。また西側の多国籍企業は、自由主義経済の教科書でかくあるべしと描かれているとおりに振る舞った。つまり、安価なアジアの労働力を搾取する一方、その見返りとして市場や資本、技術を供給した。多国籍企業はテクノロジーを普及する道具としての役割を担い、それが結局は各国の自立的な成長をもたらしたのである。あるシンガポールの高官が、自分の国で許せない三つの悪徳とは「ヒッピーと長髪野郎、それに多国籍企業への悪口だ」と語った理由もこのあたりにあるのだろう。[12]

遅れて近代化を達成したこれらの国々の経済成長は、まさに記録破りのものである。日本の経済は一九六〇年代には年九・三パーセント、七〇年代も年六パーセントの成長をとげた。「四頭の虎《フォー・タイガーズ》」と呼ばれる香港、台湾、シンガポール、韓国の同時期の成長率は九・三パーセントであった。ＡＳＥＡＮ全体で見ても経済成長率は八パーセントを越えている。[13]

またアジアでは、二つの異なった経済システムを相互に直接くらべてみることもできる。台湾と中華人民共和国は一九四九年に別個の国家として出発したが、その時点で両国の生活水準はほとんど同じだった。ところが台湾は市場経済のもとで実質ＧＮＰが毎年八・七パーセントの伸びを示し、一人当たり

GNPも一九八九年には七五〇〇ドルに達している。それにひきかえ中国の同じ年の一人当たりGNPは約三五〇ドルで、しかもその大部分は十年に及ぶ市場志向型改革のおかげで手に入った金なのである。北朝鮮と韓国の場合も、一九六〇年の時点で一人当たりGNPはほぼ同一水準だった。翌一九六一年に、韓国は輸入代替政策を放棄し、商品の国内価格と国際価格を一致させた。その結果、韓国経済は年間八・四パーセントの経済成長をとげ、一九八九年の一人当たりGNPは四五五〇ドルとなったが、この数字は北朝鮮の四倍を越えている。(14)

さらに、このような経済の成功は、なんら国内の社会的公正を犠牲にしていたわけではなかった。アジアの賃金は搾取という表現があてはまるほど低いとか、各国政府は消費需要を容赦なく抑制し、高水準の貯蓄を強いているとかいう問題はこれまでも指摘されてきた。だが、アジア諸国が一定レベルの繁栄に達するにつれ、その所得分配は次から次へと急速に平均化しはじめたのだ。(15)

台湾と韓国では、ほぼ三十年という歳月をかけて、所得の不平等が徐々に解消されてきた。一九五二年の台湾では、二割の最上層階級が同じく二割の最下層階級の十五倍もの所得を得ていたが、この数字は一九八〇年時点で四・五倍にまでさがった。(16) 現在の経済成長率がこのまま続くとすれば、ASEANの他の諸国も、次の世代までにこれと同じような所得の平均化を実現することは推測にかたくない。

ラテンアメリカや第三世界で資本主義がうまく機能しなかった歴史的背景

従属理論の正当性を守る最後の手段として、一部には、アジアの新興工業経済地域(NIES)の経済的成功は経済計画のおかげであり、資本主義ではなく産業政策こそが成功の秘訣であったと説く者もいる。[17] だが、経済計画がアジアではアメリカ以上に大きな役割を果たしたのは事実としても、アジア経済のなかでもっとも成功したのは、おしなべて国内市場での競争と国際市場への統合がいちじるしく進んだ部門になっているのだ。[18] さらに、経済への国家介入の典型例としてアジアを引き合いに出す左翼的論者のほとんどは、労働力と福祉需要を抑制するなかば権威主義的なアジア流の経済計画を腹にすえかねることだろう。とはいえ、資本主義の犠牲者を救うために国家が介入するという左翼好みの計画経済では、これまで歴史的に見ても、はるかにあやしげな成果しかあげてこなかったのである。

第二次世界大戦後のアジアの経済奇跡が証明したのは、資本主義こそすべての国にとって実現可能な経済発展への道であるという点だ。第三世界のいかなる低開発国も経済面で自由主義にのっとっているかぎり、たんにヨーロッパより経済発展の時期が遅れたからという理由で不利益をこうむることはないし、既存の産業大国にとっても、これら後発国の発展を阻んだりする力は持ち合わせていないのである。

ところで、資本主義の「世界システム」が第三世界の経済発展にとって障害とならないなら、アジア以外の市場志向型経済がそれほど急速に成長してこなかったのはなぜだろうか？　というのも、ラテンアメリカや他の第三世界の経済停滞という現象は、アジア経済の成功と同様にどの点から見ても事実であり、従属理論が生まれたそもそもの理由もそこにあるからだ。この問いに対しては、従属理論のようなネオ・マルクス主義的な説明を論外とすれば、大きく分けて二つの解答が可能である。

第一は文化面からの説明である。つまり、ラテンアメリカのような地域に住む人々の慣習や宗教や社会構造は、アジアやヨーロッパのそれとは違って高水準の経済成長を拒むようにできている、というわけだ。[19] このような文化面での議論は重要なものであり、われわれは本書の第四部でもう一度その問題に立ち戻ろうと思う。いずれにせよ、ある特定の社会のなかに市場の機能に対する重大な文化的障害が存在するとすれば、経済的近代化の基礎をなす資本主義の普遍性そのものにも疑義が生じることになる。

第二は政治・政策面からの説明である。これまでラテンアメリカや第三世界の諸地域で資本主義が機能しなかったのは、そのやり方を真剣に取り入れようとしてこなかったためだ。つまり、ラテンアメリカの「資本主義」経済はその多くが見かけ倒しであり、そのほとんどが重商主義（十六、七世紀にヨーロッパ諸国が採用した貿易により国を豊かにしようとした経済政策）の伝統や経済的公正の名目で設立されて、あらゆる面に浸透した国営部門の影響によってひどく損なわれている、というのである。この議論は相当な説得力があるし、国家の政策というものが、文化にくらべてはるかに変転しやすいということを考慮に入れれば、まずこの点の論議から入っていくのが妥当だろう。

名誉革命によって出現した自由主義国イギリスの哲学や伝統、文化を北アメリカが継承したように、ラテンアメリカは、十七〜十八世紀のスペインやポルトガルから多くの封建的諸制度を受け継いだ。そのなかには、自分たちのいっそう大きな栄光のために経済活動を管理下におこうとするスペインやポルトガル国王の強い意向、つまり重商主義として知られる政策もふくまれている。ある研究者はこう語る。「植民地時代から今日まで（ブラジル）政府は、経済面では決して、重商主義時代以降のヨーロッパの段階へと移行してはこなかった。……国王は経済の最高の庇護者であり、あらゆる商業・生産活動には許可証や独占の特許状や貿易の特権が必要とされた[20]」

ラテンアメリカにおいては、スペインの南アメリカ征服後に登場した、いっそう企業家的な中産階級のためにではなく、むしろ古きヨーロッパの怠惰な上流地主階級を範とした、自国の上流階級の経済利益を増やすために国家権力を使うことが日常茶飯事となっていった。一九三〇年代から六〇年代を通じて多くのラテンアメリカ諸国が採用した輸入代替政策のおかげで、こうした特権階級は、自国政府によって国際競争から保護されたのである。だがこの輸入代替政策は、地場生産者を、規模の経済など理解できないほど小さな国内市場に縛りつけてしまった。その結果、ブラジルやアルゼンチン、メキシコでの自動車生産コストは、アメリカにくらべて六〇パーセントから一五〇パーセントも割高になったのである。(21)

長年にわたって歴史的に培われたラテンアメリカの重商主義志向は、二十世紀になると、「社会的公正」をはかるため、富者から貧者へ富を再配分する手段として国家を利用しようとする進歩的勢力の要求と結びついていった。(22)この欲求はさまざまな形をとり、そこには一九三〇年代から四〇年代にかけて、アルゼンチン、ブラジル、チリなどで導入された労働立法もふくまれるが、この法律は、アジアでの経済成長に決定的な役割を演じた労働集約型産業の発展を妨げるものであった。

いずれにせよ左派と右派は、このようにして、経済分野への政府介入を拡大させるという一点で団結した。この連合の結果、多くのラテンアメリカ経済は、直接に経済活動の支配をもくろんだり上から途方もない規制を押しつけたりする、傲慢で非効率的な国営部門によって支配されるにいたったのである。たとえばブラジルの場合、国はたんに郵政や通信事業をおこなっているだけでなく、鉄鋼を生産し、鉄鉱石やカリ化合物を採掘し、石油を試掘し、商業銀行や投資銀行を経営し、発電所を動かし、飛行機を組み立てている。このような公営企業には破産などあり得ず、政治的保護の一環として雇用をおこなう。ブラジル経済の商品価格、とりわけ公共部門内の価格は、市場によって決まるというよりむしろ有力組合との政治的かけひきを通じて決定されていく。(23)

もう一つ、ペルーの例を取り上げよう。ヘルナンド・デソトはその著書『もう一つの道』のなかで、リマにある彼の研究所が、ためしにペルー政府の定めた法的規制にのっとって架空工場の設立申請をおこなった際の苦労のほどを紹介している。このとき、十一段階の官僚的な手続きをパスするのに二八九日を要し、手数料と人件費（二件の賄賂をふくむ）の総計は一二三一ドル、すなわち同国の月最低賃金の三十二カ月分に達した。(24)

デソトによれば、新事業創設の際の規制の壁は、ペルー人、とくに貧しい人々から企業家精神を奪う主要な原因となっている。また、国が押しつけてくる貿易障壁に対処する意志も力もない人々が巨大かつインフォーマルな（つまり、非合法あるいは地下の）経済を蔓延させている理由もそのあたりにあるのだ。ラテンアメリカ主要国の経済には、どこでも大規模な「インフォーマル部門」が存在し、全GNPの四分の一ないし三分の一がそこから生み出されている。小説家マリオ・バルガス・ローサはこう語る。

「ラテンアメリカに関してもっとも広く信じられている神話の一つは、この地域の後進性が経済的自由主義という誤謬《ごびゅう》に満ちた哲学の産物だ、ということである」

バルガス・ローサによれば、実際にはそんな自由主義など一度も存在したためしはなかった。そこにあったのは一種の重商主義、つまり「国富の再配分を富の生産以上に重要だと見なすような、官僚化された規則ずくめの国家体制」であった。そしてこの富の再配分は「独占の容認、あるいは、国家と持ちつ持たれつの関係にある少数の特権グループへの待遇のよさ」という形をとったのである。(25)

経済への極端な「国家介入」で先進国から後進国へ凋落

ラテンアメリカで経済活動への国家介入のひどさを物語る例は尽きない。なかでも有名なのはアルゼンチンだ。一九一三年の時点でこの国の一人当たりＧＤＰ（国内総生産）はほぼスイスに匹敵し、イタリアの二倍、カナダの半分であったが、今日ではそれがスイスの六分の一、イタリアの三分の一、そしてカナダの五分の一にも満たない。

アルゼンチンの先進国から後進国への長期低落の直接の原因をたどれば、一九三〇年代に起きた世界的な経済危機への対応策として輸入代替政策を採用したことに行き着く。この政策は一九五〇年代にファン・ペロン政権のもとで強化され定着していった。ペロンはまた、自分自身の権力基盤を固める手段として、国家権力を用いて労働者に富を再配分した。一九五二年に彼がチリ大統領カルロス・イバネズに宛てた書簡は、経済の現実が突きつける要請を、政治指導者がどれほどかたくなに拒めるかという実例を、おそらく何よりも如実に示している。この書簡でペロンはこう忠告しているのだ。

国民、とりわけ労働者には、与え得るものをすべて与えることです。すでに十分すぎるほど与えたと思えるようなときでも、さらにいっそう与えるのです。そしてことのなりゆきを見守ってください。誰もが、経済崩壊という亡霊を持ち出してあなたを脅しにかかるでしょう。しかしそんなことはまったくのでたらめです。誰もその実態を理解できず、そのためひどく不安を抱くような経済ほど、かえって融通のきくものはありません。[26]

公正を期すためにここでは、現在同国のテクノクラートたちがペロンより自国の経済状態をしっかり把握していることを述べておこう。今日のアルゼンチンは、国家統制主義的な経済遺産の見直しという困難な課題に立ち向かっている。しかも、ずいぶん皮肉な話だが、その仕事を受け持たされたのはペロンの後継者の一人、カルロス・サリナス・デゴルタリ大統領なのである。
メキシコはカルロス・サリナス・デゴルタリ大統領のもとで、メネム政権のアルゼンチンよりも大胆に、広範な自由主義的経済改革を実施した。そこには、税率の引き下げや財政赤字の削減、民営化（一九八二年から九一年にかけて一一五五の公営企業のうち八七五社を売却）、脱税の取り締まり、企業や官庁、組合におけるさまざまな腐敗の摘発、さらには自由貿易協定に関するアメリカとの交渉開始などがふくまれる。その結果、一九八〇年代最後の三年間に実質ＧＮＰは三～四パーセントの伸びを示し、その一方でインフレ率は二〇パーセント以下――歴史的にも地域的に見てもじつに低い水準――にとどまった[27]。

このようなわけで社会主義は、先進工業社会にとって魅力がないと同様に、もはや発展途上国にとっても経済モデルとしては魅力を失っている。三、四十年前なら、社会主義という選択肢ははるかに説得力があった。第三世界諸国の指導者たちが、ソ連や中国型の近代化によるはかりしれない人的犠牲を認めるほど正直な人物であったにせよ、やはり彼らは、工業国化という目的のためならそれも正当化されるのだと論じたかもしれない。それほど彼ら自身の社会は無知で、暴力に満ち、発展が遅れ、貧困にあえいでいたのだ。しかも、資本主義的なやり方による経済の近代化にしても、そこにはなんらかの犠牲がつきものだし、いずれにしろ自分たちの社会は、ヨーロッパや北アメリカが近代化を達成するのに要した長い歳月を到底待ってはいられないと主張したのである。

だが今日、こうした議論はほとんど通用しなくなっている。十九世紀末から二十世紀初頭にかけてのドイツや日本の経験を再現してみせたアジアの新興工業経済地域（ＮＩＥＳ）は、近代化の開始が遅れた国でも自由市場経済を採用すれば既存の先進国に追いつき追い越しさえできること、そしてその目標を達成するには一、二世代の期間があれば足りることを証明した。もちろんその過程では犠牲を払いもしたが、日本や韓国、台湾、香港のような国の労働者階級がこうむった困苦は、旧ソ連と中国の人々に向けられた大がかりな国家的テロにくらべればどれだけましなものであったかわからない。

バラバラな社会を結びつけていく強烈な「求心力」

近年旧ソ連や中国、東欧諸国では、命令経済から市場システムへのUターン現象が見られるが、このことは、発展途上国に社会主義を通じての近代化を思いとどまらせる、まったく新しい要因ともなっている。ここで、たとえばペルーのジャングルや南アフリカの非白人指定地区に住み、現政権に対してマルクス－レーニン主義や毛沢東主義的な革命をくわだてている一人のゲリラの指導者の姿を想像していただきたい。

一九一七年あるいは一九四九年にそうだったように、彼もまた、権力奪取や強制的国家機関による旧社会秩序の破壊、そして集権化された新経済制度の樹立などの必要性は当然ながら見通しているだろう。しかし同時に彼は（先ほどと同様にこの人物も正直なゲリラだと仮定しての話だが）、この第一の革命の成果がおのずと限定されたものであるという点にも気づかざるを得ない。つまりそれはせいぜい、一世代のうちに自国が一九六〇年代あるいは七〇年代の東ドイツの経済水準に達する程度の革命なのだ。もちろんそのレベルに到達できるだけでも馬鹿にはできないが、一方では、自国がかなり長いあいだその水準に留め置かれることも覚悟しなくてはならない。もしこのゲリラ指導者が、あらゆる社会的・環境的犠牲を払ってでも東ドイツのレベル以上の発展を望むなら、さらに第二の革命、つまり社会主義的な中央計画経済のメカニズムを粉砕し、資本主義制度が復活するような革命を視野に入れる必要がある。ただし、この第二の革命はそう容易ではない。なぜなら社会には、そのときすでに不合理きわまりない価格体系が組み込まれている反面、国家の指導者たちは世界の最先端を行く経済運営法から取り残され、労働者階級もかつては持ち合わせていた労働倫理をまったく失ってしまっているからだ。

これらの問題を考えれば、彼には、自分がむしろ自由市場を信奉するゲリラとなり、社会主義の段階など経ずに、最初から第二の資本主義革命をめざしたほうがはるかに得策らしいと前もって見通せるはずである。そして、この第二の革命とは、規制と官僚主義の古い国家構造を打ち砕き、旧来の社会階級を国際競争にさらすことによってその富や特権や地位を奪い、自国の市民社会のもつ創造的なエネルギーを解き放していくことなのだ。

人間がみずからの経済的利益に対する明確なビジョンを抱いているかぎり、進歩的な近代科学の論理は人類社会を資本主義の方向へと導いてくれる。重商主義、従属理論、あるいはその他もろもろの知的妄想によって人間は、こうした明確なビジョンをもてなくされてきた。しかしながら、アジアと東ヨーロッパの経験は今日、相対立する経済システムのどちらがほんとうに正しいのかをはかる貴重な生きた歴史の試金石となっているのである。

欧米やアジアはもとより第三世界においても、普遍的な消費文化がリベラルな民主主義の原理にもとづいてつくられていく。いまやそのことは、社会進歩のメカニズムを用いて説明できるのである。先進技術と労働の合理的組織化によって生み出された巨大な生産性とダイナミズムをはらむ経済世界は、社会を同質化するはかりしれない力をもっている。この力は、グローバルな市場の形成や、多種多様な社会における経済的野心の高まりとその実践を通じて、世界じゅうにばらばらに存在していた社会を一つに結びつけてくれる。

　この世界市場経済という魅惑的な力は、あらゆる人間社会をたえず自分の世界へと魅《ひ》きつけてやまないし、その世界に参加して成功するためには自由市場経済の原理の採用が不可欠だ。ビデオ・テープレコーダーの最終的な勝利、それは自由市場経済の最終的な勝利でもある。

6 民主主義の弱点・権威主義の美点

今日の者たちよ、かくして私は君たちのところへやってきた、そして教育の国へと。……けれども、私には何が起こったのか？　あらゆる不安にもかかわらず、私は笑わずにはいられなかった。かつて私の目は、これほどごたまぜのまだら模様を見たことがなかった。大笑いしつつもなお私の足は震え、そして心臓も震えていた。「ここはまさにあらゆる絵の具の集散地だ」と私は言った……

ニーチェ『ツァラトストラはかく語りき』(1)

さてわれわれはここで、いちばんの難問にさしかかった。それは、近代自然科学のメカニズムはリベラルな民主主義をもたらすのだろうか、という問題である。近代自然科学によって規定された工業発展の論理が資本主義と市場経済への強力な素地を作り出しているとすれば、この論理は、また自由な政府や民主的な政治参加をも生み出すのだろうか？

社会学者シーモア・マーチン・リプセットは、一九五九年に執筆した記念碑的論文のなかで、都市化や教育水準などの指標が経済発展と関連しているように、安定した民主主義とその国の経済発展レベルとのあいだにも、経験則からいって、きわめて強い相関関係があることを立証した(2)。

それでは、工業発展と政治的自由主義とのあいだには、このような相関関係を説明する必然的な結びつきがあるのだろうか？　それとも自由主義は、たんにヨーロッパ文明やその多様な文脈から人為的につくられた文化的産物であり、それとは元来無関係ないくつかの要因が働いて、工業化の成功という、じつに注目に値する事例をたまたま生み出してきただけなのだろうか？

あとから見るように、経済発展と民主主義とは偶然の間柄と呼ぶにはほど遠いが、民主主義の選択の背後にある動機は基本的には経済とは関係がない。この動機にはもう一つ別の源があり、それは工業化によって助長されてはいるものの、それに必然的に結びついているというわけではないのである。

経済発展が教育水準や民主主義と緊密な関係にあることは、南ヨーロッパを見れば一目瞭然だ。一九五八年、スペインは経済の自由化計画に乗り出し、それによってフランコ体制の重商主義的政策は、スペイン経済と国際経済を結びつけるようなリベラルな政策にとって代わられた。その結果、きわめて急速な経済成長期が訪れる。フランコの死に先立つ十年のあいだ、スペイン経済は年七・一パーセントの成長を示した。この動きはただちにポルトガルやギリシアにも波及し、両国はそれぞれ年六・二パーセント、六・四パーセントの成長を達成した。[3]

また、工業化は劇的な社会構造の変動をもたらした。一九五〇年のスペインで十万人以上の都市に住んでいる人は全人口のわずか一八パーセントにすぎなかったが、この数字は一九七〇年には三四パーセントにまで増加する。[4] 一九五〇年時点での農業従事者の人口比は、西ヨーロッパ全体の平均が二四パーセントだったのに対し、スペインやポルトガル、ギリシアでは五割に達していた。ところが、一九七〇年になっても、まだこの二四パーセントという数字を上回っていたのはギリシアだけで、スペインでは、その比率が二一パーセントにまで低下したのである。[5] さらに、都市化につれて教育水準は向上し個人所得が増え、EC内部で生み出されていた消費文化を味わうようになった。

こうした経済的・社会的変化は、それ自体では政治的多元主義の拡大をもたらしはしなかったものの、ひとたび他の政治条件が成熟すれば多元主義が花開いていける社会的環境を生み出した。フランコ派の経済発展計画委員長で、スペインにおける技術革命の大部分を指導監督したロレアノ・ロペス・ロドは、一人当たり所得が二〇〇〇ドルに達するころスペインでは民主主義への準備が整うだろう、と述べたといわれる。彼の予言は的中した。フランコ死去前夜の一九七四年、同国の一人当たりGDP（国内総生産）は二四四六ドルとなっていたのである。(6)

東アジアに見る経済発展と民主主義の相関関係

経済発展とリベラルな民主主義との同じような相関関係は、アジアにおいても見られる。東アジアではじめて近代化を達成した日本は、安定したリベラルな民主主義を勝ち得た最初の国でもあった（日本の民主化はいわば銃口を突きつけられて実現したのだが、いまでは、むりやり押しつけられた民主主義とはいえないほど長い期間にわたって存続してきたことが証明されている）。教育水準および一人当たりGNPが東アジア第二位と第三位の国、台湾と韓国は、政治システムの面でも最大の変化を体験してきた。(7)

たとえば台湾では、与党国民党の中央委員会メンバーの四五パーセントが大学の学位をもち、その多くはアメリカで取得されている。(8)一定の高等教育を受けた人の割合は、アメリカ国民の六〇パーセント、イギリス人の二二パーセントに対して、台湾では四五パーセント、韓国では三七パーセントである。台湾の議会では高い教育を受けた若い議員が、いっそう民意を反映した議会制度づくりを強力に推進してきた。また、アジア地域でのヨーロッパ人移住地となったオーストラリアおよびニュージーランドでは、当然のことながら、第二次世界大戦以前に経済的近代化と民主化を達成している。

「歴史の流れ」から取り残された特異な中東諸国

南アフリカでは一九四八年、Ｄ・Ｆ・マラン率いる国民党の勝利を受けて、アパルトヘイト体制が成文化された。とはいえ同党が代表するアフリカーナー（オランダ系白人）社会は、同時期のヨーロッパ社会とくらべても社会経済学的に見て著しく遅れていた。当時のアフリカーナーの大部分は、旱魃《かんばつ》と困苦のために都市へ追い立てられてきたばかりの貧しく無教育な農民だった。[9] 彼らは手に入れた国家権力を活用し、おもに公共部門における雇用の増大を通じて自分たちの社会的・経済的地位の向上をめざした。一九四八年から一九八八年までの期間に、このアフリカーナー社会は、都会的で教育水準が高く、企業家精神をますます強く身につけたホワイトカラーの社会へと劇的な変貌をとげた。[10]

教育水準の高まりとともに、国際的な政治規範や政治的潮流とも接触を深めるようになった彼らは、もはや自分たちだけの殻に閉じこもってはいられなくなった。南アフリカ社会の自由化の動きは、黒人の組合が再合法化され検閲法規が緩和された一九七〇年代末からすでにはじまっていた。一九九〇年二月、デクラーク大統領は、アフリカ民族会議（ＡＮＣ）マンデラ元議長の釈放に踏みきったが、この時期の政府は、すでに欧米人の教育や職業水準とほとんど差のなくなった自国の白人有権者たちの意向に、多くの面で従がっていただけのことにすぎない。

旧ソ連においても、アジア諸国よりスローペースではあるものの、似たような社会変動が続いてきた。この国でも、やはり農業社会から都市型社会への転換が起こり、大衆的な専門教育の水準も向上している。[11] この社会学的変化は、ベルリンやキューバで戦われていた冷戦を尻目に進行してきたものであり、そうした状況が、最終的な民主化への歩みへの促進剤となったのである。

世界を見回せば、社会経済学的な近代化の進展と、新たな民主主義国家の出現とのあいだには、依然としてきわめて強力な相関関係がある。

西ヨーロッパや北アメリカのように伝統的に経済がもっとも発展している地域は、同時に、世界でもっとも古くもっとも安定したリベラルな民主主義国家を受け入れてきた。南ヨーロッパはそのすぐ後に続き、一九七〇年代に安定した民主主義を達成した。南ヨーロッパのなかでも、一九七〇年代なかばのポルトガルでの民主主義への移行はいちばんの難産だったが、それはこの国が社会的・経済的にずいぶん遅れた状態から出発したためだ。社会進歩への動きが本格化するには、旧政権の崩壊を待たねばならなかったのである。経済的にヨーロッパのすぐあとを追うのはアジアであり、この地域の諸国はその発展段階と見事に調和した形で民主化をとげ、あるいは現在民主化の途上にある。

東ヨーロッパのかつての共産主義国では、経済的にもっとも発展した国々――東ドイツ、ハンガリー、チェコスロバキア、そしてポーランド――が完全な民主主義へ急速な移行をとげた。一方、経済発展が比較的遅れているブルガリア、ルーマニア、セルビア、アルバニアでは、一九九〇年から九一年にかけての選挙でどこも共産党改革派を選んだ。

旧ソ連の経済発展レベルは、おおまかにいえば、アルゼンチンやブラジル、チリ、メキシコなど、ラテンアメリカの割に大きな国と肩を並べる程度であり、これら諸国と同じように十分安定した民主主義秩序はまだ勝ち取れていない。世界でもっとも発展の遅れた地域はアフリカで、そこには、民主化してから日も浅く、不安定な国家がほんのひとにぎり存在するだけである[12]。

唯一の、そして明らかに異端な地域は中東で、安定した民主主義国家は一国もなく、それでいながらヨーロッパやアジアの水準の一人当たり所得を誇る国がいくつも存在する。ただし、それが石油のたまものであることは簡単に説明がつく。石油収入のおかげでサウジアラビアやイラク、イラン、アラブ首長国連邦などは現代を彩る品々――自動車、ビデオ・カセットレコーダー、ミラージュ戦闘爆撃機その他もろもろ――を購入できるようになり、しかも、これほどの富が自国民の労働で生み出された場合なら当然起きるはずの社会変動には見舞われずにすんだのである。

新たな利益団体を制御するための最良の道具

工業化の進展がリベラルな民主主義を生み出す理由を説明するため、これまで三つのタイプの議論がなされてきた。だが、それらはどれも帯に短し襷《たすき》に長しの感がある。その第一は、現代経済が生み出す複雑に入り組んだ利害対立の調停役は民主主義しかないという趣旨の、機能面からの議論である。この見解をもっとも強く打ち出しているのはタルコット・パーソンズで、彼は民主主義というものはあらゆる社会の「進化発展する普遍的特性」だと考えた。

民主主義という形態を普遍的だと見なすのには根本的な理由がある。それは……社会がより大きくより複雑になるにつれ、行政能力の面はもとより、とくに普遍的な法秩序を支えるという面で、効率的な政治組織というものがいっそう重要になってくるからだ。民主主義と根本的に相容れない組織では……特定の個人や集団による（権力や権威の）執行においても、またとりわけ一致協力すべき政策決定の際にも、うまく世論の合意を取りつけることはできない(13)。

パーソンズの主張を少々言い換えれば、工業化の過程で形成され、急速にその数を増していく利益団体を制御するための最良の道具が民主主義だ、ということになる。

工業化の途上であらわれる、まったく新顔の社会集団について考えてみよう。

労働者階級は、工業と職業の専門化につれて、ますます格差がひどくなっていく。新しい管理者層にとっての利害は、トップマネジメントの利害、あるいは国レベル、地域や地方レベルの政府官僚のそれとは必ずしも一致しない。海外から押し寄せる移住者は、入国が合法か不法かを問わず、先進国の開かれた労働市場から利益を得ようとしている。

パーソンズの論でいえば、こうした状況のもとでも、民主主義はそのすぐれた順応性のために大きな力を発揮する。政治に参加するための間口を広く開けておけば、新しい社会集団や利益団体も自己の立場を表明でき、政治的なコンセンサスづくりに加わっていけるようになるというのだ。

もちろん独裁主義の場合でも、一八六八年の明治維新以後の日本を支配した寡頭政治のように、社会変化に適応することはできるし、ときには民主主義よりその対応が機敏だったりもする。しかしながら、歴史はその正反対の例にも満ちあふれている。プロシアの地主貴族《ユンカー》やアルゼンチンの特権地主のように偏屈な支配階級は、経済発展の結果として自分たちの鼻先で起きている社会変化にも、ただ手をこまねいていただけなのだ。

民主主義は、パーソンズの主張に沿っていえば、独裁よりも機能性が高い。それは、新たに登場した社会集団のあいだに持ち上がる対立の多くが、法体系の内部、あるいはつまるところ政治システムの内部で解決されなければならないからである。[14] 市場の力だけでは、生産基盤への公共投資の適正規模や対象は決められないし、労働争議の解決とか航空運輸規制の限度、職場における健康面や安全性の基準などについて法規を定めることもできない。これらはどれもある程度まで価値観にまつわる問題であり、政治システムとのかかわりは避けられない。

そして、もしもその政治システムが利害対立を公正に、しかも経済分野の主立った構成員すべての賛同を得られるような形で裁くなら、このシステムは民主主義的であるにちがいない。独裁のもとでも経済効率という名目でこうした対立を解決することは可能だが、現代経済をスムーズに運営するには、やはり相互に依存し合っている社会各層の協力・協調の気持ちが大切だ。彼らが対立の裁き役をまっとうなものと認めなかったり、政治システムへの信頼度がゼロだったりすれば、そのシステム全体をスムーズに機能させるのに欠かせない前向きで意欲的な協力など得られるはずがない。(15)

公害と環境問題に驚くほど無知な共産主義世界

現代の焦眉の課題との関係で、先進国における民主主義がうまく機能を果たしているといわれる例は、環境問題である。

工業の発展が生み出すもっとも有名な副産物は大規模な公害と環境破壊だ。この二つは、張本人である企業とは直接の関係がない第三者に被害が及ぶため、経済学者からは外部性の問題と呼ばれている。

環境破壊は資本主義のせいだとか、社会主義が悪いのだとか、議論はさまざまあるが、これまでの経験からすると、どちらの経済システムが環境にとってとくに好ましいなどとはいえない。私企業であろうと社会主義の公営企業や官庁であろうと、事業の伸びや生産高は気になるし、できるかぎり外部性の問題に金を払うのは避けたいと考えるだろう[16]。

だが国民の側からすれば、経済成長だけでなく、自分やその子孫にとって安心できる環境をも求めているのだ。だから、経済成長と環境保全との兼ね合いをうまくつけ、生態系保護の費用負担を一部に不当に片寄る形ではなく、全体で分かち合ってもらえるようにするのが国家の役目となる。

この点で、共産主義世界が環境問題に対して驚くほど無知であることを考えてみると、環境をいちばん効果的に保護できるのは、資本主義でも社会主義でもなく、民主主義なのだといえそうである。

一九六〇年代から七〇年代にかけての環境問題への関心の高まりに対して、民主主義諸国は全体として、独裁国よりはるかにすばやい対応を見せた。というのも、高毒性の化学製品工場建設に対して地元の反対運動を認めるような政治システムがなかったり、監視機関をつくって企業活動をチェックする自由が許されていなかったり、環境保護のために相当な財源を進んでつぎこめるほどの先見性をもった一国の政治指導者がいなかったりすれば、チェルノブイリ原発事故やアラル海の枯渇、あるいはもともと高いポーランドの国家平均にくらべても四倍というクラクフ市の幼児死亡率、あるいは西ボヘミアでの七割を越す流産率など、悲惨な事態の到来は避けがたいものとなるからだ[17]。

民主主義は市民の政治参加と、それにともなうチェック機能を認めているのだ。このチェック機能がなければ、政府は国家の富に大きく貢献する大企業の味方ばかりして、分散された市民集団の長期的利益はないがしろにされていくだろう。

独裁政権につきものの「自壊作用」

経済発展が必然的に民主主義を生む理由を解き明かすための第二のタイプの議論は、時が経つにつれて独裁や一党支配が衰退する傾向にあること、とくに進んだテクノロジー社会の運営を余儀なくされた場合には急速に衰退する傾向があることと不可分の関係にある。

革命政府もその初期には、マックス・ウェーバーのいうカリスマ的権威のおかげで効率的な統治がおこなえるかもしれない。だがいったん建国の祖たちが死んでしまえば、その後継者がこれまで同様の権威を振るえるかどうかはわからないし、彼らに国家をうまく切り回す最低限の力があるかどうかさえ保証のかぎりではない。

かつてのルーマニアの支配者ニコライ・チャウシェスクが、国民に定期的な電力制限を宣言したのと同時期に、自邸に四万ワットのシャンデリアを飾りつけたという具合に、長期にわたる独裁は自分本位のいびつな愚行を生みがちだ。自分の首を絞めるような権力闘争に明け暮れている政権後継者たちは、互いの足の引っ張り合いには成功しても、国家の効率的な統治などうまくできるわけがない。

たえまない権力闘争や勝手気ままな独裁と訣別するには、新指導者を選んだり政策をチェックしたりする手続きを慣習化・制度化する必要がある。もしも指導者の首のすげ替えを可能にするような手続き方法が確立されていれば、政治システム全体は破壊せずに、悪政を生み出した張本人だけを更迭できるようになる。(18)

右翼独裁政権の民主主義への移行についても、この議論はあてはまる。民主主義は、軍隊、テクノクラート、産業ブルジョアジーなどの特権集団のあいだでの協定や妥協の果てに生じる。これらの集団は、権力への野心に疲れ、挫折感を味わい、あるいは互いに野心のつぶしあいを演じた結果、次善の策として権力分有の協定を受け入れるのだ[19]。

要するに左翼共産主義体制のもとであろうと右翼独裁のもとであろうと、民主主義は必ずしもみんなが望んでいるから生まれるわけではなく、むしろ特権階級の権力闘争の副産物としてもたらされるということになる。

経済発展とリベラルな民主主義とのつながりを説明する最後の議論は、もっとも説得力がある。この第三の説によれば、工業化の成功は中産階級社会を生み、この中産階級社会が政治参加や平等な諸権利を要求するというのだ。

工業化の初期段階では所得分配にも格差が生じがちだが、その後の経済の発展は大量の熟練労働力への巨大な需要を生み、最終的には諸条件の広汎な平等化を促進する方向に傾いていく。そして、このような広範囲にわたる平等を保証された人々は、その平等を尊重しない政治システム、あるいは彼らに対等な立場での政治参加を許さないような政治システムに対して反対の声をあげていくようになるだろう。

教育の普及が生んだ「自分の頭をもった中産階級」

中産階級社会は教育の普及の結果として生まれる。教育とリベラルな民主主義との結びつきはしばしば指摘されてもいるし、この両者の関係はきわめて重要だといえよう[20]。

工業社会は、教育水準の高い熟練した労働者、管理職、技術者、知識人を大量に必要とする。どんなにひどい独裁国家でさえ、経済発展をとげようと望むかぎり、大衆教育の普及や高度で専門的な教育への門戸開放のニーズは避けて通れない。大規模かつ専門化した教育制度なしには社会が成り立たないのだ。実際のところ先進国の世界では、社会的地位はほとんど当人の学歴で決まってしまう[21]。今日のアメリカに存在する階級格差は、だいたいにおいて教育格差のせいだ。まっとうな教育資格をもった人には、出世栄達への障害などほとんどない。教育の不平等があるからこそ、社会のシステムにも不平等が忍び込む。無教育ということは、市民として二流であることのいちばんたしかな烙印なのだ。

教育が政治の動きに与える影響は複雑だが、少なくとも民主主義社会への条件づくりをしていると考えられるだけの根拠はある。近代教育の目的は、みずから公言しているように、偏見や伝統的権威から人々を解き放つことにある。教育を受けた者は権威に盲従せず、むしろ自分の力で考えることを学ぶといわれる。それが一般大衆のレベルにまではあてはまらないとしても、教育を受ければ、人々は自分の利害をもっとはっきり、また長期の展望をもって見ていけるようになるはずだ。

教育はまた、自分自身にもっと多くを望み、自分自身のためにもっと多くを望むよう人々を変えていく。言い換えれば人々は、同じ社会の仲間や国家から尊敬を勝ち取るのに必要な自尊心を植えつけられていくのである。

伝統的な農民社会の地主であれば（あるいは共産党の人民委員でも同じことであるが）、小作農民を雇って別の農民を殺し、その土地を取り上げることはたやすい。そして小作農民たちがそんな行動をとるのは、自分の利益のためではなく、権威に服従することになれてしまったからである。

これに対して先進国の都会に住む職業人なら、流動食を体験できるとか、長距離走の訓練になるとかいう馬鹿げた理由で徴兵に応じる場合はあるかもしれないが、軍人が命令したというそれだけの理由で、私設軍隊や暗殺部隊に加わったりはしないのである。

以上のような議論からいえば、現代工業社会の運営に不可欠な科学技術分野のエリートは、最後にはもっと大規模な政治的自由化を求めていく、ということになる。なぜなら、科学の探求は、オープンに意見が交わせるような自由な雰囲気のなかでのみ可能であるからだ。すでに見てきたように、旧ソ連や中国で大勢生まれた技術系エリートたちは、市場と経済の自由化を、経済の合理的な要請にいっそうかなっているという理由で支持するようになった。

だがここでの議論は、さらに政治分野へも広がっていく。つまり科学の進歩は、科学研究の自由が与えられているかいないかというだけでなく、社会や政治システムが、全体として自由な討論と参加へ門戸を開いているかどうかにかかっているというわけだ[22]。

アメリカ民主主義の独自性と最大の欠点

高度な経済発展とリベラルな民主主義との結びつきについて、これまで三つの議論を取り上げてきた。経験からいえばたしかに、両者のあいだの関係は否定しがたい。だが、この三つの議論はどれも、経済発展と民主主義の必然的な因果関係を立証するには十分とはいえないのである。

タルコット・パーソンズに代表される第一の議論は、リベラルな民主主義が複雑な近代社会の対立を互いの一致点を踏まえつつ解決していくためのもっともふさわしいシステムだ、という点に関してのみ支持できる。リベラルな民主主義における法の支配の特徴をなす普遍性と形式主義は、人々が競争し、連合関係を築き、そして最後には歩み寄っていくための共通の土俵を与えてくれる。

かといってそのことは、必ずしもリベラルな民主主義それ自体が社会対立の解決に最適だという証明にはならない。基本的な価値観やゲームのルールについては、あらかじめ合意がなされているいわゆる「利益団体」のあいだで起きた対立ならば、そしてその原因がおもに経済的なものならば、民主主義はその対立を解決する見事な手腕を発揮できるだろう。しかし、世襲の社会的地位とか国籍とかにまつわる、経済とは無縁ではるかに手ごわい対立も存在しており、その解決には民主主義もさほど役立たないのである。

アメリカの民主主義は、動きの激しい多民族国家におけるさまざまな利益集団間の対立を手際よく解決してきた。とはいえそれは、他の社会で起きる対立をその社会の民主主義が同じように解決できるという証しにはならない。アメリカの経験はきわめて独自性の強いものであり、それはトクビルの表現を借りれば、アメリカ人が生まれながらにして平等であることと関連している[23]。

アメリカ人は、先祖の生活環境や出身国や人種がまちまちであったにもかかわらず、ひとたびアメリカの地に立つや過去のアイデンティティの大半を投げ捨て、はっきり区分けされた社会階級も、長年の人種や民族間の不和もない新しい社会に同化していった。アメリカの社会的・民族的構造は、社会階級の固定化を食い止め、はっきりした民族主義や言語的少数派の出現を防ぐのに十分なほどの流動性を持ち合わせてきた[24]。だからアメリカ民主主義は、他のもっと古い社会で起きたような、もっと手ごわい社会対立にめったに直面せずにすんだのである。

しかも、黒人問題のようなもっとも厄介な民族問題に対して、アメリカ民主主義はこれまでほとんど歯が立たなかった。黒人奴隷制は、アメリカ人が生まれながらにして平等であるという一般的表現にとっての例外の最たるものであり、アメリカ民主主義がいくらその手腕を振るっても、結局のところ奴隷制の解決にはいたらなかったのである。

奴隷制廃止から長い年月がたち、しかも黒人の完全な法的平等が勝ち取られてからも、なお多くの黒人はアメリカ文化の主流からのけ者にされている。黒人と白人双方の側にとってこの問題のもつ深い文化的性格を考えると、アメリカ民主主義には黒人を完全に同化するために必要なことをおこなう力があるのか、そして形式的な機会均等からより広範な諸条件の平等へと進んでいく力があるのか、はなはだ心もとなくなってくる。

民主主義も切り札にならない「分極化社会」

リベラルな民主主義は、社会的平等や基本的価値観についてのコンセンサスがすでに高い水準にまで達した社会なら、いっそううまく機能するかもしれない。だが、社会階級や国籍、宗教の面で分極化が進んだ社会では、民主主義の差し出す処方箋もまるで事態の打開には役立たない。

見事に階層化した不平等な階級構造を封建的な社会秩序から受け継いできた国々での階級対立は、この分極化の典型例である。たとえば革命時代のフランスの状況や、今日のフィリピンやペルーのような第三世界で続いている状況がそうだ。こうした社会は、だいたいにおいて大土地所有者である伝統的な特権階級に支配されており、そして、彼らは自分たち以外の社会階級にも凄腕の企業家にも我慢がならないでいる。そのような国で形式的に民主主義が確立されたとしても、それは富や名誉や地位や権力のおびただしい不平等を隠蔽《いんぺい》するだけにすぎないし、特権階級はそれをいいことに民主的手続きをコントロールするために悪用するかもしれない。

かくして当の社会はおなじみの病にかかっていく。つまり、古くからの社会階級による支配は、頑固さではその階級にひけを取らない左翼勢力――民主主義のシステムは芯から腐敗しており、それを擁護する集団ともども打ち砕かれるべきだと信じる左翼勢力――の抵抗を生み出していくのだ。しかも、非効率的で怠惰な地主階級の利益を保護するために内乱を引き起こすような民主主義は、経済的な観点から見ても到底機能的だなどということはできない[25]。

異なる民族間の紛争を解決する際にも、民主主義はあまり役に立たない。民族主権の問題は、そもそもいっさいの妥協を許さないものである。アルメニア人かアゼルバイジャン人か、リトアニア人かロシア人かという具合に、主権はどちらか一方にのみ属するのだ。経済問題での争いならいざ知らず、異なった民族同士が対立した場合には、平和で民主的な妥協を通じて双方が歩み寄る余地はほとんどない。

たとえば旧ソ連にとっては、民主化をとげながら同時に中央集権を保っていくのは不可能であった。なぜなら国内の諸民族のあいだには、共通の市民権やアイデンティティを分け合うだけの国民的合意が存在していなかったからだ。この国がより小さな民族共和国に解体したときはじめて、民主主義はその姿をあらわすのだろう。一方、アメリカ民主主義は民族的な多様性に驚くほどうまく対応してはきた。しかし、この多様性にも一定の枠がはめられている。アメリカの民族グループはどれ一つとして、出身地の誇りに生きたり、母国語を話したりしながら失われた国籍や主権への思いにふけるほど、過去の歴史にこだわりつづけてはいないのである。

「独裁制」ゆえの経済成長と中産階級の進出

原理的にいえば、近代化をとげつつある独裁国のほうが民主主義国よりもはるかに手際よく、資本主義的な経済成長と、ひいては安定した民主主義をもたらすような社会的条件を作り出してくれる。たとえばフィリピンの例を取り上げてみよう。フィリピン社会は今日にいたるまで農村部にきわめて不平等な社会秩序が残され、少数の伝統的な地主一族が農地の大半を支配しつづけている。他国の上流土地所有階級と同様、フィリピンの地主も活力や効率性はさほど身につけていない。にもかかわらず彼らは、その社会的地位を利用して、独立以後のフィリピン政界を牛耳ってきた。こうした地主集団の政治支配の継続が、結果として、東南アジアでも数少なくなった毛沢東主義ゲリラ運動、つまりフィリピン共産党とその軍事組織である新人民軍の運動を助長してしまったのである。

一九八六年にマルコス独裁体制は崩壊し、コラソン・アキノ政権が成立したが、土地の分配や反政府運動の問題ではなんらの改善策も見出せなかった。それは何より、アキノ女史の一族がフィリピンでも最大の地主の一つであったためだ。大統領就任以来、彼女は徹底した土地改革計画の実施をめざしてきたが、まさに改革のターゲットとなる人々が実質的に手綱を握る議会の反対に遭って、どれも暗礁に乗り上げてしまった。

この例では、民主主義が手足を縛られているため、資本主義的発展の基盤としても、また民主主義そのものの長期的安定にとっても欠かせない平等な社会秩序をもたらし得ないでいる。[26] こうした状況のもとでは、ちょうどアメリカの日本占領期に断行された土地改革が独裁的権力のたまものであったように、独裁制のほうがはるかに手際よく社会の近代化を達成できるのである。

ペルーにおいても、一九六八年から一九八〇年までペルーを支配した左翼軍部がこれと似たような改革を手がけている。軍政以前のペルーでは、国土の五割が七百人の大農場《ハシエンダ》所有者に支配され、ペルーの政治の大部分もまた彼らの手に握られていた。そこで軍部は、ラテンアメリカでもキューバに次いでもっとも包括的な土地改革法を制定し、農村に根づいた寡頭的支配層を排斥して、実業家や技術官僚などのいっそう近代的な新しい特権階級をその後釜にすえ、さらには教育の改善を通じて中産階級のめざましい成長をうながした。[27]

軍政時代のこうした政策のおかげで、ペルーは以前より規模が大きく効率の悪い国有部門を押しつけられた[28]。だが一方では、ひどく目障りな社会的不平等がある程度は消え去り、そのことによって、一九八〇年の民政復活以降には経済近代化への長期的展望が多少なりとも開けてきたのである。

独裁的な国家権力を用いて既存の社会集団の支配を打破するというのは、なにもレーニン主義左翼の専売特許ではない。右翼政権がその権力を駆使して市場経済への道を開き、最先端レベルの工業化を果たすという場合もある。というのも、流動的で平等な社会、すなわち企業家精神に満ちた中産階級が伝統的土地所有階級のように特権をもちながら、経済的には非効率的な社会集団を押しのけてしまった社会でこそ、資本主義はいちばん繁栄するからだ。

近代化をとげつつある独裁政権が強制的にこうした中産階級の進出を加速させながら、同時に、無能な伝統的地主階級から取り上げた資源や権力を同じくらい無能な公営部門に移そうという気を起こさなければ、この独裁政権は脱工業化をとげた最新の経済組織とも両立することが可能だ。そして、アンドラニク・ミグラニアンらソビエト知識人が、独裁権力をもった大統領制の確立を通じて市場経済導入への「権威主義的移行」を求めた理由もこのあたりにある[29]。

階級や民族、人種、宗教による鋭い社会的亀裂が、資本主義的な経済発展とともに緩和され、民主的コンセンサスの生まれる見通しもしだいに強まっていくという可能性もある。しかし、国家の経済が発展するかぎり、このような亀裂は決して永続しないという保証はどこにもないし、実際のところ、もっと憎しみに満ちた形でこの対立が再燃しないともかぎらない。

ケベック州に住むフランス系カナダ人の民族的アイデンティティは、経済発展によっても弱められはしなかった。むしろ、カナダでは優勢な英語圏文化に同化させられはしまいかとの恐れから、自分たちの独自性を守ろうとの欲求が先鋭化していったというのが実状である。

アメリカのように人々が生まれながらにして平等な社会にとって民主主義はいっそう機能的だ、との主張は、そうした社会にまずどうやってたどりつくかという点での議論を巧みに回避している。つまり、社会がより複雑で多様になるにつれて民主主義が必ずしもうまく機能していくわけではない。むしろ現実には、社会の多様性がある限度を越えた瞬間に、民主主義はうまく働かなくなってしまうのである。

民主主義をうながす効果的な「潤滑油」

先に述べた第二の議論、つまり、民主主義は結局のところ、左翼であれ右翼であれ非民主的特権階級間の権力闘争の副産物として生まれるという議論も、なぜリベラルな民主主義体制に向けての普遍的な発展が必然であるのかという理由を説明するには十分でない。なぜなら、この説に従えば、国家の支配権をめぐって闘争しているどの集団にとっても、民主主義は望んで得た結末ではないからだ。

民主主義はむしろ、交戦状態にある各派のあいだの一種の休戦協定とされており、特定のグループや階級が勝利を占めるような勢力バランスの変化が起きればもろさを露呈してしまうことになる。言い換えると、旧ソ連で民主化の進んだ理由が、たんに既存の共産党機関を扇動的な手段で叩きつぶそうというゴルバチョフやエリツィンの野心のためだけだったとすれば、当然どちらかが勝てば民主的改革の成果は消し去られてしまうことになる。

またこの説によれば、ラテンアメリカの民主主義も、権威主義的な左右両派のあいだの、あるいは右派内の有力グループ同士の妥協の産物にすぎない。そしてどこかの派が権力を獲得する立場に立ったとき、彼らは従来から持ち合わせていた自分たちにとって好ましいビジョンを押しつけてくることになる。このような議論は、ある特定の国の民主主義へのプロセスを述べるには正しい方法かもしれない。だが、民主主義体制が誰にとっても第一の選択でないとすれば、その安定もまたきわめてむずかしい。だからこの第二の議論も、リベラルな民主主義への社会の普遍的発展を説明する根拠とはなり得ない(30)。

いちばん最後にふれた議論、つまり、工業の発展が教育水準の高い中産階級社会を作り出し、その社会はおのずとリベラルな諸権利や民主的な政治参加を求めていくようになるという議論は、ある点まではたしかに正しい。

教育が民主主義にとって絶対必要条件とまではいえなくても、きわめて望ましい要因であることははっきりしている。国民の大部分が字を読めず、自分たちに開かれた選択肢についての情報を利用できないような社会で民主主義がうまく機能するとは考えにくい。

とはいえ、教育が必然的に民主主義的規範をよしとする信念に結びつくかといえば、話はまったく別である。旧ソ連や中国でも、韓国や台湾やブラジルなどの国でも、たしかに教育水準の向上はその国の民主主義的規範の広がりと密接に結びついてきた。だがそれは、世界の教育の中心地での流行思想がたまたま民主主義の理念であるだけにすぎない。

たとえば、UCLAで工学の学位を取得した台湾人学生が、現代国家でもっとも発達した政治組織形態はリベラルな民主主義だと確信して母国に戻ったとしても驚くにはあたらない。とはいえ、この学生が受けた工学教育――台湾にとってきわめて貴重な財産となるはずの教育――と、彼が新たに培ったリベラルな民主主義への信念とのあいだに必然的な関係があるかといえば、それはまったく別問題である。教育を受けるにつれて民主主義の価値観が自然と身についてくると考えるのは、民主主義を信奉する人間の側にかなりの思い込みがあるからだ。民主主義の理念がさほど広く受け入れられなかった時期に西欧で教育を受けた青年のなかには、共産主義やファシズムが現代社会の未来の潮流だと確信して帰国した者も多かった。

今日のアメリカその他西側諸国の高等教育は、総じて、青年に二十世紀に生まれた思想のもつ歴史的・相対的な視野を植えつけている。このことによって見解の相違に対するある種の寛容さが養われ、リベラルな民主主義国の一員としての用意が整うわけだが、反面でこの歴史的・相対的な視野は当人に、リベラルな民主主義が他の統治形態よりすぐれているとの確信にはなんら決定的根拠がないことをも教えるのである。

自由主義経済と権威主義の「融合」の持つ力

最先進工業国の教育のある中産階級が、おおむね各種の権威主義的政体よりもリベラルな民主主義を好むというのは事実だとしても、なぜそのような好みが生まれたかという理由はまだ不問に付されたままになっている。そして、民主主義びいきが工業化のプロセスそのものの論理から導き出されたものでないことは一目瞭然だ。むしろそのプロセスの論理からいえば、まったく逆の結果に行き着いてもおかしくはない。何にもまして経済成長を国家の第一の目標とするなら、それにいちばんふさわしい体制は、リベラルな民主主義でもレーニン流の社会主義でも、あるいは社会民主主義でもなく、自由経済と権威主義との組み合わせた形がベストなのである。この体制は「官僚的な権威主義国家」と呼ばれることもあるし、あるいは「市場志向型の権威主義」と名づけてもいいかもしれない。

経済的な面で、市場志向型の権威主義による近代化が民主主義よりもすぐれていることはかなり歴然としている。歴史上でもっともめざましい経済成長をとげた国家には、このタイプの体制も多い。そこには帝政ドイツや明治期の日本、ビッテとストルイピンの指導下のロシア、もっと最近では一九六四年の軍政成立後のブラジル、ピノチェト政権下のチリ、それにもちろんアジアの新興工業経済地域（NIES）もふくまれる[31]。

たとえば一九六一年から六八年までの時期に、インド、スリランカ（当時はセイロン）、フィリピン、チリ、コスタリカなど民主主義体制をとる発展途上国の経済成長率が年平均わずか二・一パーセントであったのに対し、保守的な権威主義諸国（スペイン、ポルトガル、イラン、台湾、韓国、タイ、パキスタン）は平均で五・二パーセントの成長率を示した[32]。

民主・共産の最良の部分を集めた強力な市場志向型「権威主義」国家

市場志向型の権威主義が民主主義よりも経済面ですぐれている理由はかなりはっきりしており、それはヨゼフ・シュムペーターが『資本主義、社会主義、民主主義』のなかで指摘しているとおりである。

民主主義国の有権者は、抽象論としては自由市場の原則を支持するかもしれないが、ひとたび自分の目先の経済的利益があやうくなると、誰もが待ってましたとばかりにその原則を放り投げてしまう。別な言い方をすれば、民主主義国の国民なら経済面では合理的選択をおこなうだろうとか、経済的敗者も政治力を行使して自分の地位を守ったりするようなことはしないはずだ、などという憶測はどこにも成り立たないのである。

民主主義政権は社会内の多種多様な利益集団の要求を反映して、全体としては福祉にいっそう金を使う。また賃金水準の均等化をめざす税制の採用によって生産を抑制し、競争力を失った斜陽産業を保護し、その結果としていっそう大きな財政赤字や高率のインフレをもたらしていく。身近な例でいえば一九八〇年代のアメリカでは、年々財政赤字が累積していったにもかかわらず、支出が生産をはるかに上回り、当面の高い消費水準を維持するために将来の経済成長と次世代の選択の自由を制約するはめになった。

このような先見の明の欠如が、長い目で見れば経済的にも政治的にもマイナスだという憂慮の声は広くあがっていたものの、アメリカの民主主義システムは、予算削減と増税のツケをいかにして公平に各人に割り当てていくかの決断ができず、結局、この経済危機とまっこうから取り組むこともままならなかった。このように近年のアメリカの民主主義は、経済面で高い機能性を示しているとはいえないのである。

これに対して権威主義政権は、原則的にいって、経済成長を害するような所得の再配分という目標に悩まされずに、真にリベラルな経済政策をとっていくことができる。このような政権は、斜陽産業の労働者に責任をもたなくてもよく、政治的影響力があるという理由だけで非能率的な経済部門に補助金を出す必要もない。むしろ、実際のところは国家権力を活用して消費を抑制し、長期的な成長をはかっていけばよいのである。

一九六〇年代の高度成長期に、韓国政府は、ストライキはおろか労働者の消費拡大や福祉向上の主張すら禁止することによって、賃金要求を抑え込むことができた。これとは対照的に、一九八七年の民政への移行後はストライキが頻発し、長いあいだ抑圧されてきた賃金要求も噴き出して、民主的に選ばれた新政府は譲歩を迫られた。その結果、韓国の労働コストは著しく上昇し、競争力は大幅に低下したのである。

一方、共産主義政権の場合は、当然ながら消費者から情け容赦もなく金を絞り取ることによって、きわめて高水準の貯蓄率や投資率を達成できた。だが、競争がないために、長期的な経済成長や近代化への能力は損なわれてきた。それに対して市場志向型の権威主義政権は、民主主義と共産主義の最良の部分を兼ね備えている。つまり、かなり厳格な社会規律を国民に押しつけながら、同時に、技術革新や最先端テクノロジーを進んで採用する自由を認めてやるのだ。

民主主義体制については、それが所得の再配分や現在の消費レベルにこだわるあまり、市場にひどく干渉しすぎるというような、経済面での有効性を疑問視する議論もあれば、逆に市場への干渉が十分でないと難詰する論調もある。

市場志向型の権威主義政権は、北アメリカや西ヨーロッパの先進民主主義国にくらべて、経済政策に関しては多くの点で国家統制の色彩が強い。しかしこの国家統制も、所得の再配分や社会正義といった目標にこだわっているというよりむしろ、ひとえに高度な経済成長をめざしているためである。

国家が補助金を出したり、ある部門を切り捨てて他の部門を保護したりするいわゆる「産業政策」が、長期的に見て、日本経済や他のアジアのＮＩＥＳ諸国経済にとって救いとなってきたのか足かせとなってきたのかは定かでない。だが、競争力のある市場だけに限定した徹底的な政府介入が、高水準の経済成長と十分に両立可能であったことははっきりしている。

一九七〇年代後半から一九八〇年代はじめにかけて台湾の経済計画担当者は、繊維産業のような部門でかなりのトラブルや失業が生じたにもかかわらず、そうした軽工業からエレクトロニクスや半導体など、いっそう進んだ産業に投資先を振り替えることができた。台湾において産業政策がはかどったのは、何よりも、経済計画担当のテクノクラートが市場政策を推進し効率性を高めるための決断ができるようにと、国家が彼らを政治的圧力から庇護したおかげである。言い換えれば、台湾が民主主義的に統治されていなかったからこそ産業政策もうまくいったのだ。

アメリカの産業政策がほとんど競争力の立て直しに貢献していないのは、ひとえにアメリカが台湾その他アジアのＮＩＥＳ諸国より民主主義国家であるためだ。アメリカでは、経済計画はその立案段階から、効率の悪い産業を守れとか特定利益団体に後押しされた産業を促進せよとかいう具合に、たちどころに議会の圧力の犠牲になるのがおちなのである。

経済発展とリベラルな民主主義とのあいだに関係があることについてはなんら疑いはないし、世界をぐるりと見渡すだけでもそのことは察知できる。だが両者の正確な相互関係は一見しただけではわからないほど複雑であり、これまで取り上げてきた三つの説のどれ一つとしてその関係を十分には説明しきれていない。経済の分野とは違って政治の領域では、近代自然科学の論理とそれが育む工業化のプロセスとは同じ方向を示してはいないのだ。

リベラルな民主主義は、たしかに工業化の成熟と両立できるし、多くの先進工業国の国民からも好まれている。だが、工業化とリベラルな民主主義とのあいだに必然的な結びつきがあるようには思えない。

一定の方向性をもった歴史の根底に横たわる社会進歩のメカニズムは、自由主義の未来をもたらす場合もあれば、官僚的な権威主義をもたらす場合もある。したがって、権威主義体制の今日の危機と全世界的な民主主義革命について理解しようとするなら、われわれは他の側面から考察を進めねばならないだろう。

7 近代をのし歩いた「悪魔」

世界公民《コスモポリタン》としての見地から普遍的な歴史を書き記すのは可能か？　というカントの問いに対して、われわれはとりあえずイエスと答えておこう。

近代自然科学がもたらした社会進歩のメカニズムは、過去数世紀の人類史に方向性と一貫性を与えてきた。ヨーロッパや北アメリカでの経験をもはや人類全体の経験と同一視できない時代になっても、このメカニズムの普遍性に変わりはない。

ブラジルやパプアニューギニアの密林で急速に滅亡しつつある部族は別にして、これまでこのメカニズムの息吹を受けなかった民族や、近代消費文化の普遍的経済関係を通じて他の人々と結びつかなかった人間はいない。地方偏重主義ではなく、テクノロジー主導の経済成長とその育成維持に欠かせない資本主義的社会関係とを核とする世界主義《コスモポリタニズム》の見地に立ってこそ、過去数世紀における真にグローバルな文化といえるものの出現を認めることができる。

徳川時代の日本やオスマン帝国から旧ソ連や中国、ミャンマー（旧ビルマ）、イランにいたるまで、このようなグローバルな統一を拒もうとしてきた社会も、歴史に逆行するその努力は、せいぜい一世代か二世代のあいだしか続かなかった。こうした社会は、より卓越した軍事テクノロジーに敗れたのではなく、近代自然科学が作り出してきた眩いばかりの物質的世界に幻惑されてしまったのだ。すべての国が近い将来に消費社会の仲間入りを果たせるというわけではないが、それを目標に掲げていない社会は世界でもほとんど例を見ないのである。

近代自然科学の本質を把握するにつれ、歴史は堂々めぐりを繰り返すものだという考えをもちつづけるのは困難になる。ただしここでは、歴史は決して繰り返さないなどと述べているわけではない。ツキディデスを読んだことのある人なら、アテネ対スパルタの戦いとアメリカ・ソ連間の冷戦対立とのあいだの類似性に気づくだろう。古代の列強諸国の周期的な盛衰を現代にもあてはめて比較し、似通った点を見出すのは、それ自体まちがったことではない。ただし、その歴史の繰り返しのなかに記憶と運動が継承されていくことをわれわれが理解しているかぎりにおいて、長期間にわたる歴史的パターンの再現と歴史のもつ弁証法的な方向性とは両立し得るといえるのだ。

アテネの民主主義は現代の民主主義ではないし、スターリン支配下のソ連との類似性は見つかるにせよ、スパルタの政治体制をそのまま現代に引き移すわけにはいかない。プラトンやアリストテレスが考えたように歴史がほんとうにぐるぐると循環するには、過去の記憶がいっさい失われてしまうほど大規模な地球的大変動が必要だ。だが、核兵器と地球温暖化の時代でさえ、近代自然科学の思想を破壊するだけのパワーをもった大変動は想像しにくい。

吸血鬼の心臓を貫く杭でも使わないかぎり、近代自然科学は――それがもたらした社会的、経済的、政治的付随物のすべてとともに――数世代のうちによみがえるだろう。こうした歴史の流れを根本から逆転させようとすることは、近代自然科学やそれが生み出した経済世界との全面的な絶縁を意味する。現在の社会がそんな道を選ぶ可能性はほとんど考えられないし、軍事競争があるかぎり、各国はいやでも経済世界とのかかわりを強制されていくだろう。

歴史の「袋小路」で消えた人たち

二十世紀末の時点で考えると、ヒトラーやスターリンは、人間的な社会組織のもう一つ違う選択肢を示したというより、むしろ歴史の大道からはずれて袋小路にぶちあたった人物のように思える。両者が手塩にかけて育てた純粋な全体主義は計りしれぬ人的犠牲をもたらしたのち、人の寿命の長さほども継続できずに——ヒトラー主義は一九四五年、スターリン主義は一九五六年に——燃え尽きてしまった。もちろん、なんらかの形で全体主義の複製をつくろうとしてきた国家はたくさんある。一九四九年の中国革命から、一九七〇年代中葉のカンボジアにおけるクメール・ルージュ（赤いクメール）の大量虐殺にいたるまでの時期にも、北朝鮮や南イエメン、モザンビーク、キューバ、アフガニスタンのような左翼政権から右はイランやイラク、シリアまで、醜悪な独裁を敷いた小国は数多い(1)。

だが、このようなヒトラーやスターリン以後の自称全体主義国家はすべて、かなり発展が遅れ、貧困に苦しむ第三世界諸国から生まれたという共通の特徴がある(2)。共産主義が先進世界ではついに地歩を築けなかった事実、そして、共産主義の波及したのが工業化の初期段階に突入したばかりの国々であるという事実は、ウォルト・ロストーが指摘するように、「全体主義の誘惑」が主として「過渡期の病」であることを示唆している。つまり全体主義は、ある国の特定の社会経済的な発展段階における政治的・社会的要求から生じる一種の病理現象なのである(3)。

しかしそうだとすれば、高度に発展した国で生まれたファシズムについてはどうなのだろうか？　ドイツ国家社会主義を近代化それ自体に特有の産物とは見ずに、むしろある歴史段階での現象として片づけてしまうなどということが、はたして可能なのだろうか？　そして、一九三〇年代を生きた世代が、文明の進歩によって克服されたはずの憎悪の爆発によって不安のどん底に突き落とされたのであれば、われわれが今後なにか未知の原因から噴き出す新たな憎悪にも決してうろたえたりしないなどと誰が保証できるだろうか？

もちろんそんな保証はないし、将来の世代に対してヒトラーやポルポトのような人間は二度とあらわれないと確約することもできない。今日、誰かがヘーゲル主義者を気どって、ヒトラーは一九四五年以降のドイツに民主主義をもたらすために不可欠だったなどと主張すれば、物笑いの種になるだけだろう。

一方、普遍的な歴史にとっては、人類の進化についての有意義でより大きなパターンを明らかにするためとはいえ、独裁や戦争を一つ残らずいちいち正当化する必要はない。人類の発展プロセスがどうしても説明のつかない大きな断絶に見舞われることを認めたからといって、そのプロセスの力強さや長期的な法則性が消え失せてしまうわけではない。それは、恐竜が突然に絶滅したという事実によって生物学上の進化理論が台無しになりはしないのと同じことなのである。

大虐殺《ホロコースト》が持つ歴史的意味

ナチスによるユダヤ人大虐殺《ホロコースト》が、われわれにしばし熟考をうながしてやまないほど戦慄すべき事件であったにせよ、たんにそれを引き合いに出して人類史の一貫した進歩や合理性の問題についての討論を望むのでは不十分だ。ホロコーストの歴史的原因についての道理をわきまえた議論を避けようとする風潮はたしかにあるが、それは、反核を唱える活動家が核兵器の抑止力や戦略配備をめぐる道理をわきまえた論争を拒むのと多くの点で似ている。どちらの場合も道理をわきまえることで、大虐殺という罪悪に慣れっこになりはしまいかとの心配がその根底にはあるのだ。

ホロコーストをある意味で近代の最重要な事件と見なす著述家が、それを歴史上類のない罪悪だといっておきながら、同時にこの事件はどんな社会にも起こり得る普遍的な罪悪のあらわれだと述べたりすることがよくある。

しかし、これは矛盾した議論である。仮にホロコーストが歴史に先例を見ないほど特異な罪悪だとすれば、それを生み出した原因も他に類を見ないはずであり、違う時代の違う国にその原因だけが簡単に引き移されたりするはずがない[4]。

したがって、どう考えても、この事件を近代の必然性の一側面としてとらえることはできないのだ。逆に、もしそれが普遍的な罪悪のあらわれだとすれば、結局は過激な民族主義者が日常茶飯に引き起こす恐怖の極端な一例にすぎず、歴史という機関車のブレーキ役にはなっても、それを脱線させるまでの影響力はもっていないということになる。

私はこのホロコーストを、他に類を見ない罪悪であると同時に、一九二〇年代から三〇年代のドイツに集中的にあらわれた歴史上特異な社会環境の産物だと考えたい。大部分の先進社会にはこのような環境が備わってはいないし、将来どこか別の社会にそれが引き移されていくとは考えにくいのだ（まったくその可能性がないとはいえないが）。ここでいう社会環境のなかには、たしかに長期間の残忍な戦争での敗北や経済不況など他の国々に相通じる要素も多い。しかしそれ以外の面では、当時のドイツの特殊な知的、文化的伝統とかかわりがある。

反物質主義や闘争と犠牲の尊重という伝統は、ドイツを自由主義のフランスやイギリスから著しく際立たせている。まったく「古風」としか言いようのないこれらの伝統は、普仏戦争（一八七〇～一八七一）前後における帝政ドイツの過保護すぎる工業化が引き起こした社会の混乱や苦悩によって、その真価がたしかめられてきたのだ。ナチズムは、いささか極端な形ではあるが「過渡期の病」の一変種、つまり、決して近代化自体に欠かせない構成要素だというのではなく、近代化プロセスの一つの副産物として理解することが可能である。[5]

もちろんそれは、われわれの社会が、いまでは近代化の段階を越えて進んでいるからナチズムのような現象が起こるのはもはや不可能だ、という意味ではない。しかしながら、ファシズムは病理的現象のなかでも極端な状態のものであり、そういうファシズムをよりどころにして近代の全体像を判断することはできない、という点だけはいえるのである。

たとえ歴史が一時的に断絶しても……

いくらスターリン主義やナチズムが社会発展にともなう病気だからといって、両者の極悪非道ぶりを見逃したり、その犠牲者たちへの同情を欠いたりしてもいいというわけではない。ジャン・フランソワ・ラベルが指摘したように、一九八〇年代にはいくつかの国でリベラルな民主主義が勝利を収めたが、その事実も、過去百年にわたって全体主義に生命を奪われた人々の大部分にとっては、なんら慰めにならないのである。[6]

一方、人々の生命がむだに奪われ、彼らの苦難が癒されないからといって、歴史には合理的なパターンが存在するかどうかという問題に対して口をつぐんでしまうべきではない。

世間には、普遍的な歴史というものはある種の通俗的な神義論——歴史の最終目標に照らせば現実に存在するものはすべて正当化されるという論——の役目を果たすべきだ、と期待する向きも多い。だが、いかなる普遍的な歴史観をもってしても、そのような期待に応えられるわけがない。そもそも、そんな役目を果たしていたのでは、歴史の細部の事実や経緯があまりにも切り捨てられてしまうし、最後には人類の「前史」を作り上げている時代や人々が、まったく無視されるはめになってしまう。

　われわれに構築できる普遍的な歴史では、実際に体験した人々にとってリアルすぎる多くの出来事に対して、筋道の通った説明をすることなどどうしても不可能なのだ。普遍的な歴史とは、たんに知性的な道具にすぎず、神になり代わって歴史の犠牲者一人ひとりの罪をあがなうことなどできるわけがないのである。

　しかも、ホロコーストのように、歴史発展を途切れさせる事件が存在しているからといって——もちろんこの事件自体は戦慄すべきものであっても——近代が一貫性をもったきわめて力強い統一体であるという明白な事実を打ち消したりはできない。

　歴史に断絶が存在したにせよ、近代化のプロセスを生きぬいてきた人々の体験の驚くべき類似性は、少しも損なわれない。二十世紀の生活が過去のあらゆる時代の生活と根本的に異なっていることは誰も否定できない。先進民主主義国の住民には、快適な生活を送りつつ頭では歴史進歩という思想をあざ笑っている者もいるが、かといって人類の旧史そのもののような第三世界の後進国で実際に暮らしてみようとする人はほとんどいない。われわれは、近代が人間の罪悪に新たなはけ口を許したことを認め、人間の道徳的な進歩という事実に疑問を投げかけはするが、それでもなお、歴史のプロセスに一貫した方向性が存在していることは信じつづけていけるのである。

8 「自由の王国」のなかで

これまで述べてきた社会進歩のメカニズムが本質的に経済面からの歴史解釈であることは、いまでははっきりおわかりいただけたと思う。

欲望を満たすため、あるいは危険から身を守るために科学を用いて自然の征服をめざす人間と切り離されてしまえば、「近代自然科学の論理」そのものにはなんの力もない。科学は（それが機械生産という形をとるにせよ、労働力の合理的組織化という形をとるにせよ）基本的な自然法則によって決まるテクノロジーの可能性の範囲を指し示すものでしかない。人々を駆り立ててこの可能性をより広げさせていくのは、人間の欲望なのだ。しかもそれは、ある限られた種類の自然のニーズを満たしたいとの欲望ではなく、それ自体の可能性の限界を不断に押し広げていくような、弾力性のある欲望なのである。

別の言い方をすれば、社会進歩のメカニズムとは、まったく非マルクス主義的な結論をもたらしはするものの、歴史に対する一種のマルクス主義的な解釈なのだ。人間が農村から都市に流れ込み、土地ではなく、むしろ大規模な工場や大規模な官僚的組織で働き、先祖伝来の職業を継ぐ代わりに最高の賃金を支払う会社に労働力を売り、教育を身につけたり時計のごとく厳格な規律にしたがったりするのは、まさに生産し消費する「生物界の種《しゅ》としてのヒト」がもつ欲望のなせるわざなのである。

ただし、もっとも平等な土俵の上で人々に最大の生産と最大の消費をもたらしてくれるのは共産主義ではなく資本主義の社会だ、という点がマルクスの解釈とは違っている。『資本論』第三巻でマルクスは、共産主義のもとで出現するはずの自由の王国を次のように描いている。

実際、自由の王国は、窮乏ややむを得ない事情に迫られて働くということがなくなったときにのみはじまる。つまりそれは、当然ながら、現実の物質的生産の領域のかなたにある。野蛮人は欲求を満たし、生活の維持と再生産をはかるために自然と格闘しなければならなかったが、文明人も同じで、しかも文明人はどんな社会形態のもとでも、考え得るどんな生産様式のもとでもそうしなくてはいけないのだ。

文明人の発展につれて欲望は拡大し、その結果としてこの物質的必要の王国は拡大する。しかし同時に、この欲望を満たす生産力もまた増大する。こういう状況では、自由は自然との駆け引きのなかにのみ存在する。つまり、自然やその盲目的な力に支配されず、逆にそれを自分たちみんなの統制のもとにおいたとき、そして、労力を最小限に抑えつつ、自分たちの人間性にとって、もっとも好ましく価値のある条件のもとでそれを達成したとき、自由を手にできるのである。

しかしながら、これは依然として物質的必要の王国のなかの話である。そこを乗り越えたところから、それ自体がみずからの最終目標であるような人間の力の発展が、すなわち真の自由の王国がはじまる。ただし、この自由の王国は物質的、必要の王国という土台のうえにのみ花開く。労働日数の短縮はその根本的な前提条件である。(1)

名ばかりに終わったマルクスの「自由の王国」

マルクス主義でいう自由の王国とは、実際には一日四時間労働制である。つまり、朝のあいだ働くだけで、自分や一族郎党の自然な欲求をすべて満たし、昼や夕は狩人や詩人や評論家として過ごせるほどに生産性の高い社会である。旧ソ連やかつての東ドイツのような現実の共産主義社会は、ある意味でこの自由の王国を実現していた。そこには一日四時間以上まじめに働く者がほとんどいなかったからである。とはいえ、労働以外の時間が詩や評論を書くのに使われるのはまれだった。そんなことをすれば、たちまち刑務所送りになるかもしれなかったからである。残りの時間は、買い物の行列をつくったり、酒を飲んだり、汚染された海岸の満員の保養地で休暇を過ごす計画を立てたりすることにあてられた。

しかし、社会主義社会において、基本的な物質的欲求を満たすのに欠かせない「必要労働時間」が平均四時間だとすれば、資本主義社会はそれが一、二時間ですんでしまう。しかも、一日六、七時間分にも及ぶ「剰余労働」の恩恵は、資本家のポケットに収まるだけでなく、労働者が車や洗濯機、バーベキューセットやキャンピングカーを買うためにも役立った。こういう実状が、なんらかの意味で自由の王国と呼べるかどうかは別問題としても、ともかく、アメリカの労働者がソ連の仲間より「物質的必要の王国」からはるかに解放されていたのは事実である。

もちろん、労働者一人当たりの生産性についての統計数値が、必ずしもその幸福の度合いと関連しているわけではない。マルクスが説明したように、生産性の高まりにつれて物質的欲求も増大するわけだから、いかなるタイプの社会が労働者にいっそうの満足を与えるかを調べるには、どの社会において人々のニーズと生産能力とのバランスがよりよく保たれているか探る必要があるだろう。皮肉なことに共産主義社会では、西側の消費文化社会からもたらされた、際限なく膨れ上がる欲望を前にして、それを満足させる手だてを持ち合わせていなかった。

旧東ドイツのエリッヒ・ホーネッカー議長は、同国の生活水準が「皇帝《カイゼル》の時代よりもはるかに高い」というのが口癖だった。たしかにこの国の生活水準は、人類史上に存在した社会の大部分にくらべてもはるかに高く、人間の自然的な欲望なら、その幾倍分も満たしてきた。

だが、そんなことは、ほとんど無意味な話なのだ。東ドイツ国民はみずからを、皇帝の時代の人々とではなく、同時代の西ドイツ国民と比較し、自分たちの社会に欠けているものを発見したのである。

アメリカ建国の父たちの「純粋さ」の歴史的意味

もしも、人間が何よりも欲望と理性に動かされる経済的動物だとすれば、当然ながら、歴史発展の弁証法的プロセスは、社会や文化にかかわらず互いに似通ってくるはずである。これが、歴史の根底をなす要因を基本的に経済面から見るというマルクス主義の方法を借用した「近代化理論」の結論であった。

近代化理論は、学者たちのあいだで、激しい批判にさらされた一九七〇年代にくらべ、一九九〇年時点でのほうがずっと説得力をもっているように思える。実際、高水準の経済発展に成功した国は、そのほとんどが、相違点が多くなるというより、むしろますます互いに似通ってきた。それぞれの国が、歴史の最終点に向けて取り得る道はたくさんあるにもかかわらず、近代化を実現する手だてとして、各国が関心をそそいでいるのは資本主義的な方法、リベラルな民主主義の方法以外にはほとんどない[2]。近代化の途上にある諸国は、スペインやポルトガルから旧ソ連、中国、さらには台湾や韓国にいたるまで、どこもこの方向に向かって進んできたのである。

しかし、経済的観点から歴史を分析したあらゆる理論と同様、近代化理論にも不十分なところがある。この理論は人間が経済的動物であるかぎり、そして人間が経済成長と産業的合理性の要請によって動かされているかぎりにおいて有効なのだ。

この理論の有無をいわせぬ説得力は、人間——ことに集団としての人間——が実際そのような動機に縛られて生活の大半を送っているところから生じる。だが人間は、経済的関心とは無縁の動機をももっている。そしてこのような動機が、歴史を断絶させるような事件——これまでの多くの戦争、あるいはヒトラーやホメイニのような人物を生み出す宗教やイデオロギーや国家主義の情熱の突然のほとばしり——の原因なのである。真に普遍的な人類の歴史とは、幅広く漸進的な進歩のトレンドだけでなく、歴史発展の予期せぬ不連続面をも説明できるものでなくてはならない。

ここまで述べてきたことからいっても、経済面を考えるだけでは、民主主義という現象を十分には説明できないことが明らかになったはずだ。経済面からの歴史の解釈は、たしかにわれわれをリベラルな民主主義という約束の地の入口へ連れてきてくれるけれども、その先まで送り込んではくれない。

経済近代化のプロセスがもたらす大規模な社会変動によって、農業を主体とした部族社会は、都会的で教育のある中産階級社会へと変容をとげ、この中産階級社会が民主主義への物質的条件を作り出していく。しかし、このプロセスをたどったところで、民主主義そのものの説明にはならない。近代化のプロセスに深く分け入っていけばいくほど、民主主義が経済的理由から選択されるケースはほとんどないことに気づく。

初期の主要な民主主義革命、すなわちアメリカとフランスで革命が起きたのは、ちょうど産業革命がイギリスで進行しているさなかであり、両国ともまだ今日のわれわれが理解している意味での経済的な近代化にさしかかってはいなかった。だからこの二つの国が人間のさまざまな権利を選択したとしても、それが工業化のプロセスに影響されていたなどということはあり得ない。

アメリカ建国の父たちはたしかに、議会への代表も送らせずに課税を強いてくるイギリス国王の仕打ちに腹を立てたのかもしれないが、新しい民主主義秩序づくりをめざして独立宣言をなし、イギリスへ宣戦布告をするという決断は、経済的効率性うんぬんの問題としてはほとんど説明がつかない。

もちろん世界の歴史を見ると、アメリカの独立宣言に反対した英国派《トーリー》の移民、十九世紀のドイツや日本における権威主義体制のもとでの近代化推進者たち、現代では共産党独裁を続けながら国家の経済的自由化と近代化をはかろうとしている鄧小平のような人々、民主主義はシンガポールのはなばなしい経済的発展の障害になると論じてきたリー・クアンユー元首相など、自由なき繁栄を選び取るという例も数多い。にもかかわらず人々は、いつの時代も経済面を度外視して、民主的権利を獲得するために命や生活を捧げて戦ってきた。このような民主主義者なしに民主主義はあり得ない。つまり、民主主義を望み、それを生み出し、それによって自分の生き方をも築き上げようとする真の民主主義的人間がいなければ民主主義などはあり得ないのである。

さらにいえば、近代自然科学の進歩発展を基礎とする普遍的な歴史が解き明かすのは、十六世紀から十七世紀にかけての科学的研究法の発見にはじまる過去四百年かそこらの人類史にすぎない。しかもこの科学的研究法にせよ、自然を征服して人間のために利用しようという機運をもたらした人間的欲望の解放の動きにせよ、それらはデカルトやベーコンのペンだけから生まれたものではない。

普遍的な歴史という考え方をもっと完全なものにするには、たとえそれが近代自然科学に大きく依拠したものであっても、近代以前の科学の起源を知り、経済的動物としての人間の欲望のもとになった、さらに深層の欲望を知る必要があるのである。

ヘーゲルが歴史に見た「人間の本性」とは何か

こう考えてくると、今日の世界に広がる自由主義革命や、その革命の土台をなしているかもしれない一種の普遍的な歴史の根本原理について、われわれは、まだ十分理解するにいたっていないことがわかる。現代の経済世界は、われわれの生活の大部分をがっちりととらえてはなさないほど巨大でゆるぎない構造をもっているが、この構造が成立するプロセスは歴史そのものと同一ではなく、われわれが歴史の終わりに到達しているのかどうかを教えてくれるには十分とはいえない。

歴史の終わりについて考えるには、マルクスやその唯物史観から生まれた伝統的な社会科学に依拠するのではなく、普遍的な歴史を書くことはできるかどうかというカントの問題提起に答えた最初の哲学者であり、マルクスの観念論的先駆者であるヘーゲルに依拠するのがよいだろう。

歴史発展の根底をなすメカニズムについてのヘーゲルの理解は、マルクスや近年の社会科学者にくらべてはるかに深い。ヘーゲルにとって人類史の原動力とは、近代自然科学ではなく、また近代自然科学の発展をうながした無限に膨らみつづける欲望の体系でもなく、むしろ完全に経済とは無関係な要因、すなわち承認を求める闘争（他者から認められようとする人間の努力）にあった。

ヘーゲルが説く普遍的な歴史は、これまでわれわれが大ざっぱに見てきた社会進歩のメカニズムを補い、経済的動物としての人間ではない「本来の人間」へのいっそう幅広い理解を与えてくれる。それによってわれわれは、現実の人類史の特徴となってきた歴史の断絶の意味——戦争や穏やかな経済発展のなかに突如あらわれる非合理性の噴出の意味——を知ることができるのだ。

世界史に下される「最後の審判」

ヘーゲルに立ち返ることが重要なもう一つの理由は、ヘーゲルの歴史観が、人類の歴史発展は無限に続いていくのか、それともわれわれはもうすでに歴史の終点に達してしまったのかという問題を考えるための枠組みを与えてくれるからである。

この分析の出発点としてわれわれは、過去の歴史が弁証法的に、つまり矛盾のプロセスを通して発展してきたというヘーゲル‐マルクス的な命題を受け入れることにしよう（この弁証法の基盤が観念論にあるか唯物論にあるかという問題はひとまずおいておく）。この弁証法の命題によれば、世界のある地域にはある特定の社会政治組織が生まれるが、それは内部に矛盾をはらみ、やがてその矛盾によって組織は崩壊し、異なった種類のよりよい組織にとって代わられる、ということになる。

そして歴史の終わりという問題についても、こう言い換えることができる——はたして現在のリベラルな民主主義的社会秩序の内部には、今後もさらに歴史が進歩して、いっそう高度な新秩序を生み出してほしいという期待をわれわれにもたせるほどの矛盾が存在しているのだろうか、と。

もしわれわれが、最終的にはリベラルな民主主義社会全体——六〇年代の言い方を用いれば「システム全体」——の崩壊を引き起こすに足る、根本的な社会不満の源を見出せば、ここでいう矛盾を認め得たことになる。ただし、財政赤字、インフレ、犯罪、麻薬といった問題を指摘するだけでは――それらがいかに重大な問題であろうと――十分ではない。問題は、それが社会のシステム内部で解決できず、しかもそのシステム自体の正統性を掘り崩して瓦解に追い込むほど深刻なものでなければ、矛盾には転化しない。

たとえば、資本主義社会におけるプロレタリア階級の着実な窮乏化は、マルクスにとってはたんなる問題ではなく矛盾であった。なぜならこの窮乏化は、資本主義社会の構造全体を破壊して別の社会を築き上げるという革命的な状況をもたらすことになるものだったからだ。だから逆の言い方をすれば、現在の社会的・政治的組織の形態が人間の本質的な性情を矛盾のひとかけらもないほど満足させているとすれば、歴史はすでに終わりを迎えていると論じても差し支えないのである。

しかし、現在の社会秩序に、矛盾が残されているかどうかを知るにはどうすればよいのだろうか？

それには大別して二つの方法がある。その第一は、実際の歴史発展の跡をたどり、ある特定の社会形態の優越性を示すはっきりした歴史パターンがあるかどうか調べる方法である。近代経済学が商品の効用や価値そのものの定義をしようとせず、むしろ価格という形であらわされる商品に対する市場の評価を受け入れたように、この方法でも世界史という市場にその判断をゆだねるわけだ(3)。人類史は、異なった体制、あるいは社会組織形態のあいだの対話ないし競争と考えてもよい。この対話において、ある社会が他の社会を論破するのは、軍事的制圧や経済システムの優越性や内政のいっそうの安定などを通じて相手に対して勝利を収め、あるいは相手より長く存続したときだ。

もしも人類社会が、長い時代をかけて発展あるいは収斂していった唯一の政治社会組織の形がリベラルな民主主義であれば、また、もしもリベラルな民主主義にとって代わる組織形態が見あたらなければ、そしてさらにまた、もしもリベラルな民主主義社会に暮らす人々が自分たちの生活に根本的不満を少しも表明していなければ、この対話は最終的かつ決定的な結論に達したことになる。歴史主義の立場に立つ哲学者は、リベラルな民主主義が最高かつ最終的存在であると認めるだろう。かくして世界史が最後の審判を下すことになる(4)。

とはいえ、このような方法を採用する者は、「力は正義なり」を金科玉条にして権力と成功をひたすら敬うべきだというわけではない。ほんのわずかのあいだ、世界史の舞台をいばって歩き回っただけの独裁者や自称皇帝を認める必要はないのであって、重要なのは世界史の全過程を通じて生き残ってきた、たった一つの体制ないしはシステムを認めることなのだ。そして、人間の欲望をいかにして満たすかという、人類誕生以来の問題を解決する能力があるかどうか、また、人類を取り巻く環境の変化に適応し存続していく能力があるかどうかという点が、ここでの判断の基準となる(5)。

しかしながら、このような歴史主義的方法は、それがいかに手際のよいものであっても、次のような問題にぶつかってしまう。つまり、一見勝利を収めたように思われる社会システム——ここではリベラルな民主主義——の一見矛盾のない状態が、幻想ではないとはたして言いきれるのだろうか？　また、時代がさらに進んでも、人類のいっそうの歴史的発展段階を必要とするような新たな矛盾は決して生まれないなどと言いきれるのだろうか？

人間性というものを、その本質的な性格やさほど本質的でない性格もふくめた全体像として根本的に理解していなければ、平和に見える社会が、じつに効率的な治安政策のたまものでも革命の嵐の前のたんなる静けさでもなく、人間の欲望を心底から満たしている状態であるかどうかは判断できない。多くの人々の目に、フランス革命前夜のヨーロッパが成功し満ち足りた社会と映っていたことを、われわれは肝に銘じておかなくてはならない。一九七〇年代のイランや一九八〇年代の東ヨーロッパ諸国にもそれはあてはまる。

また、近年のフェミニズム運動の例を取り上げてもいい。フェミニズムの主張によれば、これまでの歴史の大半は「父系制社会」間の紛争の歴史であったが、もっと和気あいあいとして、慈愛に満ち、平和を好む「母系制」はそれにとって代わる有力な選択肢であるという。母系制社会の実際例が存在しないため、この主張を経験的な事例をふまえて証明することはできない(6)。とはいえ、人間の人格のうちの女性的な面は、解放され得るはずだとするフェミニズム運動家の理解が正しければ、将来において母系制社会が存在する可能性は除外できない。そしてもしそれが実現すれば、いまの時点でわれわれはまだ歴史の終わりに達してはいなかったことになるのだ。

歴史における「最初の人間」と「最後の人間」

われわれが、歴史の終わりに達しているかどうかを知るもう一つの方法は、自然の概念に基礎をおいた「超歴史的《トランス・ヒストリカル》な方法」と呼べるだろう。つまり、人間を超歴史的な観点から把握することで、既存のリベラルな民主主義の妥当性を判断しようというのである。ここでは、たとえばイギリスとかアメリカといった現実の社会にある人々の不満の実例をたんに経験主義的に取り上げたりはしない。そうではなく、見え隠れはしつつも本来の人間に永遠につきまとっている属性、すなわち真の人間性に目を向け、その尺度から現在の民主主義の妥当性を測るのである。こういう方法をとれば、われわれは現在という時間の拘束を逃れ、こちらの判断の対象である社会自身がさだめた基準や予想からも自由になれるのである(7)。

人間性というのは、たった一度だけ生み出されるのではなく、歴史的な時間の経緯のなかでみずからを生み出していくものである。しかし、たんにそういう事実があるからといって、人が自己創造をおこなう場としての、あるいは人の歴史的発展の目的地と思われる地点としての人間性の問題を論じる必要がなくなるわけではない。[8] たとえばカントが述べているように、長く積み重なってきた社会的プロセスの結果としてでなければ、人間の理性は十分に発達し得ないにせよ、だからといって、理性は人間性のなかであまり本質的な属性でないなどとはいえないのである。[9]

結局のところ、永続的な超歴史的基準なしには、すなわち人間性への言及なしには「歴史」は語れず、まして「普遍的な歴史」を語ることなど、いっそう不可能であるように思えてくる。なぜなら、「歴史」とは既成の事実でもたんなる過去の事件のカタログでもなく、重要な出来事とそうでないものとをより分ける意識的な抽象化の作業だからである。

この作業のもとになる基準は固定的なものではない。たとえば過去数世代のあいだに、外交史や軍事史は衰えて、女性や少数民族や日常についての歴史、つまり社会史が盛んになってきた。歴史的関心の対象が、金持ちや権力者から社会の底辺層に移ってきたのだ。とはいえ、それによって歴史的な出来事の重要度を選別するための基準が失われたのではなく、より新しく、より平等主義的な意識に合わせてその基準が変化してきたにすぎない。

研究の対象が外交史であれ社会史であれ、重要な事件とそうでないものとの選別作業を避けるわけにはいかないし、その作業のためには、どこか歴史の外側にある基準に頼らざるを得ない。いっそう高度な抽象化の努力が必要とされる普遍的な歴史の場合ならなおさらだ。普遍的な歴史を論じるときには、時代や国民という発想のいっさいを前歴史的あるいは非歴史的なものとして投げ捨てる覚悟がいる。なぜならそのような発想は、普遍的な歴史における中心的な構想とはなり得ないからである。
「歴史の終わり」という問題に真剣に向き合うには、歴史に関する議論から人間性に関する議論へと移っていくことが避けられないようだ。現在の世界が差し出している経験的な実例だけを扱っていては、リベラルな民主主義の長期的展望——リベラルな民主主義を知らない人々に対するアピール度や、長いあいだ違った体制下で暮らしてきた人々への影響力の持続性といった問題——について論じることはできない。その代わりに、超歴史的な基準を正面からはっきりと掲げて、体制や社会システムの善し悪しを評価すべきなのだ。

コジェーブは、普遍的で均質な国家がその国民を完全に満足させているのだからわれわれはすでに歴史の終わりに達したのだ、と主張した。裏を返せばそれは、現代のリベラルな民主主義世界には矛盾がひとかけらもないということになる。この主張の正否を考える際にわれわれは、彼のいわんとする要点を誤解したために生まれた批判——たとえば、貧困や人種差別などの理由で社会の恩恵を平等に享受できず、それにはっきり不満を表明する社会集団や個人もいるではないか、といったたぐいの批判——にかかわりあうべきではない。

もっと肝心な問題は、リベラルな民主主義社会に存在する恩恵はほんとうに善であり本来の人間性を満足させているのか、また、リベラルな民主主義の社会には他の体制や社会組織が与える以上にすばらしい満足の形態が原理的に存在するのか、という問題である。

こうした問題に答え、かつ今日の時代が実際のところ「人類の旧時代」であるかどうかを知るために、われわれは、歴史の発展が開始される以前に存在した自然人、すなわち「最初の人間」にまでさかのぼって見ていかなければならないのである。

第三部

歴史を前進させるエネルギー

——「承認」を求める闘争と「優越願望」

1 はじめに「死を賭けた戦い」ありき

生命を賭けることによってのみ自由は得られる。生命を賭けることによってのみ、自己意識の本質とはたんに生きているということではなく、その最初にあらわれた姿そのものでもないことが試され、そして証明される。……生命を賭けなかった個人も、一人の人間としては認められることは確かだが、しかしそういう人は、自立した自己意識として認められるという真理には到達したことにならないのである。

ヘーゲル『精神現象学』(1)

人類の発生と進化につきまとういっさいの人間的な欲望――自己意識や人間としての実在性を生み出す欲望――は、結局のところ「承認」を求める欲望の機能を果たしている。そして人間としての実在性を明るみに出すために生命を賭けるというのは、こうした欲望のために生命を賭けることである。したがって、自己意識の「起源」について語ることは、必然的に、「承認」を求めるための死闘について語ることにほかならない。

コジェーブ『ヘーゲル読解入門』(2)

スペインやアルゼンチンからハンガリー、ポーランドにいたるまで、世界じゅうの人々が独裁を捨ててリベラルな民主主義を確立する場合には、何が危機にさらされるのだろうか？

このまま存続できるかどうかの危機に瀕するのは、ある意味でいえば、それまでの政治秩序の誤りや不正にもとづいた、まったくの負の遺産である。人々は、自分たちを虐げてきた憎むべき軍部や政党の指導者から逃れ、むやみに逮捕される心配のない生活を送りたいと望んでいる。資本主義と民主主義が多くの人々の心のなかで密接に結びつけられているため、東欧や旧ソ連に住む人々は、自分たちが資本主義の繁栄を手にしつつあると考えているし、またそうなることを望んでいるのだ。

もちろんすでに見てきたことだが、専制支配下のスペインや韓国、台湾のように自由のない繁栄を手にすることもまったく可能ではある。とはいえ、こうした国々における繁栄も実際のところは十分なものではなかった。二十世紀後半の自由主義革命はもとより、十八世紀のアメリカとフランスでの革命以来のあらゆる自由主義革命の原動力となってきた根本的な人間の衝動を、たんなる経済上のものとして描こうとしても、そのような試みにはもともと無理がある。近代の自然科学によって生み出された社会進歩のメカニズムは不完全であり、結局は歴史のプロセスについての満足のいかぬ説明を残したままなのだ。

自由な政府は、その絶対的な魅力をふりまいている。アメリカの大統領やフランスの大統領が自由と民主主義を称賛するとき、これらは本質的に善であるとしてほめたたえられており、そしてこの称賛が世界じゅうの人々の共感を呼んでいるように思われる。

この自由と民主主義への共感を理解するために、われわれは、カントの要請に応えて多くの点でもっとも本格的な普遍的歴史を書き残した最初の哲学者、ヘーゲルに立ち戻る必要がある。

コジェーブの解釈によれば、ヘーゲルはわれわれに歴史のプロセスを理解するためのもう一つの「メカニズム」、つまり「承認を求める闘争」にもとづいたメカニズムを与えている。われわれは、経済面からの歴史解釈を投げ捨てる必要こそないが、一方でこの「承認」という考え方は、人間的な熱意や意欲を理解するうえで、マルクス主義の見解やマルクスに由来する社会学的伝統よりもはるかに豊かな、まったく非唯物論的な史的弁証法を再発見させてくれるのである。

もちろん、コジェーブによるこのようなヘーゲル解釈がヘーゲルの本意そのままなのか、それとも正確には「コジェーブ流」の味つけがほどこされているのかについては、疑問があってしかるべきだ。コジェーブはヘーゲルの教えのなかから承認を求める闘争や歴史の終わりといった要素を取り出し、ヘーゲル自身はそうしなかったかもしれないやり方で、それらの要素をヘーゲル教義の主眼にすえている。だから、ヘーゲル本来の姿を明らかにするのもたしかに重要な作業ではあるが、当面の議論のために興味のあるのはヘーゲルそのものではなくコジェーブによって解釈されたヘーゲル、あるいはヘーゲル＝コジェーブという名前の新しい総合哲学者なのだ。今後、ヘーゲルについて述べる場合には、実際にはこのヘーゲル＝コジェーブを引き合いに出すことになるだろうし、そこで語られている思想の中身のほうが、それを最初に口にした哲学者の詮索よりも興味のある点なのである(3)。

アングロ－サクソンの伝統のなかで脈々と生きつづける自由主義社会

自由主義のもつ真の意味をつまびらかにするためには、自由主義の源泉をなす哲学者たち、つまりホッブズやロックの思想にまで時代をさかのぼったほうがよいのかもしれない。なぜなら、もっとも古くから延々と生きつづける自由主義社会——イギリスやアメリカ合衆国、カナダなどアングロ－サクソンの伝統のなかに息づく社会——は、通例、ロック哲学の文脈において理解されてきたからだ。

だからここでは、もちろんホッブズとロックにも立ち戻ることにする。しかしながらヘーゲルは、二つの理由から、われわれの特別な関心を引く存在である。

第一に彼は、自由主義についてホッブズやロック以上に高い次元で見事な理解を示している。ロック流の自由主義が説かれていた当時の人々は、この自由主義から生み出された社会と、そうした社会の典型的産物であるブルジョアに対して、たえまない不安を抱いていた。その不安とはつまるところ、ブルジョアが何よりも自分の物質的幸福にばかり気を取られ、公共心も美徳も持ち合わせず、周囲のより大きな社会に少しも献身していないといった一つの道徳問題に端を発している。要するに、ブルジョアはわがままだというわけである。そしてこの個々人の利己主義が、左はマルクス主義者からも、右は貴族主義的共和主義者からも、自由主義批判の際の槍玉にあげられてきたのだ。

ところがホッブズやロックとは違ってヘーゲルは、われわれに、人間の人格のなかの非利己的な部分に基礎をおくリベラルな社会についての自覚を与え、同時に、その非利己的部分を近代の政治的計画の核心にすえつづけようとしたのである。彼のこの試みが最終的に成功したかどうかは、本書の最終部、すなわち第五部で論じることにしたい。

ヘーゲルに立ち戻る第二の理由は、歴史を「承認を求める闘争」として理解することが、実際には現代世界を知るうえで、じつにわかりやすく有益な方法だからである。

われわれリベラルな民主主義国の住人は、すべての動機を経済的理由に還元するような時事問題の解説にすっかり慣れ、また頭から足の先までブルジョア化してしまったため、政治の世界の大部分がまったく経済とは無縁なものであることに気づいて驚く場合がしばしばだ。実際のところわれわれは、ほとんどの戦争や政治抗争の原動力である人間性の高慢で独断的な側面について語るための共通の語彙さえもっていない。

「承認を求める闘争」という考え方は政治哲学と同じくらい古い概念であり、政治の世界そのものと重なり合うような現象と関連している。これが今日ではいささか奇異で聞き慣れない言葉だとしても、それは過去四百年にわたってわれわれがうまく頭の使い惜しみをしてきたためにほかならない。

いずれにせよ「承認を求める闘争」は、われわれの周囲のいたるところに見られ、旧ソ連や東欧はもとより南アフリカ、アジア、ラテンアメリカ、そしてアメリカ合衆国においてさえ、自由主義的な諸権利を獲得するための現代の運動の基盤となっているのである。

「承認を求める闘争」の意味を明らかにするには、人間もしくは人間性についてのヘーゲルの考えを理解する必要がある。(4) ヘーゲルに先立つ近代初期の自由主義の理論家たちにとって、人間性に関する議論は、「最初の人間」すなわち「自然状態」にある人間の描写という形で提示された。ホッブズやロック、ルソーは、この自然状態を原始人についての経験主義的もしくは歴史的な解釈として理解すべきだとは考えていなかった。むしろこうした哲学者たちは、因襲の産物にすぎない人間性の側面――ある人がイタリア人か、貴族か、あるいは仏教徒かといった事実など――をはぎ取り、本来の人間に共通の性格を明らかにしようという一種の思考の実験を意図していたのだ。

一方ヘーゲルは、自然状態にある人間という教義を否定し、人間性が永久不変だなどという考え方は受け入れようとしなかった。彼にとって人間とは、自由かつ未決定なものであり、歴史的時間の経緯のなかで独自の性質を生み出し得るものであった。

とはいえ、この歴史的な自己形成のプロセスにも、自然状態についての教義と同じように、あらゆる意図や目的の探求の出発点はある。(5)『精神現象学』のなかでヘーゲルは、歴史の開始時に生きていた原始的な「最初の人間」について述べ、その哲学的機能とホッブズやロックやルソーのいう「自然状態における人間」とは区別がつかないとしている。つまりこの「最初の人間」は人間の原型であり、市民社会の形成や歴史のプロセスの始まり以前に存在した基本的な人間的属性をもっていたわけである。

なぜ人間は「激しい死闘」へと駆り立てられるのか

ヘーゲルのいう「最初の人間」も、食物や睡眠、住居、ことに自分の生命の保持に対する欲望などある種の基本的な自然的欲望については、動物と変わるところがない。この点でいえば、彼は自然界の、あるいは物質界の一部である。しかしヘーゲルの「最初の人間」が根本的に動物と異なるのは、彼がステーキや体を暖める毛皮のジャケットや生活を営むための住居といった実世界の現物ばかりではなく、まったく非物質的なものをも求める点にある。とりわけ彼は他の人間が欲することを欲する。つまり、他の人間から必要とされ、あるいは認められることを求めるのだ。

ヘーゲルによれば、人間はたった一人だけでは自分を意識するようにはならない。他の人間から認められないかぎり、個々の人間としての自分に目覚めたりはしないのだ。言い換えれば、人間ははじめから社会的な存在なのである。そして、自分の価値とかアイデンティティという個々人の感覚は、他者からの評価と密接にかかわっている。デビッド・リースマンの言葉を借りれば、人間は根本的に「他人指向型」なのだ。(6)

もちろん動物も社会的な行動は示すが、その行動は本能的なもので、自然的欲求の相互充足がその土台にある。イルカやサルは魚やバナナを求めるけれども、別のイルカやサルが欲しがるものを求めはしない。コジェーブが説明しているように、「(メダルや敵の旗など）生物学的見地からはまったく無用なもの」を求めることができるのは人間しかいない。人間がこのようなものを求めるのは、それ自体の価値のためではなく他人もそれを求めているからである。

しかしながら、ヘーゲルのいう「最初の人間」がもっと根本的に動物たちと異なっている点は、もう一つある。彼はたんに他者から認められたいだけでなく、一人の人間として認められたがっているのである。そして本来の人間としてのアイデンティティを構成するもの、つまりもっとも根本的かつ独自な人間の特質とは、自分の生命をあえて危険にさらすという点である。したがって「最初の人間」は、他の人間と出会うたびに激しい戦いを引き起こし、相手に自分を認めさせようとして自分の生命を賭けるのである。

人間は根本的には他人指向型で社会的な動物だが、その社会性は彼を、平和な市民社会のなかへではなく、純粋な威信を求める激しい死闘へと駆り立てていく。この「血なまぐさい戦い」がもたらす結果は三つに一つだ。

まず、戦った双方が死ぬ場合には、人間としての生命も自然の創造物としての生命も終わりを迎える。次に、戦いをおこなったどちらか一方が死ぬ場合には、生き残った者は不満足のままだ。なぜなら、勝利した自分を認めてもらおうにも相手の意識がもはやないからである。そして最後に、戦いが主君と奴隷の関係を生み出して終わる場合がある。そこでは、戦いの一方の側が、暴力的な死の危機に直面するよりは奴隷の生活に甘んじようと決意する。そして主君となった側は、自分が生命を危険にさらし、それによって他の人間から認められたことに満足する。

ヘーゲルのいう自然状態での「最初の人間」同士のはじめての出会いは、ホッブズがいう自然状態、あるいはロックのいう戦争状態と同様まったく暴力的であるが、それは社会契約その他の平和な市民社

会の関係にではなく、支配と服従というきわめて不平等な関係に行き着くのである。(7)

ホッブズとヘーゲルの相反する「人間」解釈

マルクス同様ヘーゲルも、原始社会が分化し社会階級が生まれることは認めていた。ただしヘーゲルはマルクスとは違って、もっとも重要な階級の相違が地主か小作人かといった経済的役割にではなく、暴力的な死に対する人間の態度にもとづくものだと考えた。社会は、みずからの生命を進んで危険にさらした主君たちと、それを望まなかった奴隷たちのあいだで分けられるというのである。

初期の階級社会の成り立ちについてのヘーゲルの理解は、歴史的に見ておそらくマルクスより正確だろう。伝統的な貴族制社会の多くは当初、よりいっそうの冷酷無情さと残虐性と勇気を武器にして定住性民族を征服した遊牧民族の「勇士の気風」から発生したのである。

この征服の時代が終わると、のちの世代の主君たちは自分の手に入れた土地に定住し、支配下にあるおびただしい数の小作農「奴隷」から税や貢ぎ物を取り立てる地主としての経済関係を当然のものと見なすようになってしまった。だが、いくら長年の平和と安逸によってこの貴族たちが甘やかされためめしい宮廷人に成り下がってしまったあとでも、勇士の気風——進んで死の危険を冒そうとする気持ちからくる生来の優越感——は依然として、世界じゅうの貴族制社会の文化の核心として残されてきたのである。

歴史の初期段階における人間についてのヘーゲルの解釈のほとんどは、現代人の耳には奇妙に聞こえるはずだ。とくに、純粋な威信を求める戦いに進んで生命を賭することが人間のもっとも根本的な特質だ、という彼の主張などはその最たるものだろう。というのも、進んで生命を賭ける姿勢などは、決闘や報復殺人などとともにこの世からしだいにすたれていった原始社会の習慣の一つにすぎないのではないだろうか[8]?

われわれの世界にもたしかに、いまだ名声だの旗だの衣服の切れ端だのを求め、血なまぐさい戦闘に命を賭けて群がり集まる人間はいる。だが連中のほとんどは暴力団に加わって麻薬の売買で生活の糧を得たりしているのである。純粋に象徴的な価値や威信や承認を求めて殺し合うことをいとわない人のほうが、挑戦を受けても賢明に譲歩し、自分の要求を平和的仲裁や裁判に持ち込もうとする人間よりも人間味にあふれているなどと、どうしていえるのだろうか?

威信を求める戦いに進んで生命を賭することの重要性は、人間の自由がもつ意味についてのヘーゲルの見解をもっと深く掘り下げることによってのみ理解できる。

われわれになじみ深いアングロ゠サクソン的な自由の伝統においては、自由は、たんに抑制のない状態として解釈されがちだ。だからホッブズは「自由とはまさしく敵対物――つまり運動に対する外部からの妨害物――の不在を意味しており、このことは理性ある生物だけでなく、理性も生命もない創造物にもあてはまるかもしれない」と述べているのである[9]。

この定義によれば、丘を転がり落ちる岩であろうと、遠慮なく森を歩きまわる飢えたクマであろうと、どちらも「自由」だといえるだろう。だが実際のところわれわれは、岩の落下が重力と丘の傾斜によって決定され、クマの行動も各種の自然な欲望や本能の複雑な相互作用を通じて決まることを知っている。森のなかで食物を探しまわる飢えたクマは、表面的な意味においてのみ「自由」なのだ。

クマにとっては、飢えと本能のおもむくままに行動する以外に道はないし、当然ながらクマたちは何かもっと高尚な理由のためにハンガーストライキをおこなうはずもない。岩の動きもクマの行動も、みずからの物質的な性質と周囲の自然環境によって決定される。その意味では岩もクマも、ある一定の規則、物理学の根本法則をなす究極の規則によって動くようプログラムされた機械となんら変わりはしない。

ホッブズの定義によれば、何かの行動を物理的に抑制されていない人間は「自由」だと見なされる。しかし人間というものがある肉体的・動物的な特質をもつかぎり、男女の別を問わず誰もが生理的欲求や本能や欲望や情念などの有限の寄せ集めにすぎず、それらの要素の複雑ではあるが結局は機械的な相互作用が当人の行動を決定していく、と考えることもできる。したがって、飢えや寒さにさいなまれ、食物と住居という自然な欲求を満たそうと必死になっている人間は、クマはおろか岩よりも自由ではない。なぜなら彼は、より複雑な一連の規則にしたがって動く、より複雑な機械にすぎないからだ。彼が食物と住居を求める際になんら物理的制約を受けないという事実は、うわべの自由を生み出しはしても、真の自由を生み出しはしないのである。

ホッブズの偉大な政治学的著作『リバイアサン』は、まさにそのような高度に複雑化した機械としての人間を描くところからはじまっている。ホッブズは人間性を、喜び、苦痛、恐怖、希望、憤り、野心といった一連の基本的な情念に分類したうえで、その異なった組み合わせによって人間のあらゆる行動を十分に決定し説明できると信じた。つまり彼は、人間が最終的には道徳的選択の能力をもつという意味で自由だと考えてはいないのだ。人間の行動というのは多少は合理的なものだが、その合理性は自然によって与えられた自己保存のような目的にのみ役立つ。そしてその自然は、アイザック・ニュートンによって説き明かされた物質の運動に関する法則によって完全に説明され得るというわけである。

反対にヘーゲルは、人間についてのまったく異なった理解から出発する。人間はみずからの物理的・動物的な性質によって決定されるものではない。しかも人間のまさに人間たるゆえんは、そうした動物的な性質を征服し否定するみずからの能力のなかにあるというのだ。

人間は、たんに物理的に拘束されていないというホッブズ流の形式的な意味において自由なのではなく、そもそも自然によって決定づけられることはないという形而上学的な意味において自由なのである。ここでいう自然には、人間自身の本性、その周囲の自然環境、そして自然の法則がふくまれている。

要するに人間は、真の道徳的選択をおこなう能力をもっている。つまり、たんに功利性の大小を基準にしたり、どちらの情念や本能が勝ったかという結果にもとづいたりせず、彼みずからの規則を生み出しそれを固守するという生来の自由のゆえに、二通りの行為から一方を選択する能力を備えているのだ。そして人間固有の尊厳は、下等動物よりも賢い機械となるための優秀な計算能力にではなく、まさにこの自由な道徳的選択をおこない得る能力に存しているのである。

「承認」への強烈な原始的欲望

だがわれわれは、このいっそう深遠な意味において人間が自由であるということを、どのようにして知るのだろうか?

人間の選択の実例の多くが、実際のところ、動物的な欲望や情念を満足させるだけの利己的な打算にすぎないことははっきりしている。たとえば、ある人が隣家の果樹園からリンゴを盗まずにいるのは道義心のせいではなく、目下の飢えよりも懲罰の厳しさを恐れるためかもしれない。あるいは、隣人はまもなく旅行に出かけるはずになっており、そうなればリンゴはすぐに自分の手に入ると知っているためかもしれない。ただし、このような打算を働かせ得るからといっても、その人がただたんにリンゴをひったくる動物のような自然の本能——この場合は飢え——に支配されていないということにはならないのである。

ヘーゲルにしても、人間が動物的な側面や限定され制約された性質をもっていることは否定しないだろう。人は食べ、そして寝なければならないのだ。しかしながら人間はまた、みずからの自然の本能にまっこうから反した形で行動する力も明らかに備えている。それも、いっそう高次元の、あるいはいっそう強い本能を満たすために現在の本能にそむくのではなく、ある意味では背反行為そのものを求めてそうするのだ。

純粋な威信を求める戦いに進んで生命を賭けることが、ヘーゲル流の歴史解釈にとって重要な役割を果たしている理由もここにある。生命を賭けることで人間は、自己保存というもっとも強力かつ基本的な本能に反して行動できる力を立証しているのだ。コジェーブがいうように、人間のもつ人間的欲望は、自己保存を求める彼の動物的欲望を越えなければならない。そして、歴史の始まりの原始的な戦いがひたすら威信をめぐって、あるいは承認の証であるメダルや旗など見るからに瑣末なものをめぐっておこなわれたという事実の重要性も、ここから生じてくる。

われわれが戦うのは、自分が進んで生命を賭けており、だからこそ自分は自由な正真正銘の人間である、ということを他の人間に認めさせるためだ。もしも家族を守るためとか、敵の土地や財産を奪うというような目的（ホッブズやロックに教育されたわれわれ現代のブルジョアにいわせれば合理的な目的）のために血なまぐさい戦いがおこなわれたとすれば、その戦い自体はなんらかの動物的な欲求を満たす手段にすぎない。

実際、下等な動物の多くは、たとえば自分の子を守ったり、あるいは食糧の縄張りを確保したりするための戦いに生命を賭ける。だがそれは、本能的に定められた行動、種《しゅ》を確実に存続させるという進化上の目的のための行動だ。人間だけが、自分は死を恐がっていないという姿勢を示すためにのみ、そして自分が一個の複雑な機械や「みずからの情念の奴隷[10]」以上の存在であることを示すためにのみ、つまりは自分が自由だからこそ人間固有の尊厳をもっているのだということを示すためにのみ、あえて血なまぐさい戦いに乗り出していくのである。

威信を求める戦いに進んで生命を賭けるといった反本能的な行為にしても、それはいっそう深く、いっそう隔世遺伝的な別の本能によって決定されているにすぎず、ヘーゲルがそのことに気づかなかっただけの話だ、と論じる向きもあるかもしれない。事実、現代の生物学は、人間と同じように動物も威信を求める戦いに乗り出すことを示唆している。

もしも近代自然科学の教えを真剣に受け止めるなら、人間の王国は自然の王国に完璧に依存し、同時に自然の法則によって決定されているということになる。人間の行動はすべて、究極的には下等動物の行動や心理学、人類学によって説明がつくし、さらにそれらは生物学と化学、そして究極的には自然の根源的な力の働きを土台としていると説明されるのである。

ヘーゲルとその先達であるカントは、近代自然科学の唯物論的基盤が人間の自由な選択の可能性に対して突きつけてくる脅威に気づいていた。カントの大著『純粋理性批判』の究極の目的は、自然の機械論的な因果関係という大海のまっただなかに浮かぶ一つの「島」に囲いを張りめぐらすことにあった。そこは、厳格な哲学的意味において、真に自由な人間の道徳的選択と近代物理学との共存が許される場所とされた。ヘーゲルもこの「島」の存在を受け入れたが、実際のところ、それはカントが想定した以上にはるかに大きく包容力のある島であった。

いずれにせよカントもヘーゲルも、人間はある面においては物理学の法則の制約をいっさい受けない存在だと確信していたのだ。むろんそれは、人間が光速より早く動けるとか重力の働きを消し去れるとかいうことではなく、むしろ、精神的な現象は物質の運動の力学に単純に還元されはしないという意味である。

ヘーゲル流「真の自己創造」プロセス

ドイツ観念論が生み出したこの「島」の妥当性について分析することは、われわれの現段階での能力や意図を越えている。人間の自由な選択の可能性という形而上学的な問題は、ルソーがいうように「哲学の深淵」である。(11) だが、この難問はしばらくわきに置くとしても、ここで指摘しておきたいことがある。それは、死の危険を冒す姿勢の重要性を強調しながらヘーゲルが、心理的な現象として非常に現実的で大切なことを指し示しているという点だ。

真に自由な意志が存在していようといまいと、事実上あらゆる人間はあたかもそれが存在しているかのごとくに振る舞い、自分は純粋に道徳的な選択ができるという確信にもとづいて互いを評価する。人間活動の多くが自然な欲求の充足に向けられている反面、はるかに移ろいやすい目標の追求に膨大な時間が費やされている。人々は物質的な慰めだけでなく敬意や承認をも求め、同時に、自分は多少なりとも価値や尊厳を持ち合わせているから他人に敬われて当然だと信じている。承認を求める人間の欲望や、もっとも強力な自然の本能にさえ逆らうほどはっきりした自発性を無視してしまうような心理学や政治学に頼っていたのでは、人間の行動についてのきわめて重要なポイントを見誤ってしまうだろう。

ヘーゲルにとって自由とは、たんに心理的な現象ではなく、きわめて人間的な本質であった。この意味において、自由と自然とはまったく対立する。自由とは、自然のなかで、あるいは自然に従ってなんの制約もなく生きることではない。むしろ、自然が終わるところから自由ははじまる。人間的な自由とは、人がみずからの自然的・動物的存在を乗り越え、自分の手で新しい自己を創造できたときにはじめて出現する。この自己創造プロセスを象徴するような出発点が、純粋な威信を求める死闘なのだ。

とはいえこの承認を求める闘争は、正真正銘の人間的行為の発端ではあるが、人間的な行為そのものからはほど遠い。ヘーゲルのいう「最初の人間」たちのあいだで繰り広げられる血なまぐさい戦いは、彼の弁証法の起点にすぎず、そこから現代のリベラルな民主主義にいたるには、はるかな道のりが残されている。

人類史の問題は、ある意味では、相互的かつ平等な土俵の上で認められたいという主君と奴隷双方の欲望を満たす方法の探究と見なすことができる。そして歴史は、この目的を達成する社会秩序の勝利とともに幕を閉じるのである。

しかしながら、ヘーゲル弁証法のさらに進んだ段階について論述する前に、自然状態における「最初の人間」についての彼の理論と、現代の自由主義の伝統的創始者であるホッブズおよびロックの理論とを見くらべておくのも無益ではないだろう。というのも、ヘーゲルの思想の出発点や帰結点は、これらイギリスの思想家たちとまったく似通っている一方、人間に対する考え方は根本的に異なっており、今日のリベラルな民主主義についてもきわめて対照的な視点をわれわれに与えてくれるからである。

2 近代史に登場した「最初の人間」

人間は誰しも、自分で自分を評価するのと同じ程度に仲間も自分を評価すべきだと考えている。そして当然ながら、どんなことであれ、軽蔑されたり過小評価されたりするきざしを感じると、自分を軽蔑する者には危害を与え、その他の人には戒めを与えることによって、彼らからより大きな評価を引き出そうと懸命に努力する。

ホッブズ『リバイアサン』(1)

今日のリベラルな民主主義諸国は、伝統というおぼろげな薄靄《うすもや》からあらわれたのではない。共産主義社会と同様、それは人間および人間社会の統治にふさわしい政治制度についての確固たる理論的見解にもとづいて、人間の手によってある一定の時期に意図的に作り出されてきたものである。リベラルな民主主義は、マルクスのようなただ一人の学者にその理論的起源を求めることはできないが、特定の合理的な原則を踏まえていることは確かであり、その原則を生み出した内容豊かな知性的な祖先たちには容易にさかのぼっていける。

たとえば、アメリカ独立宣言や同国の憲法に成文化されたアメリカ民主主義の根底をなす諸原則は、ジェファーソンやマジソン、ハミルトンら憲法制定者たちの著作が土台になっており、彼らの思想の多くは、ホッブズやロックというイギリス自由主義の伝統から引き出されているのだ。

もしもわれわれが、この世界最古のリベラルな民主主義の中身——北アメリカ以外でも多くの民主主義社会が取り入れてきた思想の中身——をつまびらかにしようとすれば、ホッブズとロックの政治的著作を振り返る必要がある。というのも、この二人の思想家は「最初の人間」の本質に関してのヘーゲルの仮説を先取りしている一方で、彼らとそれに続くアングロ－サクソンの自由主義の伝統は、承認への欲望というものに対してヘーゲルとは決定的に異なった態度を示しているからである。

今日ホッブズは、主として二つの点で有名である。一つは彼が自然状態を「孤独で、貧しく、汚らわしく、残忍で、はかないもの」として規定したこと。もう一つは、絶対的君主主権論を説いたことである。この説は、暴政に対する革命権を主張したロックのより、リ、ベ、ラ、ル、な見解としばしば比較され、分の悪い立場を強いられている。

とはいえホッブズは、決して現代的な意味での民主主義者ではないにせよ、自由主義者であることにまちがいはないし、彼の哲学は近代の自由主義を生み出す源泉となった。なぜなら、政府の正統性は神授の王権や支配者の当然の優位性にではなく、むしろ被支配者側の権利に由来するという原理を最初に確立したのがホッブズだったからである。この点で、ロックやアメリカ独立宣言起草者たちとホッブズとのあいだには、フィルマーやフッカーらほぼ同時代の思想家とを隔てる深い溝にくらべると、取るに足らないほどの違いしかない。

ホッブズは、自然状態における人間を規定するところから正義と公正の原則を導き出している。ホッブズのいう自然状態とは「情念からの推論」であり、それは人類史の一般的段階としては存在しないにせよ、市民社会が崩壊する際にはいたるところに身を潜めている。そして、たとえば一九七〇年代なかばに内乱状態に陥ったレバノンのような場所で、その姿をあらわすのである。ちょうどヘーゲルがいう血なまぐさい戦いのように、ホッブズの描く自然状態も、永続的で根本的な人間の情念の相互作用から生じる人間の状態を解明するためのものだ。[2]

ホッブズのいう「自然状態」とヘーゲルの血なまぐさい戦いとの類似は驚くほどだ。第一に、どちらも極端な暴力によって特徴づけられている。原始的な社会の現実とは、愛や協調ではなく「万人の万人に対する戦い」だ。そして、「承認を求める闘争」という言葉こそ用いてはいないが、ホッブズ独自の説である万人の万人に対する戦いにおいて賭けられるものは本質的にヘーゲルの主張するところと一致している。

すなわち、人間の本性のなかには戦いの主要な原因が三つある。第一が競争、第二が不信、第三は栄誉である。……第三の原因についていえば、一つの言葉・一つの微笑み・一つの意見の相違、その他もろもろの過小評価の徴候となる瑣末事のために人は、それが直接自分の人格に向けられているか、間接的に自分の親戚や友人、国民、職業あるいは姓名に向けられているかを問わず、暴力を用いるようになる。[3]

「メダル」や「旗」に命を賭ける人間の出現

ホッブズによれば、人は必要のために戦う場合もあるが、むしろ「瑣末事」をめぐって——すなわち、承認をめぐって戦うほうが多い。偉大な唯物論者ホッブズは、観念論者ヘーゲルとさほど変わらない言い回しで、「最初の人間」の本質に関する説明を終えている。つまり、何よりもまず人々を万人の万人に対する戦いへと強く駆り立てる情念は、物質的所有への強欲ではなく、野心のある少数の人々の誇りと虚栄の満足感にほかならないというのだ。[4] なぜならヘーゲルのいう「欲望を求める欲望」あるいは「承認」への渇望は、まさにわれわれが一般的に（それを好ましいと思う場合には）「誇り」もしくは「自尊心」と呼び、（好ましくないと思うときは）「虚栄」「虚飾」あるいは「うぬぼれ」と呼ぶような人間の情念そのものとして理解できるためである。[5]

さらにどちらの哲学者も、自己保存の本能が、ある意味では自然の情念のなかでもっとも強く万人に分かち合われているものだと考えた。ホッブズにとってこの本能は、たとえば「快適な生活のためのもろもろの必需品」と並んで、人間にこのうえなく平和を志向させる情念であった。人間は、自負心あるいは承認への欲望ゆえに威信のための闘争に生命を賭け、一方では暴力的な死への恐怖のおかげで平和と安全とを見返りとした奴隷の生活を甘んじて受け入れるのだが、ホッブズもヘーゲルも、原始的な戦いのなかにこの両者の緊張関係を見ている。

そして結局のところホッブズも、血なまぐさい戦いは歴史的にいって死を恐れた側の降伏という形で主君と奴隷の関係をもたらすとするヘーゲルの主張を受け入れたにちがいない。主君による奴隷の支配は、ホッブズにとっては専制政治であり、そこでは奴隷が力という絶対的な脅威のみにひれふして主君に仕えているため、人間は自然状態から脱却できないことになる。[6]

しかしながら、ホッブズとヘーゲルが根本的に異なり、しかも自由主義のアングロ－サクソン的伝統が決定的にヘーゲルに背を向けるのは、「誇り」あるいは「虚栄」（すなわち「承認」）という情念と、暴力的な死の恐怖とのどちらに道徳的な比重をおくかという点においてである。

すでに見てきたようにヘーゲルは、純粋な威信を求める戦いに進んで生命を賭ける姿勢が、ある意味では人間の人間らしさのゆえんであり、人間の自由のよりどころだと考えた。もちろんヘーゲルも、きわめて不平等な主従関係を最終的に認めたわけではなく、そのような関係が原始的で抑圧的なものであることも十分承知していた。だが人類の歴史には、階級的均衡とか主君と奴隷とかいう言葉にきわめて人間的に重要なものが残されており、このような関係は歴史上の不可欠な発展段階であると彼は見なしたのである。

主君の意識は、ヘーゲルにとっては、奴隷の意識よりもある意味ではいっそう気高くいっそう人間的なものだった。というのも、死の恐怖に屈した奴隷は動物的な性質を乗り越えられないからである。言い換えれば、ヘーゲルは進んで生命を危険にさらす貴族的戦士の誇りのなかに道徳的に称賛すべきものを見出し、何にも増して自己保存を求める奴隷の意識のなかに道徳的な卑しさのようなものを見出したのである。

一方ホッブズは、貴族的な主君の誇り(より正確にいえば虚栄)のなかに、なんら道徳的な救いを見出していない。むしろこの承認を求める欲望、メダルや旗のような「瑣末事」をめぐって進んで戦おうとするこの姿勢こそが、自然状態におけるあらゆる暴力や人間的悲惨の源になるという。[7]

ホッブズにとって、もっとも強力な人間的情念は暴力的な死の恐怖であり、もっとも強力な道徳的要請——彼のいう「自然法」——とは自己の肉体的存在の保存なのだ。自己保存は基本的に道徳にかかわることがらである。つまり、ホッブズにとっての正義と公正に関するあらゆる概念は自己保存の合理的な追求のなかで築かれ、一方不正と悪は暴力、戦争、そして死をもたらすものなのである。[8]

「リバイアサン(大怪物)」の首に打たれた鎖

死への恐怖がもつ求心力が、ホッブズを近代の自由主義国家へと導いていく。なぜなら実定法（法慣習や判例によるのではなく、一定の手続きを経て実際に制定された法律）や政府がまだ確立されていない自然状態においては、自己の存在を保存するという万人のための「自然権」によって、人間には暴力もふくめてその目的の達成に不可欠と判断されたあらゆる手段を行使する権利が与えられているからである。

人々が共通の支配者をもたないところでは、万人の万人に対する無政府的な戦いという結果がもたらされることは避けがたい。この無政府状態を救うのが社会契約にもとづいて樹立された政府であり、この政府のもとでは、あらゆる人が「万物に対するこの権利を放棄し、他人に対して行使する自由についても、他人が自分に対して行使されてもよい程度に甘んじてとどめおく」ことに同意するのである。

国家の正統性の唯一の源は、個々人が人間としてもっているさまざまな権利を守り、それを維持する能力にある。ホッブズにとって基本的人権とは、生存権、つまり万人の肉体的存在を保存する権利である。そして唯一の正統な政府とは、十分に生命を保存してくれて、万人の万人に対する戦いが再び起きるのを防ぐことのできる政府なのである。[9]

しかしながら、平和と生存権の維持はただでは実現しない。ホッブズの社会契約の根本をなすのは、人々が自分自身の肉体を損なわずに保存していける見返りとして、不当な誇りや虚栄を放棄するという合意である。言い換えればホッブズは、承認を求める闘争、とくに威信を賭けた戦いに、進んで生命をさらしてまで自分の優越性を認めてもらおうとする努力を放棄するよう、人々に要求しているのだ。

自分の優越性を他人に見せつけ、すぐれた美徳をよりどころにして他人を支配しようとする人間の一面、自分の人間的な、あまりに人間的な限界に戦いを挑む誇り高い性格とは、かえって当人の誇りの愚劣さを強く浮きぼりにする。したがってホッブズに端を発する自由主義の伝統は、明らかに動物的な本性を越えようとする少数の人々に狙いを定め、人間の最低の共通項となっている情念――すなわち自己保存――の名において彼らを拘束している。そしてこの情念は、人間だけではなく、より下等な動物にも通じる共通要素とされる。

ヘーゲルとは対照的に、ホッブズは承認への欲望や「単なる生」を見下す軽侮の念が人間の自由の始まりではなく不幸の源であると考えた。[10] ホッブズの主著の題名のいわれもそこにある。つまりホッブズは、「神はリバイアサン（大怪物）の強大な力を説き、彼を高慢な者たちの王と呼んだ」と述べながら、国家を「高慢から生まれたあらゆる者たちの王」であるリバイアサンになぞらえている。[11] リバイアサンとは、そのような誇り高き心を満足させるどころか、それを押し殺してしまう怪物なのである。

ホッブズから「一七七六年の精神」（アメリカ独立）および現代のリベラルな民主主義にいたるまでの道のりは非常に短い。ホッブズは君主の絶対主権を信じたが、それは国王の生得の統治権のためではなく、君主には大衆の合意にいたるなんらかの力が授けられているはずだとの考えにもとづいている。統治される側の合意は、今日のような普通選挙権にもとづく無記名自由投票の複数政党選挙を通じてだけでない。ホッブズによれば、特定の政府のもとで喜んで生活し法を遵守するという市民の姿勢にあらわされるような、暗黙の了解を通じても得られる。[12]

彼にとって専制政府と正統性をもつ政府とは、うわべは同じように見えたにしても（つまり両者ともに絶対君主制という形をとったとしても）そのあいだには、きわめて明白な相違があった。正統性をもつ統治者は大衆の合意を得るが、専制君主はそれを得られないのだ。ホッブズは議会政治や民主政体よりもただ一人の人間による統治を好んだが、それは彼が高慢な者たちを押さえつける強力な政府の必要性を信じていたことの反映であって、人民主権の原理そのものに異議を唱えていたためではない。

ホッブズの議論の弱点は、正統性をもつ君主も知らず知らずのうちに専制君主へ様変わりしがちだというところにある。選挙のように大衆の合意を記録してくれる制度的な仕組みがなければ、君主がそうした合意を得ているかどうかを知るのは往々にして困難だ。だからロックにとってみれば、君主主権というホッブズの教義を多数決原理に立脚した議会もしくは立法府主権という教義に修正するのは比較的たやすかったのである。

自己保存がもっとも基本的な情念であるという点、そして生存権という基本的な権利から他のすべての権利が派生しているという点については、ロックもホッブズと同意見だった。自然状態に関するロックの見解はホッブズよりも穏やかなものではあるが、この自然状態が戦争状態あるいは無政府状態に陥る傾向をもつこと、そして、正統性をもつ政府は人間を人間自身の暴力から守る必要性から生まれたとする点で両者は一致している。

とはいえロックは、国王が国民の財産や生命を気まぐれに奪い取る場合があるように、絶対君主も人間の自己保存の権利を侵害し得ると指摘している。そして、これを解決できるのは絶対君主制ではなく、制限された政府、つまり市民の基本的人権を保障し、非統治者の合意によって権威を得ている立憲政体なのだ。ホッブズのいう自己保存の自然権は、ロックによれば、国民の利益に反して不当に権力をふるった暴君に対する革命の権利をふくんでいるとされる。アメリカ独立宣言の冒頭で言及されているのはまさにこの権利であり、そこでは「一国民が、これまで他国民に結びつけられてきた政治的束縛を断つ」必要性が説かれているのである。(13)

ロック、ホッブズ、ヘーゲルが描く三者三様の「最初の人間」像

ホッブズが承認への欲望のもつ道徳的価値より自己保存のほうを重んじていたことについて、ロックは異議を唱えたりしないはずだ。自己保存は、他のあらゆる権利を派生させた基本的な自然権であり、承認への欲望もその犠牲になってしかるべきなのである。とはいえロックはホッブズと違って、人間はたんなる肉体的存在の権利だけでなく、快適かつ富を生み出し得る生活を営む権利ももっているのだと主張するだろう。市民社会は、社会の平和を維持するためだけでなく、勤勉で理性的な人々が私有財産制度を通じて万人に豊かさをもたらす権利を守るために存在する。そして「(アメリカの)広大で実りある土地の支配者たる者が、イギリスの日雇い労働者より衣食住すべてにわたって劣悪だ」などという自然の貧困状態は、社会的な豊かさにとって代わられるというわけである。

ロックの描く最初の人間像はホッブズとは似ているが、ヘーゲルのそれとは根本的に異なっている。つまりロックにおける最初の人間は、自然状態のなかで承認を求めて闘いはするものの、その承認に対する欲望を、自分の生活を維持しそこに物質的慰安を与えようとする欲望に従属させるよう教え込まれる必要があるのだ。

ヘーゲルのいう最初の人間は、物質的な所有には見向きもせず、その代わりに自分自身の自由や人間らしさを他人に認められたいと願っている。そしてその願いを追求するあまり、私有財産から自己の生命にいたるまで「世俗のことがら」にはまったく関心を示さない。これに対して、ロックのいう最初の人間は、自然状態において手にする物質的所有物を守るためだけでなく、さらに無限の富を得る可能性

を切り開くために市民社会へ乗り出していくのだ。

近年の研究者のあいだには、アメリカの政治制度のルーツを古典的共和政体のなかに探ろうとする向きもあるが、アメリカ建国という事業には、そのほぼすみずみにまでロックの理念が行き渡っていたのである。[14] 生命、自由、そして幸福を追求する人間の権利に関してジェファーソンがいう自明の真理も、ロックの主張した生命や財産についての自然権と基本的に違ってはいなかった。

アメリカの建国者たちは、自国民のうえにいかなる政治的権威が打ち立てられようと、それ以前から彼らが人間としてこれらの諸権利を有しているのだと確信し、同時に、政府の第一の目的はそのような権利を守ることにあると考えていた。アメリカ人が生来与えられているはずのこれらの権利のリストには、生命、自由、幸福の追求だけにとどまらず、権利章典に列挙されたものはもとより最近になって生まれた「プライバシー権」のような権利までふくまれている。

とはいえ、どのような権利にせよ、それが個人の自由な選択の領域を守り国家権力の行使を厳しく制限するための看視役だ、という点については、アメリカの自由主義においても他の似たような立憲共和国の自由主義においても共通の認識となっている。

ホッブズやロック、ジェファーソンなどアメリカ建国の祖たちの思想を吹き込まれたアメリカ人にとって、威信を求める戦いに生命を賭ける貴族的な主君に対するヘーゲルの賛辞は、いかにもゲルマン民族特有の偏屈な意見に聞こえるはずだ。もっともこうしたアングロ−サクソン系の思想家たちにせよ、ヘーゲルのいう最初の人間を正真正銘の人間の原型と見なすことができなかったわけではない。だがむしろ彼らは、万人が奴隷であるような一種の無階級社会のなかでは、主君を自称する者たちにも奴隷の生活を受け入れるよう説得する努力こそが政治の問題だと考えていたのだ。それは彼らが他者から認められることの満足感を、とくに「人の上に君臨する者」の苦痛――すなわち死の苦痛とくらべた場合に、ヘーゲルよりはるかに低く評価していたためである。

実際のところ彼らは、暴力的な死への恐怖や快適な自己保存への欲望がじつに強烈であって、利己的な損得勘定を教え込まれた合理的な精神のなかでは、こうした情念が承認への欲望を凌駕してしまうだろうと考えていた。われわれがヘーゲルのいう威信を賭けた戦いを不合理なものだとほとんど本能的に感じてしまう原因もここにある。

とはいえ、他者から認められるより自己を保存するほうが道徳的に重要だとするアングロ－サクソンの伝統を受け入れなければ、主君としての生活を捨てて奴隷の生活を選ぶなどというのは、あまり合理的な選択とはいえない。そしてわれわれにとって不満が残るのは、まさにホッブズやロックの思想が自己保存あるいは快適な自己保存を道徳的に最優先させている点にほかならない。

リベラルな社会とは、ただ相互の自己保存のためのルールを設定するだけで、市民のために積極的な目標を定めようともしなければ、より卓越した生活様式やいっそう望ましい生き方を提唱してくれもしない。積極的な目的をもった生活というものが何をさすにせよ、その内容は一人ひとりの人間によって決められる。だからそのような生活の中身は、公共への奉仕とか私生活上の寛大な行為など高尚な形をとる場合もあれば、利己的な快楽の追求とか私生活上のあさましい行為など低劣な形をとることもある。

国家自体はこういう生活の中身にはまったく関心を示さない。政府というのはじつのところ、ある権利の行使が他の権利の侵害となる場合を除いて、さまざまに異なった「ライフスタイル」を容認するようにできているのだ。積極的なしかもより高尚な目標がない場合、ロック流の自由主義の中心部にぽっかりあいた空白は欠乏や飢餓という昔ながらの制約から解き放たれた今日では、つねに際限のない富の

追求によって埋めつくされていくのである。(15)

新しいタイプの人間「ブルジョア」の限界

リベラルな社会のもっとも典型的な産物であり、しだいに軽蔑の意味をこめて「ブルジョア」と呼ばれるようになった新しいタイプの人間について考えてみれば、人間についての自由主義的な見解の限界はいっそう明らかになる。

ここでいうブルジョアとは、目先の自己保存や物質的幸福のためだけにあくせくと骨身を削り、私利私欲を満たす手段としてしか周囲の社会に関心をもたない人間のことだ。ロックの哲学にあらわれる人間は、公共心も愛国心もいらず周囲の人々の幸福を気づかう必要もなかった。この点では、むしろカントがいうように、仮に悪魔が理性をもっているならリベラルな社会はその悪魔によっても成り立ち得るのである。

自由主義国家に住む人々、とりわけホッブズの描く人間たちが、なぜ軍隊に勤務し自国のために戦争で生命を賭けようとするのかその理由は定かではない。というのも、もし基本的な自然権が個々人の自己保存にあるとするなら、その個々人にとってはいったいどのような理由で財産や家族をかかえて逃げまわるより国のために死ぬほうが道理にかなった行為たり得るのだろうか？

たとえ平和な時代であっても、なぜ社会の最良の人々は金儲けに走る利己的な生活より公共に奉仕し政治的手腕を発揮する生活を選択すべきなのかということについて、ホッブズやロックの説く自由主義の哲学は、なんらその根拠を与えてはくれない。事実ロックの描く人間が、なぜみずからの共同社会で活動的な生活を送るべきなのか、なぜ貧しい者にはもの惜しみせず分け与え、なぜ避けがたい犠牲を払ってまで家族を養わねばならないのかという理由は、まるで明らかにされていないのだ(16)。

公共心のひとかけらもないような社会が、はたして成り立ち得るのかという現実的な疑問はさておいたにしても、もっと重要な問題がそこには残されている。それは、自分の偏狭な私欲や肉体的欲求以上のものに目を向けようとしない人間には、じつに卑しむべき何かがまとわりついているのではないか、という問題である。

ヘーゲルのいう貴族的主君は威信を賭けた戦いに生命の危険をさらすが、それはたんなる自然な欲望や肉体的要求を越えようとする人間的衝動のもっとも極端な実例にすぎない。承認を求める闘争には、暴力に満ちた自然状態や隷属状態の奥底に流れていながら、さらに愛国心、勇気、寛大、公共心といった高貴な情念の奥底にも流れている自己克己へのあこがれが反映されてはいないのだろうか？

他者に認められたいという願望は、人間性のなかの完全に道徳的な側面――すなわち狭い肉体的関心事を犠牲にして肉体を越えたところにある目標や、主義を求めようとする性格となんらかの形で結びついてはいないのだろうか？

ヘーゲルは、主君の視点を捨てて奴隷の視点を選び取るのではなく、逆に承認を求めて戦う主君の姿を人間らしさの核心と見なすことによって、ホッブズやロックの想定する社会にはまったく欠落した人間生活の確固たる道徳的次元を讃え、これを保持しようとつとめたのである。言い換えれば彼は、人間を道徳実践の主体として理解し、その固有の尊厳は肉体や自然の制約から精神的に自由であることと関わり合いをもっていると考えたのだ。そしてこの道徳的次元と、それを認めさせるための闘争こそが、歴史の弁証法的なプロセスの原動力とされるのである。

とはいえ、承認を求める闘争や原始的な血なまぐさい闘いのなかで死の危険を冒す人間の姿勢は、われわれにとって、もっと身近な道徳的現象とどう関連しているのだろうか？　この疑問に答えるには、他者から認められたいという願望の中身をより詳細に検討し、こうした願望を生み出した人間性というものを理解するようつとめる必要がある。

3 共産主義がつきつけたファウスト的「交換条件」

「では、われわれはそのようなものすべてを〔正しい都市〔国家〕から〕消し去ってしまおう」と私は言った、「次の詩句を手はじめとして」

田畑で働く、他人の奴隷となるほうがましだ
たとえその主人が公田をもたぬ、暮らし向きの豊かでない男であっても
死んでしまったあらゆる亡者の支配者になるよりは……

プラトン『国家』第三巻より、ソクラテスの言葉(1)

「承認への欲望」という言葉は、奇妙でいささか人為的な概念のように聞こえるし、それが人間の歴史を動かす第一の原動力だなどといわれればなおさらだ。「承認」という言葉は、たとえば同僚の一人が引退し、長年にわたる功労が認められて腕時計をもらうときなど、ときおりわれわれの日常生活にも姿を見せる。けれどもわれわれはふつう、政治の世界を「承認を求める闘争」として考えたりはしない。政治の話が一般論にとどまるかぎり、政治はむしろ経済的な利害集団のあいだの権力を求める競争とか、富やその他生活上有用な品々を分配しつくす闘争と見なされる場合がはるかに多い。

「承認」の基礎をなす概念は、なにもヘーゲルが考え出したわけではない。それは西洋の政治哲学と同じくらい古く、人間の性格のなかの、じつになじみ深い側面にかかわりをもっている。

「承認への欲望」という心理的な現象は、何千年ものあいだ一貫した言葉で説明されてはこなかった。プラトンは「気概」のことを語り、マキャベリは栄光を求める人間の欲求のことを、ホッブズは人間の誇りや虚栄のことを、ルソーは人間の自尊心のことを語った。アレクサンダー・ハミルトンは名声への愛、ジェームズ・マジソンは野心、ヘーゲルは承認、そしてニーチェは「赤い頬をした野獣」としての人間のことを語った。

このような言葉はすべて、さまざまな物事に――まずは自分自身に、しかし周囲の人々や行動や事物にも同様に――「価値」を設定したがる人間の側面にかかわっている。それは誇りや怒り、羞恥心といった情念の基本的な源をなす人格の一部であり、欲望にも理性にも還元できないものである。承認への欲望は、人間性のなかでもすぐれて政治的な部分である。なぜならそれは人々を、他者を押しのけるような自己主張に走らせ、それによってカントのいう「社会性と非社会性の混在状態」へと駆り立てていくからだ。

この承認への欲望を、政治的共同体全体に貢献するような形で緩和・抑圧することが政治の中心的課題だと見なしている政治哲学者はじつに多いが、それも驚くにはあたらない。そして実際、承認への欲望を手なずけようとするもくろみは、近代政治哲学の手によって大きな成功を収めてきたため、平等な民主国家の市民たちは、この承認への欲望がそもそもなんのためにあるのかさえ見落としがちである。[2]

承認への欲望という現象についての、西洋哲学の伝統のなかで最初の奥深い分析は、当然ながらその伝統のまさに頂点に立つ著作、すなわちプラトンの『国家』のなかに見受けられる。『国家』には、哲人ソクラテスとアテネの二人の青年貴族グラウコン、アディマントスとの対話が記されており、彼らはその話のうえにすぎない都市の本質を述べようとしている。

このような都市も現実の都市同様、外敵を防ぐための守護者あるいは戦士の階級を必要とする。ソクラテスによれば、この守護者たちの主要な特徴をあらわす言葉が、ギリシア語で *thymos*（テューモス）、いささかぎこちない訳語をあてれば「気概」[3]なのである。

ソクラテスは「気概」のある人間を、大きな勇気と怒りを備え自分の縄張りを守るため外敵と戦う気高い犬にたとえている。この問題への最初のとっかかりとしてソクラテスは、まず「気概」を外側から描いている。だからそこでは、この言葉が勇気——つまり進んで生命を賭ける姿勢——および自分のための怒りや憤りの感情と関係があることくらいしかわからない[4]。

人間を人間たらしめる「魂」の三分説

次にソクラテスは、有名な魂の三分説をふくむ『国家』第四巻で、「気概」についてのより詳細な分析に立ち戻っている[5]。人間の魂は多種多様な欲望からなる一面を有しており、なかでもいちばん目につく欲望が飢えと渇きだ、と彼はいう。これらの欲望は、すべて似たようなあらわれ方を示し、人間を外界にある何か——食べ物や飲み物——へといやおうなしに駆り立てていく。ただしソクラテスは、人間には喉が渇いていても飲むのをためらうときがあるという。そして彼とアディマントスは、魂にはもう一つ独立した部分、理知的・計算的な部分があって、それが欲望に逆らう行動——たとえば水が汚れているのを知っているから喉が渇いていても飲まないというような行動——を人間にとらせる場合がある、という点でまったく意見が一致している。

それでは、魂は欲望と理性という二つの部分だけであり、その二つで人間の行動を十分に説明できるのだろうか？　たとえば食欲と性欲、長い目で見た安心とつかの間の快楽のように、理性がある欲望をもう一つの欲望と闘わせて自制心を促すようなケースをすべて説明できるのだろうか？

アディマントスが、まさに「気概」をもう一つの種類の欲望にすぎないと認めようとしたとき、ソクラテスは、処刑人のかたわらに横たわる死体の山を見たいと願ったレオンティウスという男についての話をこう語っている。

> 彼は見たいという欲望に駆られながら、同時に嫌悪の気持ちも抱き身をそむけた。そしてしばらくは、身もだえして顔を覆っていた。しかし、ついにはその欲望に打ち負かされ、目を大きく見開いて死体のほうへ駆け寄り、こう言った。
> 「見るがいい、呪われた奴らめ。この美しい眺めを心ゆくまで堪能すればいいのだ[6]」

レオンティウスの心に生じた葛藤は二つの欲望同士のぶつかりあいにすぎない、という解釈もたしかに成り立ちはする。つまり死体を見たいという欲望が、人間の死体を見ることで当然起こる嫌悪感と戦うというわけだ。これはホッブズの説くいくぶん機械論的な心理学とも一致するだろう。ホッブズは、意志とはたんなる「熟慮のなかで最後に出てくる欲求」であり、それゆえにもっとも強力なあるいは執拗な欲望の勝利を意味すると考えているからだ。しかし、レオンティウスの行動を欲望同士の衝突にすぎないと解釈したのでは、彼自身の「怒り」は説明できない[7]。というのも、自分自身を抑制できたなら、彼はおそらく怒りを抱くこともなかったからである。

ところが彼は、もう一つ別の、しかし怒りと関係のある感情、すなわち誇りを抱いていた[8]。レオンティウスの怒りが魂のなかの欲望の部分から生じたのでもなく、理知的な部分から生まれたのでもないことは、ちょっと考えればわかるだろう。なぜならレオンティウスは、自分の内なる葛藤の結末に無関心ではいられなかったからだ。したがって彼の怒りは、ソクラテスが「気概」と呼ぶ第三の、魂のまったく別の部分に起因することになる。

「気概」から発するこの怒りは、ソクラテスが指摘するように、正しくない欲望や馬鹿げた欲望を抑えるのに役立つという点では理性と同類かもしれないが、それでもなお、理性とは明らかに異なったものなのである。

「気概」の持つ歴史的意味

『国家』のなかに登場する「気概」は、今日では「自尊心」とでも呼ばれるような、自分に対して設定する評価とも何らかのかかわりをもっている。レオンティウスはみずからを尊厳と自制心に満ちた態度で振る舞えるタイプの個人だと信じており、みずからの自尊心に応えきれないときには、自分に対して腹を立てた。

ソクラテスは、気高い人間——つまり自分自身の価値をより高く評価する人間——であればあるほど不当な処遇を受けたときにはいっそう立腹するものであることを説明しながら、怒りと「自尊心」の関係を明らかにしている。たとえ「飢えや寒さ、そのほかいかなる目にあわされようとも」このような人間の魂は「荒々しく煮えくりかえり、正しいと思えるものに味方して戦う」のだ。(9)

「気概」は、人間が生まれながらにもっている正義感のようなものだ。人々は、自分がなにがしかの価値をもっていると確信しており、他人がそれを否定するような――自分の価値を正しく「承認」しないような――振る舞いをすると腹を立てるのである。英語で怒りと同義語であるindignation（憤り）という言葉を見ても、自己評価と怒りとの密接な関係がわかる。「尊厳（dignity）」は、人間の自分に対する価値観とかかわっていて、何かの拍子にその価値観が侵害されると「憤り」が生まれるのだ。

それとは逆に、自分が自分の自尊心にしたがって行動してはいないことを他人に悟られたとき、われわれは「羞恥心」を感じる。そして、自分が正当に（つまり自分の真価にふさわしく）評価されたときには「誇り」を感じるのである。

怒りは心に潜む全能の感情であり、ソクラテスが指摘するように、飢えや渇きや自己保存のような自然の本能を圧倒する力がある。とはいえそれは、外界の物質的なものを求める欲望ではない。もしも怒りを欲望の一つとして語り得るとすれば、それは欲望のための欲望、つまり、われわれをあまりにも過小評価する人間の意見を変えさせ、こちら側の自己評価に沿った形でわれわれ自身を認めさせていきたいという欲望である。

つまりプラトンの書き記した「気概」という言葉は、ヘーゲルがいう承認への欲望の心理学的な土台にほかならない。なぜなら貴族的な主君は、血なまぐさい戦いのなかで、他人に自分をこちらの価値基準にもとづいて評価してもらいたいという欲望に駆り立てられるからだ。そして、このような自分に対する価値観が傷つけられると、激しい怒りへ追いやられるのだ。

「気概」という言葉が対象物を価値あるものにする魂の部分を示すのに対し、「承認への欲望」は「気概」の働きの一つであり、他人の意識に対して自分と同じ評価をしてくれることを求めるものだという点で、この両者には多少の違いがある。承認を要求しなくとも、自分のなかで「気概」に満ちた誇りを感じることは可能である。だが、尊敬とはリンゴやポルシェのような「モノ」ではない。それは意識のあり方であって、自分自身の価値観について本質的な確信をもつためには、その価値観を他人の意識によって認めてもらわなければならない。だから「気概」は必ずではないにせよ、一般的にいって、他者からの承認を求めるようにと人々を駆り立てていくのである。

さて、ここでしばらくのあいだ、現代社会における「気概」の、ささやかではあるがわかりやすい実例を見ていくことにしよう。

一九八九年の秋にチェコスロバキア大統領に就任したバツラフ・ハベルは、かつては反体制活動家として、また人権擁護組織（憲章77）の創立メンバーとして、長いあいだ投獄されてはまた釈放されるという生活を繰り返してきた。たび重なる刑務所への拘留は、彼に自分を投獄した制度やその制度に代表される悪の本質について、考える時間をたっぷりと与えてくれた。ゴルバチョフが東欧の民主主義革命の動きを察知するはるか前の一九八〇年代初頭に出版された『力なき権力』のなかで、ハベルは次のような青果商の話をしている。

果物や野菜を売る店の主人が、タマネギやニンジンの並ぶ店先の窓に「万国の労働者、団結せよ！」というスローガンを掲げている。なぜ彼はそんなことをするのか？　何を世界に呼びかけようとしているのか？　世界の労働者の団結という理想に心底熱中しているのだろうか？　熱中しすぎたあまり、自分の理想を人々に伝えようとする衝動を抑えきれないでいるのだろうか？　どうすればそんな団結ができるのか、またその団結が何を意味するのか、彼はじっくり考えたことがあるのだろうか？

……明らかにこの青果商は、掲げられたスローガンの意味内容に関心を払ってはいない。彼が店の窓にこのスローガンを掲げたのは、そこに謳《うた》われた理念を人々に伝えようなどという個人的な願望からではない。もちろんだからといって、彼の行為には動機もなければ意味もないというわけではないし、このスローガンが人々に何も呼びかけていないということでもない。このスローガンは、実際には一つの信号であり、無意識の、しかし非常に確固たるメッセージをふくんでいる。そのメッセージを言葉であらわせばこうなるだろう。

「私、青果商の○○はここに住み、自分が何をなすべきか承知しております。私は期待されたとおりの行動をとります。私は頼りがいがあり、非の打ちどころのない人間なのです。私は従順であり、したがって平穏にそっとしておいてもらえる権利を有しているのです」

もちろん、このメッセージには宛て先もある。青果商よりも身分の高いもっと立派な人たちに向けられているのだ。そして同時にこのメッセージは、ひそかな密告者たちから青果商を守る楯の役割を果たしている。要するにスローガンの真意は、青果商の存在のなかにしっかりと根をおろしており、彼の死活にかかわる利害を反映しているのである。

ところで、その死活にかかわる利害とはいったいなんだろうか？

考えてもみよう。もしもこの青果商が、「私は恐い、だから無条件に服従する」というスローガンを掲げるよう指示されていたとしたら、たとえその文句が真実を反映していたにせよ彼はスローガンの意味内容にそれほど無関心ではいられまい。青果商は、自分自身をおとしめないではすまないような標語を店先の窓に掲げたことに当惑し、恥じ入るだろうし、彼が一人の人間であり自分自身の尊厳をもっているかぎり、それは当然の話なのだ。

こうした面倒な事態を避けるため、彼は少なくとも字づらのうえでは、公平無私な信念を示すような標語を用いて自分の忠誠心をあらわさねばならない。それは青果商に「世界の労働者が団結してどこが悪いのか？」と語らせ得るような標語でなくてはならない。この標語は青果商の目から、自分が従順である根底的理由を覆い隠し、同時に権力が存在する根底的理由をも覆い隠すのに役立つ。うわべを何かで取り繕って、本音をその背後に隠してしまうのだ。そしてその何かとはイデオロギーのことである。[10]

この文章を読んで驚かされるのは、ハベルが「尊厳」という言葉を使っていることだ。ハベルはこの青果商を、さしたる教養も才能もない平凡な人間として描いているが、そんな人間でさえ「私は恐い」などという標語を掲げるのは恥ずかしいと感じるのである。

人間を根源のところで抑制する尊厳の本質とは何なのだろうか？　ハベルは共産主義的なスローガンよりも、こうした標語を掲げるほうがずっと正直な気持ちのあらわれだと述べている。しかも共産主義政権下のチェコ国民なら誰でもわかっていたように、人々は恐怖を抱くがゆえにいやなことでも無理強いさせられたのだ。この恐怖それ自体は自己保存の本能であり、万人に授けられた自然の本能である。だとすればなぜ、人間ゆえに恐怖を抱くという事実を認めようとしないのか？

煎じつめるとその理由は、自分には何がしかの価値があるという青果商の信念と関係がある。その価値とは、自分が怖じ気づき困窮した動物以上の存在であって、恐怖や欠乏のために右往左往させられたりはしない、という確信とかかわりをもっている。

青果商は、自分が道徳実践の主体であり適切な選択ができ、主義のためには自分の自然の欲求も抑えられるということを、たとえ口には出せなくても心のなかでは信じているのだ。

共産主義が強いる数限りない妥協と屈辱

もちろんハベルの指摘にもあるように、青果商はこうした心の葛藤を回避することもできる。気高い共産主義スローガンを掲げ、自分が怖じ気づいた卑屈な人間ではなく主義主張をもった人間なのだ、と思い込んでいればよいのだ。

ある意味で彼のおかれた立場は、ソクラテスの寓話に登場する人物、つまり死体を見たいという欲望に屈してしまったレオンティウスに似ている。青果商にしろレオンティウスにしろ、自分が適切な選択力とかかわりのあるなんらかの価値をもち、生来の恐怖心や欲望に負けない「良心」を備えた人間だと信じていた。ところが二人とも、最後には恐怖心や欲望という自然の本能に打ち負かされてしまうのである。

この両者のただ一つの相違は、レオンティウスがみずからの弱さを率直に認めて自分自身を非難したのに対し、青果商はイデオロギーという便利な隠れ蓑のおかげで、自分自身の堕落に気づかずにいられたという点にある。

ハベルの話はわれわれに二つのことを教えてくれる。一つは、「気概」の根本にある尊厳や自尊心は、ある意味で、自分が真の選択力をもった道徳実践の主体だという人間の考え方そのものとかかわっているということ。そしてもう一つは、このような自己認識は偉大で誇り高い征服者であろうとつましい青果商であろうと、あらゆる人間の生来の特質だということである。ハベルは次のように述べている。

人生の本質的な目標は、生まれながらにして万人に備わっている。人間としてふさわしい尊厳や道徳上の高潔さを切望する心、そして俗世間からの超越感や自己存在の自由な表現などを求めてやまない気持ちは誰にでもあるのだ。[11]

その一方でハベルは、「人はみな、程度の差こそあれ、嘘いつわりのなかでもなんとか暮らしていけるものだ」と語っている。全体主義の後継者である共産主義国家への彼の非難は、人々の道義的品性や道徳実践の主体として行動できるという信念――「万国の労働者、団結せよ！」の標語の掲示に同意した青果商には欠けていた尊厳の念――を共産主義が傷つけてしまったという一点に向けられている。

尊厳と、その反意語である屈辱という言葉は、ハベルが共産主義国チェコスロバキアの生活を語るときいちばん頻繁に用いられる。[12] 共産主義は、ふつうの人々の良心に些細な道徳的妥協を、そしてときにはさほど些細でもない妥協を数限りなく強いることによって彼らに屈辱を与えたのだ。この妥協は、店の窓に標語を掲げるとか、仲間を国家にとって好ましからざる人物として告発する訴状に署名するとか、その仲間の不当な迫害にも口をつぐんでいるという形をとった。

魂のなかの「気概」が徹底的に抑え込まれた世界

この貧相なポスト全体主義諸国はブレジネフ時代になると、恐怖政治によってではなく、皮肉にも現代の消費文化の果実を国民の鼻先にぶらさげることで、あらゆる人間を道義的な共犯者にしようとした。

この果実は一九八〇年代のアメリカの投資銀行家の欲望に油を注ぐような華々しいが愚にもつかぬものではなく、冷蔵庫や間取りの広いアパートやブルガリアでの休暇など、ささやかなものではあったが、物質的な富に恵まれない人々にとって、それはいかにもすばらしい恩恵に見えたのである。

共産主義は魂のなかの「気概」に満ちた部分を抑え込むため、ブルジョア自由主義より、はるかに徹底して欲望の部分のテコ入れをはかった。ハベルが共産主義を非難するのは、共産主義が産業の効率化を通じて物質的な豊かさをもたらすという公約を果たせなかったためでもなければ、労働者階級や生活の向上を望む貧しい人々の希望をくじいたためでもない。それどころか共産主義は、人々に道徳的な誇りに妥協を迫るというファウスト的な交換条件をつけながら、まさに物質的な豊かさを提供してきたのだ。そしてこの取り引きを通じて、体制の犠牲者は体制の擁護者に変わり、一方でその体制自体は、そこに関与したいという国民の意向とはまったく無関係に独自の発展をとげたのである。

もちろん、ハベルのいう「消費志向の人間に見られる物質的なよりどころを犠牲にしてまで、自分たちの精神的・道徳的高潔さを守ろうとはしないという一般的傾向」は、共産主義社会だけに限った現象ではない。西欧でも、消費主義の魅力のおかげで、人々は日ごとに道徳面で自分自身との妥協を迫られている。そして彼らは社会主義の名においてではなく、「自己実現」とか「自己啓発」などの名目で自分を偽るのである。

とはいえ、この二つの体制のあいだには重要な相違点がある。共産主義社会では、多少なりとも「気概」を抑制しなければふつうの生活を送るのさえむずかしく、ましてリッチな生活など十中八九無理な相談だった。ちょうど例の青果商がそうだったように、人々はなんらかの形で「協調」していかなければただの大工にも電気屋や医者にもなれなかったし、体制の欺瞞にどっぷりと足を突っ込まなければ、とうてい著名な作家や教授やテレビジャーナリストにはなれなかったのである。[13]

とことん正直な心をもち、内に秘めた自己の価値感覚を保ちつづけたいと望んだ人にとっては（当人がますます少数派になりつつあるマルクス－レーニン主義信奉者集団の一員でないと仮定しての話だが）選ぶべき道は一つしかなかった。それは体制から完全に離反し、ウラジミール・ブコフスキーやアンドレイ・サハロフ、アレクサンドル・ソルジェニーツィン、またはハベル自身のように札つきの反体制派となることだった。しかしそれは、実生活上の欲望と訣別し、定職をもちアパートに暮らすという簡素な物質的満足を犠牲にして、刑務所や精神病院や亡命といった禁欲生活を選び取ることにほかならなかった。だから、そこまでの「気概」をもたない大多数の人は、日々少しずつ道徳的に堕落していく日常生活を受け入れていったのである。

プラトンの書き記したレオンティウスの話やハベルの青果商の寓話――いわば西洋政治哲学の伝統における最古と最新の例――を読むと、政治の世界の中心的な要因として「気概」がつつましい姿で浮かび上がってくるのがわかる。この「気概」は勇気や豊かな公共心、道徳的妥協への一種の不服従の源であるため、ある意味でそれは正しい政治秩序と結びついているようにも見える。プラトンやハベルによれば、正しい政治秩序とは、たんなる相互不可侵条約以上のものであらねばならない。そして同時に、みずからの尊厳や価値を認められたいという人間の正当な欲望を満たすものでなくてはならないのだ。

しかしながら「気概」や承認への欲望は、レオンティウスや青果商の例が示すよりもはるかに幅の広い現象である。物事や自己を評価するという行為は、一般的には経済生活と見なされているわれわれ日常のすみずみにまで広がっている。その点で人間はまさに「赤い頬をした野獣（羞恥心をもった存在）」といえるだろう。

新版解説

『歴史の終わり』と現代政治

佐々木 毅

本書はこの三十年あまりの歴史を考えるうえで、記念碑的な作品である。私は一九八九年一月から某紙の論壇時評を担当したが、その第一回目のテーマが「冷戦の終焉」であったと記憶している。そして本書のもとになった論稿を目にしたとき、著者の議論のスケールの大きさに強い感動を覚えたことが思い出される。

本書が記念碑的作品であったのは、社会主義体制の崩壊という出来事を越えて人類史的観点から「歴史の終焉」を提起したことにある。その後の事態の展開を理解する基点として、本書は多くの示唆を与えてくれる。冷戦終結後の時代を回顧し、将来を展望するうえでも本書の魅力は尽きない。

1 「一九八九年の精神」がもたらしたもの

ベルリンの壁が崩壊し、冷戦の終焉が現実化した一九八九年、フランシス・フクヤマは「歴史の終わり」という論稿を『ナショナル・インタレスト』誌に発表した。それを「一九八九年の精神」と呼ぶならば、それは「人類のイデオロギーの生成が終点に達し、人類の統治の究極の形態としての西欧型自由民主主義が普遍化したこと」であるとする。つまり、思想や意識の世界——それこそが歴史を動かす要素であると彼は考える——において、決定的な決着がついたことにほかならない。

二十世紀の歴史はこの自由主義に対するファシズムや共産主義などほかのイデオロギーの相次ぐ敗北の歴史である。仮に自由主義にとって脅威があるとすれば、それは宗教やナショナリズムであるが、宗教が重要性をもつのはイスラム世界にかぎられ、ナショナリズムは所詮防衛的な性格しかもたず、いずれも、世界規模で自由主義に対抗するものとはなり得ない。このイデオロギー上の決着によって、均質的国家からなる世界への歩みが現実化する基盤が整い、先進国では「歴史の終焉」への歩みがはじまる。ヨーロッパの統合はその端的な実例になる。

その一方で、相変わらず、権力をめぐって対立抗争を繰り返す世界が中国やソ連、第三世界に見られる。これは歴史にとらわれ、その遺産から自由になることができない歴史のなかに止まっている世界である。したがって、理念やイデオロギーの次元での決着がついたにもかかわらず、「歴史の終焉」に向かう世界と歴史のなかにある世界との紛争可能性がただちになくなるわけではない、と。

一九八九年において西側陣営の唱えてきた自由な市場経済と自由な民主政のシステムとしての勝利を宣言することは、珍しいものではなかった。フクヤマはその思想的な意味を問い、イデオロギーの生成が終点に達し、「歴史の終焉」が到来したといった、ヘーゲル的主張を展開し、そこからイデオロギー対立の終焉と均質的な世界と平和への期待という、長い冷戦の経過のなかで久しく待望されてきたものを補強した。フクヤマが理念や意識の重要性に言及した意味は、冷戦が終われば世界はふたたび対立抗争に陥るといった議論を排除することにあった。市場経済の導入もたんなる物質的利益の問題としてではなく、一つの理念の導入として理解されるべきで、民主政の導入も均質的国家の広がりや平和の浸透への期待と結びついている。

実際、「一九八九年の精神」は一九九〇年代に世界の政治・経済システムの大変動を巻き起こした。民主政は急速に広がり、新たな憲法体制の構築が急ピッチで進められた（新興民主政の誕生）。また、EUは地理的に拡大したのみならず、統合の深化が加速された。EU統合は「歴史の終焉」を象徴するビッグ・プロジェクトとフクヤマ自身も考えている。旧社会主義圏をふくむ膨大な数の人々が新たに市場経済というシステムに参入し、いわゆるグローバリゼーションがかつてなかった規模で世界に浸透し、人々の生活を大きく変えることになった。フクヤマの議論にしたがえば、これらは「歴史の終焉」世界の歴史的世界への着実な浸透とみなされたであろう。

フクヤマの議論は英米の自由主義の伝統を継承しつつも、それに終わらない幅の広さがある。とくにヘーゲルはホッブズ、ロックと並ぶ重要な役割を与えられ、さらにはニーチェも重要な問題提起者としての地位を与えられている。そしてそれら思想家たちの原点にはプラトンが控えている。

プラトンは人間の魂に欲望、理性、気概の三つの要素を見出したが、このうちの欲望と理性の結合が生み出したのが成長する市場経済であり、これに対して「気概」は承認を求めて闘争を生み出し、「優越願望」や「対等願望」のエネルギー源になるという。後者は民主政への前進を可能にする。この必ずしも一致しない二つの系列の魂の部分をもっともよく満たす複合体が、冷戦に勝利した自由な政治経済体制ということになる。もう一つの重要な概念として「最後の人間」「最初の人間」がある。前者は「歴史の終焉」において登場する快適な自己保存に注力する人間であり、後者は承認のための闘争に命を賭ける人間である。この最後の対比は「歴史世界」と「脱歴史世界」（歴史後の世界）との対比でもある。

興味深いことに、フクヤマは「脱歴史世界」を俗に言う結構づくめのユートピアのように描こうとしていない。たとえば彼は、そこで登場する「最後の人間」を理想的なものとして描こうとしていない。むしろ、気概と承認が人間にとって決定的に重要なことを指摘するニーチェの主張に留意し、「最後の人間」が作り出す世界の魅力のなさを率直に認めている。最初の論稿では、「歴史の終焉は非常に悲しむべき時代かもしれない」と述べているように、「歴史の終焉」後の世界についてのフクヤマの言明には知的・精神的魅力が見られない。「脱歴史世界」ではすべてが経済的打算や技術問題に還元される、「退屈な世紀が到来する」という見通しさえ述べられている。理想や目的のためにすべてを犠牲にして戦うという人生を体現するのは、むしろ歴史のなかで生きてきた人間であって、「歴史の終焉」した世界には芸術も哲学もないという。こうした「歴史の終焉」のイメージはマルクス主義の共産主義社会像の退屈さを思い出させるものがあると同時に、「退屈が到来するという見通しが、もう一度歴史をはじめさせる原因になるのかもしれない」とまで述べ、「平和と繁栄の退屈」が第一次世界大戦勃発の背景にあったとしている。

現実には「脱歴史世界」は、「優越願望」や「対等願望」の渦巻く「歴史世界」との対決状態に置かれており、その挑戦にさらされている。したがって、そこでは「気概」に活躍の場が与えられ、内部的な緊張感が弛緩を防ぐ役割を果たしている。こうした指摘は「歴史の終焉」が容易には現実のものとはなり得ないこと、二つの世界のあいだの角逐が長い紆余曲折をたどらざるを得ないこと、さらに、「最後の人間」の世界の寂寞なイメージと「最初の人間」へのどんでん返しの予感など、フクヤマの「歴史の終焉」論はたんなる楽観主義では片づけられない、複雑な変化球を読者に投げかけている。

2 「歴史世界」による逆襲

二十一世紀に入ると「歴史の終焉」へのモメンタムが失われつつあるのではないかという議論が目立つようになった。たとえば、ジェニファー・ウェルシュはその著『歴史の復讐』において、二十一世紀に入ってからの政治・経済システムの負のトレンドに着目して、「歴史の終焉」へ向かう手ごたえ感が失われつつあるのみならず、「歴史世界」に回帰しつつあるという。具体的には、蛮行への回帰、大量難民への回帰、冷戦への回帰、不平等社会への回帰がそれである。また、『フォーリン・アフェアーズ』（二〇一八年第六号）は「独裁制の台頭と民主的世紀の終わり」という共通テーマのもと、現在をファシズムや共産主義が大流行した一九三〇年代になぞらえてイメージしようとしている。この三十年のあいだに世界は様変わりしたのである。

「歴史の復讐」には二つの側面がある。すなわち、もともと「歴史世界」であったところが「歴史の終焉」を拒否し、敵対関係に立つ場合である。もう一つは、本来「脱歴史世界」に属すると目されていた人々や地域が先祖帰りをし、「歴史世界」に逆戻りする場合である。後者の場合、その直接的な原因は既存の自由民主政のあり方に求められざるを得ない。端的に言えば、一九八九年においてこれ以外にもはや選択肢がないとされた仕組みに自滅の仕掛けが埋め込まれていたということになる。

フクヤマの議論は民主政や資本主義の具体的なあり方（システム）の具体的な比較検討に焦点を当てたものではなく、その根源にある理性や欲望、気概といったものに焦点を当てている。したがって、システム上の問題点やリスクが関心外になるのは避けられない。現実の政治経済システムを扱う議論との関係でいえば、フクヤマの議論は哲学的なメタレベルの議論ということになる。そのため、現実のシステムに何が起ころうともその影響は限定的であるが、逆に、現実のシステムに関わる議論にとってどんな意味があるかが問われざるを得ない。

「歴史の復讐」が唱えられるなかで、「歴史の終焉」をお題目にしないためには歴史的現実との接点を点検する必要がある。実際、西欧型政治システム（自由民主政）といってもそれは多様な相貌をもち、経済システム（自由でグローバルな市場経済）もさまざまな変貌を遂げてきた。さらに重要なのはこの両者の関係の展開であって、その関係は「歴史の終焉」を担うはずの国々においても論争の的であった。そして、これらのシステムのヴァージョンアップの努力があってこそ、「歴史の終焉」を語ることが可能になったのである。今後とも、「歴史の終焉」をたんなるお題目にしないためには、これらのシステムのさらなるヴァージョンアップが必要なことは言うまでもない。とくに、この二つのシステムの関係がもっぱら両者の調和的な側面に即して議論され、この二つがあたかも一体のもののように提示してきたという印象は否定できない。そこに一九八九年の時代の勢いのなせるわざを指摘することもできよう。しかしそのことが「歴史の終焉」論をふくむフクヤマの問題提起の命運に影響し、悪くすればその陳腐化をもたらす原因になりかねないとすれば、「一九八九年の精神」のヴァージョンアップのためにも再検討が必要である。

3 歴史のなかの民主政の変遷

およそ百年前、第一次世界大戦が終わるとともに、帝国の時代は終わり、民主化の第一の波が世界を覆った。しかし、この民主化は政治的資産を積み上げるよりも前に、イデオロギー対立や深刻な経済危機の前に脆くも崩れ去った。イデオロギーと結びついた社会的分断は街頭政治の横行と代議制の空洞化を招き、そこでは暴力と象徴の巧みな操作こそが政治家のもっとも代表的なスキルとされた。戦間期の民主政の不安定さと、第二次大戦後の西側民主政の安定性とは対照的である。戦間期の不安定の一因は、金本位制を中核とした十九世紀以来の市場主導体制と民主政とのあいだの不調和にあり、この不調和は金本位制の崩壊と市場主導体制の権威の失墜によって終焉し、国家が経済活動の中心的な担い手として登場した。

第二次大戦を経て国家による経済運営の主導性は確立し、かつての自由放任主義に対して「自由のための計画」（カール・マンハイム）はいわゆる民主主義陣営でも常識化した。ファシズムが打倒され、米ソ冷戦時代に入ると、イデオロギー問題は外交の舞台に外在化され、内政問題の中心は経済問題に移った。完全雇用や福祉国家の実現などの個別政策がそこから出てくるし、労働者階級の包摂も目標になる。自由放任主義に代表される自由主義に対抗して二十世紀初頭に登場した新自由主義（アメリカではリベラリズム）がそのイデオロギー的基盤であり、政策面でのその支柱はケインズ主義であった。

この国家主導の経済体制のもと、民主政は利益政治へと変貌を遂げていく。第一に、それは膨大な数の中産階層を生み出した。トマ・ピケティその他が指摘したように、第一次世界大戦から一九七〇年代にかけて、史上類を見ない規模での不平等の是正、所得格差の縮小が起こった。第二に、利益政治は政治の散文化を通してリーダー・大衆関係を大きく変化させた。利益政治は政治を身近なものにし、利益と票との取引が政治のイメージになった。その結果、リーダーによる大衆の操作可能性が低下し、その意味で利益政治主導の民主政は観念的メッセージによって動かされにくく、安定度が高いことになる。第三に、この安定度の高さは利益政治を支える経済成長と密接不可分の関係にある。これが途絶えると利益政治の行き詰まりと統治能力の危機が訪れる。この危機が顕在化したのが、一九七〇年代のアメリカとイギリスにおいてであり、そこから国家によって主導される資本主義体制を批判するサッチャー・レーガン主義が台頭してくる。それは市場メカニズムの解放による経済成長のさらなる促進を唱え、規制の撤廃と「小さな政府」をそのキャッチフレーズとした。

一九八九年はサッチャー・レーガン革命から十年後に当たる。それは社会主義体制の解体に最後のダメ押しをし、資本主義が未踏の沃野を手に入れ、市場の真のグローバル化を実現する号砲であった。実際、安い賃金で働く膨大な労働力がこれによって供給されることになった。同時にそれは西側民主政における国民経済の空洞化と中間層のさらなる解体を意味した。やがて一九九〇年代になると中道左派の政党も国家によって規制された資本主義路線を放棄し、グローバル市場経済の支配を前提にした政策へと転換した。すなわち、「第三の道」という形でこの隊列に加わることになる。社会主義体制という利益政治体制が崩壊したところでその真空を埋めるものは、それまで社会主義によって抑圧されてきた民族であり、さながらそれは冷凍庫から解凍されてあらわれた。したがって、一九八九年は民族の解放の年であり、「一九八九年の精神」は均質的な世界の実現を企図しつつも、意図しない副産物を生み出したことになる。

4 ポピュリズムの台頭と「一九八九年の精神」

西側の先進民主政は「一九八九年の精神」の推進者としての役割を期待されていた。この役割を遺憾なく発揮したのが、冷戦終結後のヨーロッパ統合への野心的な取り組みであった。それは均質的世界を実現する実験場であった。その意味でヨーロッパは「一九八九年の精神」の命運と先進民主政の動向を占う主戦場と考えられる。アメリカや日本はグローバリゼーションの洗礼を受けたが、欧州諸国の民主政はそれに加えてEU化（ユーロ化）の洗礼も受けたのであった。冷戦の終結後、世界経済は金融市場に発する幾多の試練に直面したが、先進民主政にとっての最大の危機は二〇〇八年のリーマン・ショックであった。この危機は先進民主政の実態を改めて浮き彫りにし、その一つとしてユーロ危機（ギリシア危機）を生み出し、先進民主政の変容と内なる問題の顕在化の引き金を引くことになった。

サッチャー・レーガン路線の選択は、経済のめざましい成長と豊かさへの期待にあった。それでは、グローバリゼーションはどのような経済的成果をもたらしたのか。ブランコ・ミラノヴィチは一九八八年から二〇〇八年までの実質所得の累積の伸びにもとづいて、有名なエレファントカーブを提起した。それによれば第一に、世界の所得の中央値付近にある人々の所得が顕著な伸びを示している。中国を中心にしたアジアの国々などの「新興グローバル中間層」がそれである。第二に、「豊かな国の下位中間層」の所得はこの二十年間ほとんど増加していない。ここに属するのは日本やアメリカ、ヨーロッパの国々の中間層である。すなわち、グローバリゼーションの「最大の負け組は豊かな国々の下位中間層」であることになる。第三にもう一つの勝ち組が「グローバルな超富裕層」であり、彼らの多くは豊かな国々の人々である。したがって、豊かな国々では所得の格差がいっそう広がり、中間層は縮減傾向にある。市場メカニズムを介した利益の分配の効能という新自由主義のメッセージは、先進民主政の中核をなす中間・下位中間層にとってほとんど絵に描いた餅であることが体験学習されたということである。

リーマン・ショックはそうした彼らに追い討ちをかけた。格差問題が顕在化し、「われわれは九九％だ」「ウォールストリートを占拠せよ」といった叫びが起こり、さながら一％のために政治がおこなわれているかのような現状に対して民主政の見直し論が台頭する。二〇一六年のアメリカ大統領選挙におけるトランプ、サンダースの台頭、とくに共和党エスタブリッシュメントの惨敗とヒラリー・クリントンのまさかの敗北は、グローバリゼーション推進勢力の政治的失速を強く印象づけた。欧州ではギリシア危機が発生し、ユーロという共通の通貨を他の政治的条件の整備なしに導入した政治的なツケが一気に表面化した。結果的に各国政府は債権団の意向を実施に移す役割に転落した。公的支出の削減や高い失業率に見られるように、多くの国々において中産階級中心の「二十世紀型体制」は完全に過去のものとなった。ＥＵ自身、もともと「民主主義赤字」という問題を抱えていたこともあって、テクノクラート支配に対する各国民主政の不満が鬱積していった。そこにシリア難民の衝撃が加わった。グローバリゼーションの一要素であるヒトの移動に対する国境の垣根は、福祉排外主義からであれ、思想的反イスラムからであれ、高めるべきであるとする意見が台頭した。ポピュリストはその先頭に立ち、遺憾なくその存在感をアピールした。

先進民主政における現代のポピュリズムは、経済的・文化的グローバリズムを掲げるエリートや既成の政党を攻撃目標としていることは間違いがない。グローバリゼーションの反対派を支持基盤にもち、既成の政党が無視してきた忘れられた人々の心情や不満や疑念を政治的に資源化した。しかし、先進民主政のポピュリズムは全体的には受け身的である。それというのも彼らはグローバリゼーションの負け組であるにもかかわらず、それに代わる包括的な選択肢をもっているようには見えないからである。むしろその根底にあるのは、「かつてありし日の豊かな時代」の記憶であり、相対的になお豊かな地域でポピュリズムが台頭したのはここに原因がある。四十年前、サッチャー・レーガン路線を選んだイギリスとアメリカは、今回はどのような未来を選んだのであろうか。「アメリカをふたたび偉大に」というスローガンにはどうしてもノスタルジアしか感じられないし、「歴史世界」への退行のようにしか見えない。また、いまさら大英帝国の思い出話でもあるまい。

いずれにせよ、アリストテレス以来、民主政の基盤とされてきた中間層は浸食され、先進民主政は変質を余儀なくされている。ポピュリズムはそのうえ、みずからのアイデンティティの再確認と承認を求めている。この二重の不満を切り離し、エネルギーを削ぐためには、これまでの政治経済システムに代わる「一九八九年の精神」の第二ヴァージョンを示すことが必要である。その責任と能力を有するのは欧州連合であり、その命運は「歴史の終焉」のそれと重なる。二〇二〇年の新型コロナウイルス禍がそうした前進に向けてのきっかけになる可能性があり、たとえば、復興基金問題の行方は注目に値する。

「一九八九年の精神」は西欧型政治経済システムの絶大な権威によって、世界の均質化と平和の実現をめざす構想であった。その意味では内政に劣らず重要なのは国際関係やグローバル・ガバナンスの行方である。ポピュリズムの台頭によって国際関係は大小さまざまな緊張関係にさらされるようになり、政治的処理能力の低下が同時に進行する可能性が高い。その結果として緊張関係を促進する政治力学と抑制する力学とがバランスを失い、前者がますます加速し、危機の連鎖が「最初の人間」の再登場と世界的な大惨事につながるのを恐れるのは杞憂であろうか。

「一九八九年の精神」がその人類史的存在感を維持しようとするならば、みずからの再検討をふくめ、次なるヴァージョンの提示が必要である。その第一ヴァージョンの時代は終わったのである。

注 釈

〈はじめに〉

(1) *"The End of History?"* *The National Interest* 16 (Summer 1989) : 3-18.
(2) これらの批判のいくつかに対して先に私がおこなった反論については、"Reply to My Critics," *The National Interest* 18 (Winter 1989-90) : 21-28. を参照。
(3) ロックもそうだが、ことにMadisonは、共和政府の目的の一つが市民の誇り高い自己主張の擁護にあることを理解していた。*ibid.*, pp. 186-188 and footnote 15, pp. 160, 367.

〈第一部 なぜいま一つの歴史が終わりを告げるのか〉

1 二十世紀がもたらした最大の「歴史的教訓」

(1) Emile Fackenheim, *God's Presence in History : Jewish Affirmations and Philosophical Reflections* (New York : New York University Press, 1970), pp. 5-6.
(2) Robert Mackenzie, *The Nineteenth Century—A History*, quoted in R. G. Collingwood, *The Idea of History* (New York : Oxford University Press, 1956), p. 146.
(3) *Encyclopaedia Britannica*, eleventh edition (London, 1911), vol. 27, p. 72.
(4) Norman Angell, *The Great Illusion : A Study of the Relation of Military Power to National Advantage* (London : Heinemann 1914).
(5) Paul Fussell, *The Great War and Modern, Memory* (New York : Oxford University Press, 1975).
(6) この点については、Modris Eksteins, *Rites of Spring : The Great War and the Birth of the Modern Age* (Boston : Houghton Mifflin, 1989), pp. 176-191; and Fussell, *The Great War and Modern Memory*, pp. 18-27.
(7) Erich Maria Remarque, *All Quiet on the Western Front* (London G. P. Putnam's Sons, 1929), pp. 19-20.
(8) 引用はEcksteins, *Rites of Spring : The Great War and the Birth of the Modern Age*, p. 291.
(9) この点については、Jean-François Revel, "But We Follow the Worse…" *The National Interest* 18 (Winter 1989-1990) : 99-103.
(10) 私のそもそもの論文"*The End of History?*"に対するGertrude Himmelfarbの批判を参照。*The National Interest* 16 (Summer 1989) : 25-26. また、Leszek Kola-kowsky, "Uncertainties of a Democratic Age," *Journal of Democracy* 1 no. 1 (1990) : 47-50. を参照。

(11)傍点は筆者。Henry Kissinger, "The Permanent Challenge of Peace : US Policy Toward the Soviet Union," in Kissinger, *American Foreign Policy*, third edition (New York : Norton, 1977), p. 302.

(12)ここには現在の著述家もふくまれる。たとえば、1984年には次のような指摘がなされた。「アメリカ人のソ連研究者のあいだにはじつに一貫した傾向が存在してきた。それはソビエトの体制的欠陥を誇張しソビエト体制の効率性とダイナミズムを過小評価する傾向である」。*The American Spectator* 17 no. 4 (April 1984) : 35-37 に掲載された Robert Byrnes, ed., *After Brezhnev* に対する書評より引用。

(13)Jean-François Revel, *How Democracies Perish* (New York : Harper and Row, 1983), p. 3.

(14)Jeanne Kirkpatrick, "Dictatorships and Double Standards," *Commentary* 68 (November 1979) : 34-45.

(15)ペレストロイカやグラスノスチが実施される以前に著わされたラベルの論述に対するよい批評としては Stephen Sestanovich, "Anxiety and Ideology, " *University of Chicago Law Review* 52 no. 2 (Spring 1985) : 3-16.

(16)Revel, *How Democracies Perish*, p. 17. 民主主義と全体主義とを比較した場合、どちらがどれほどの長所短所をもっているかに関してラベルが提示した極端な図式を彼自身どの程度まで信じていたかははっきりしない。ラベルが民主主義の欠陥を嘲笑する場合の多くは、あからさまな無気力に陥っている西側民主主義者の関心を呼び起こし、こうした人々にソビエトの国家権力の脅威を示すために用いられたレトリックとして把握できる。ラベルが民主主義体制を彼自身ときおり論じたように無価値なものと思っていたなら、*How Democracies Perish* を書く必要などなかったということははっきりしている。

(17)Jerry Hough, *The Soviet Union and Social Science Theory* (Cambridge, Mass. : Harvard University Press, 1977), p. 8, Hough は続けて次のように言う。「もちろん、ソビエトにおける政治参加はどこか本物でないとか、……（中略）……どうひかえめに見てもソ連に対して多元主義という言葉は使えない、と指摘する研究者もいるだろう。……（中略）……こうした主張は私にとってまじめに議論を続けるだけの価値をもたないように思える」

(18)Hough, *The Soviet Union and Social Science Theory*, p. 5, Merle Fainsod がソビエト共産主義について論じた古典的業績である *How the Soviet Union Is Governed* を改訂した Hough は、ブレジネフ時代のソビエト最高会議を扱った章を新たにつけ加えている。そこで彼は、社会的利益が語られ擁護される場としてこの機関を積極的に評価した。1988年の共産党第19回大会以降ゴルバチョフによって新設された人民代議員大会や新最高会議の活動、また1990年以降各共和国で設立された最高会議の活動に照らして考えるとき、この本で彼がおこなっている議論は奇異に思える。*How the*

Soviet Union Is Governed (Cambridge, Mass.：Harvard University Press, 1979), pp. 363-380.

(19) James McAdams, "Crisis in the Soviet Empire：Three Ambiguities in Search of a Prediction," *Comparative Politics* 20, no. 1 (October 1987)：107-118.

(20) ソビエトにおける社会契約については、Peter Hauslohner, "Gorbachev's Social Contract, " *Soviet Economy* 3 (1987)：54-89.

(21) この点について T. H. Rigby は、共産主義国家では「目的合理性」を土台にして支配の正統性を得ていると論じている。"Introduction：Political Legitimacy, Weber and Communist Mono-organizational Systems," in T. H. Rigby and Ferenc Feher, eds., *Political Legitimation in Communist States* (New York：St. Martin's Press, 1982).

(22) Samuel Huntington, *Political Order in Changing Societies* (New Haven：Yale University Press, 1968), p. 1. また、Timothy J. Colton, *The Dilemma of Reform in the Soviet Union*, revised and expanded edition (New York：Council on Foreign Relations, 1986), pp. 119-122 に述べられている Colton の所論も参照されたい。

(23) この点についての概略は、Dankwart A. Rustow, "Democracy：A Global Revolution?" *Foreign Affairs* 69, no. 4 (Fall 1990)：75-90.

2 「強国」の致命的弱点

(1) 正統性の概念はマックス・ウェーバーによってきわめて詳細に発展させられた。よく知られるようにウェーバーは伝統的支配、合理的支配、カリスマ的支配の三つの類型を提示した。このウェーバーの三類型がナチス・ドイツやソビエトのような全体主義国家でおこなわれている支配をうまく説明するかどうかについては、これまでかなりの論争が繰り広げられてきた。この点については、たとえば Rigby and Feher, eds., *Political Legitimation in Communist States* 参照。ウェーバー自身の支配類型の議論については、Talcott Parsons, eds., *The Theory of Social and Economic Organization* (New York：Oxford University Press, 1947), pp. 324-423. を参照。全体主義国家がウェーバーの定めたカテゴリーにうまく適合しないという事実は、彼のむしろ形式的かつ人為的な理念上の類型の限界を示している。

(2) この点は Leo Strauss, "Tyranny and Wisdom," *On Tyranny* (Ithaca, N.Y.：Cornell University Press, 1963), pp. 152-153. に対するコジェーブの反応に示される。

(3) ヒトラーに対するドイツ国内の不満は 1944 年 7 月の暗殺未遂事件にはっきりとあらわれた。仮にヒトラー政権があと 2、30 年続いたなら、この不満は、ソビエトの場合と同じような広まりを見せていたことだろう。

(4) この点については、Guillermo O'Donnell and Philippe Schmitter, eds., *Transitions from Authoritarian Rule : Tentative Conclusions about Uncertatin Democracies*

(Baltimore：Johns Hopkins University Press, 1986), p. 15. を参照。

(5) この問題に関する古典的業績としては、Juan Linz, ed., *The Breakdown of Democratic Regimes：Crisis, Breakdown, and Reequilibriation* (Baltimore：Johns Hopkins University Press, 1978). がある。

(6) この引用はスイスのジャーナリストが述べたものである。Philippe C. Schmitter, "Liberation by *Golpe*：Retrospective Thoughts on the Demise of Authoritarianism in Portugal, " *Armed Forces and Society* 2, no. 1 (November 1975)：5-33.

(7) *Ibid.*,；Thomas C. Bruneau, "Continuity and Change in Portuguese Politics：Ten Years after the Revolution of 25 April 1974," in Geoffrey Pridham, ed., *The New Mediterranean Democracies：Regime Transition in Spain, Greece, and Portugal* (London：Frank Cass, 1984).

(8) Kenneth Maxwell, "Regime Overthrow and the Prospects for Democratic Transition in Portugal," in O'Donnell and Schmitter, and Laurence Whitehead, eds., *Transitions from Authoritarian Rule : Southern Europe* (Baltimore：Johns Hopkins University Press, 1986), p. 136.

(9) Kenneth Medhurst, "Spain's Evolutionary Pathway from Dictatorship to Democracy," in Pridham, ed., *The New Mediterranean Democracies : Regime Transition in Spain, Greece, and Portugal*, pp. 31-32; and Jose Casanova, "Modernaization and Democratization：Reflections on Spain's Transition to Democracy," *Social Research* 50 (Winter 1983)：929-973.

(10) José Maria Maravall and Julian Santamaria, "Political Change in Spain and the Prospects for Democracy," in O'Donnell and Schmitter, *Transitions from Authoritarian Rule：Southern Europe*, (Baltimore：Johns Hopkins University Press) 1986, p. 81. 1975年12月に実施された調査によると有権者の42.2パーセントのうち、スペインが西欧民主主義国家と足なみをそろえていくうえで必要な変革を支持すると表明した者は51.7パーセントに上った。John F. Coverdale, *The Political Transformation of Spain after Franco* (New York：Praeger, 1979), p. 17.

(11) フランコ派の頑強な抵抗にもかかわらず、1976年12月の国民投票では有権者の77.7パーセントが投票し、投票総数の94.2パーセントが支持を表明した。Coverdale, *The Political Transformation of Spain after Franco*, p. 53.

(12) Nikiforos Diamandouros, "Regime Change and the Prospects for Democracy in Greece：1974-1983," in O'Donnell and Schmitter, *Transitions from Authoritarian Rule : Southern Europe*, p. 148.

(13) 軍事の自信の欠如は、伝統的支配ヒエラルキーの復活が再主張されたことにも見られた。こうした動きは、第三軍によるクーデターの脅しともあいまって、政権の実力者デメトリオ・イオアニデス准将の権力基盤をその根底から切り崩したのである。P.

Nikiforos Diamandouros, "Transition to, and Consolidation of, Democratic Politics in Greece, 1974-1983：A Tentative Assessment," in Pridham, *The New Mediterranean Democracies：Regime Transition in Spain, Greece, and Portugal*,（London：Frank Cass）pp. 53-54.

（14）Carlos Waisman, "Argentina：Autarkic Industrialization and Illegitimacy," in Larry Diamond, Juan Linz, and Seymour Martin Lipset, eds., *Democracy in Developing Countries*, vol. 4, *Latin America*（Boulder, Colo.：Lynne Rienner, 1988）, p. 85.

（15）Cynthia McClintock, "Peru：Precarious Regimes, Authoritarian and Democratic," in Diamond et al., *Democracy in Developing Countries*, vol. 4, p. 350. なお、ペルーにおいて展開した伝統的寡頭支配階層と同国の改革政党であるアメリカ革命人民同盟（ＡＰＲＡ）との尖鋭な対立はこの時期までにかなり緩和され、1985年には「アプリスタ派」の大統領が登場するまでになった。

（16）同時期のブラジルの歴史については、Thomas E. Skidmore, *The Politics of Military Rule in Brazil, 1964-1985*（New York：Oxford University Press, 1988）, pp. 210-255.

（17）Charles Guy Gillespie and Luis Eduardo Gonzalez, "Uruguay：The Survival of Old and Autonomous Institutions," in Diamond et al., *Democracy in Developing Countries*, vol. 4, pp. 223-226.

（18）Verwoerdは1950年に内務大臣となり、1961年から1966年まで首相を務めた。彼は1920年代、ドイツで学んだことがあり、この留学中に「新フィヒテ主義」の感化を受けて帰国した。T. R. H. Davenport, *South Africa：A Modern History*（Johannesburg：Macmillan South Africa, 1987）, p. 318.

（19）引用は、John Kane-Berman, *South Africa's Silent Revolution*（Johannesburg：South African Institute of Race Relations, 1990）, p. 60. から。この発言がおこなわれたのは1987年の選挙戦においてである。

（20）本文で述べたこうした事例のなかにサダム・フセイン治下のイラクを加えることができる。20世紀に存在した他の多くの警察国家と同じくバース党が支配するイラクは、アメリカの爆撃によって軍事的に壊滅する瞬間まで、きわめて強大であると思われていた。中東最大規模を誇るイラク軍の壮大な軍事組織は、サウジアラビアについで中東第二位の埋蔵量を誇る石油資源によってまかなわれていたが、この軍隊は脆弱であることが証明された。なぜなら、結局のところイラク国民は自国の政治体制のために闘う覚悟がなかったのである。この強国は十年にも満たないうちに破滅的で必要性もない二つの戦争に突入しその弱点を示したが、もしイラクが民意を反映した民主主義国であったらこのような戦争はおこなわなかったであろう。

（21）たしかにストや抗議活動はギリシア、ペルー、ブラジル、南アフリカなどの権威主義国家における支配者の交代に一定の役割を演じた。一方、すでに見たように、対外的危機が政権崩壊を加速させた例もある。けれども、旧体制側が権力にしがみつこうと

断固たる決意をした場合には、いくらこれらの国内的・対外的諸要因が強くても政権の交代が起きるとはいえないのである。

3 あまりにも貧しすぎた「超大国」

(1) Yury, Afanaseyev, ed., *Inogo ne dano* (Moscow：Progress, 1989), p. 510.

(2) 全体主義についてスタンダードな定義を与えているのは、Carl J. Friedrich and Zbigniew Brzezinski, *Totalitarian Dictatorship and Autocracy*, second edition, (Cambridge, Mass.：Harvard University Press, 1965).

(3) Mikhail Heller, *Cogs in the Wheel : The Formation of Soviet Man* (New York：Knopf, 1988), p. 30.

(4) The Marquis de Custine, *Journey for Our Time* (New York：Pelegrini and Cudahy, 1951), p. 323.

(5) 南東ヨーロッパに位置するこうした諸国のすべてが1989年以来、同一の変化を経験している。旧共産党政権はまんまと「社会主義政党」に衣替えして、かなり公正に実施された選挙で過半数を制した。けれども、人々が民主主義をより急進的に要求するようになると、こうした旧共産党政権に対する攻撃はいっそう苛烈になってきた。この圧力はブルガリアの政権を崩壊させ、セルビアのミロシェビッチという例外はあるが、党の名称を変更することで生き残ろうとするすべての政権をひどく弱体化させている。

(6) Ed Hewett, *Reforming the Soviet Economy : Equality versus Efficiency* (Washington, D.C.：Brookings Institution, 1988), p. 38.

(7) Anders Aslund, *Golbachev's Struggle for Economic Reform* (Ithaca, N.Y.：Cornell University Press, 1989), p. 15. でAslund は、Selyunin と Khanin の統計および Aganbegyan の数値を引用している。ソ連における防衛費のＧＮＰ対比は、ＣＩＡの推定では戦後ほとんどの時期に国民純生産の15ないし17パーセントと見られていたが、Aslund はこの数値が実際にはもっと高く、25ないし30パーセントの範囲に達していたと指摘する。1990年になるとエドアルド・シュワルナゼのようなソ連のスポークスマンは、ソビエト経済全体に占める防衛支出の割合が25パーセントであるとしはじめた。

(8) *Ibid.*

(9) ソビエトの経済学者の各派の概観については、Aslund, *Golbachev's Struggle for Economic Reform*, pp. 3-8. また、Hewett, *Reforming the Soviet Economy : Equality versus Efficiency*, pp. 274-302. 中央計画経済へのソビエト国内での代表的批判としては、Gavril Popov, “Restructuring of the Economy's Management,” in Afanaseyev, *Inogo ne dano*, pp. 621-633. を参照。

(10) きわめて明白なことは、アンドロポフもゴルバチョフも権力者になったとき、どの程度までソビエト経済が停滞に陥っているかについてある程度の認識を有していたということである。そして、この二人の指導者によって実行された改革の初期の努力は、この経済的危機をなんとか回避したいとの思いが動機であったこともきわめて明白である。Marshall I. Goldman, *Economic Reform in the Age of High Technology* (New York：Norton, 1987), p. 71.

(11) ペレストロイカの過程で暴露されてきた中央集権的経済管理につきものの非能率と病理については、その大部分が1950年代に発表された著作に明らかにされている。たとえば、Joseph Berliner, *Factory and Manager in the USSR* (Cambridge, Mass.：Harvard University Press, 1957). この著作は亡命者とのインタビューをもとに書かれている。ＫＧＢはアンドロポフやゴルバチョフのような指導者が権力の座に就いたとき、同様の分析結果を提供することが十分可能だったと思われる。

(12) 実際、1985年の段階においてはゴルバチョフもスターリンの事績のすべてを賞賛している。1987年末になっても依然としてゴルバチョフは（フルシチョフと同様)、1930年代を通じてのスターリンの活動を高く評価していた。1988年になってようやくゴルバチョフは、1920年代のいわゆる「新経済政策（ＮＥＰ)」の時期にブハーリンとレーニンが提唱した限定的な自由化政策を積極的に評価しはじめた。1987年11月7日におこなわれた十月革命70周年記念祝典でブハーリンに言及したゴルバチョフの演説を参照。

(13) 実際、Aleksandr Prokhanov のように、かなりの程度体系化された反資本主義的・反民主主義的なイデオロギーを信奉しているにもかかわらず非マルクス主義者の右翼民族主義者が存在する。Aleksandr Solzhenitsyn はかつてこうした傾向をもつ者であるとして批判されたが、彼は結局のところ、批判はもちつつも実際には確固とした民主主義の擁護者であった。Aleksandr Solzhenitsyn, "How We Are to Restructure Russia," *Literaturnaya Gazeta*, no. 18 (September 18, 1990)：3-6.

(14) ロシア人は民主主義を支えられないとして非難を浴びせてきた多くの西側の人々も、ロシア嫌いの西側インテリゲンチャも、ロシア人に対して謝罪してしかるべきだと Jeremy Azrael は主張するが、私もその見解にまったく同意する。

(15) 全体主義者のもくろみが最終的に成功したかどうか、またスターリン後のソビエトやかつてソビエトの衛星国家であった東欧諸国を論じる場合、「全体主義」という言葉がうまく当てはまるかどうかについては、ソビエト研究専門家のあいだで長いあいだ論争が繰り広げられてきた。ソビエトの全体主義時代が終了した時期については Andranik Migranian, "The Long Road to the European Home," *Novy Mir* 7 (July 1989)：166-184. にも同様の指摘がある。

(16) Václav Havel et al., *The Power of the Powerless* (London：Hutchinson, 1985), p. 27. 「ポスト全体主義」という言葉は Juan Linz がブレジネフ時代のソビエト体制を論じ

るために使用したこともある。フルシチョフやブレジネフ体制下のソ連がまったく異なった種類の権威主義政権になったとするのは不正確である。Jerry Hough のような一部のソビエト専門家は 1960 年代から 70 年代にかけてソ連国内で「利益集団」および「制度的多元主義」が登場したと考えている。けれども、たとえばさまざまな経済官庁のあいだやモスクワと地方共産党組織とのあいだに一定の取り引きや妥協があったとしても、こうした取り引きはまさに国家が規定した厳しい規制のもとでおこなわれているのである。H. Gordon Skilling and Franklyn Griffiths, eds., *Interest Groups in Soviet Politics* (Princeton, N.J.：Princeton University Press, 1971); and Hough, *How the Soviet Union Is Governed*, pp. 518-529.

(17) 胡耀邦はかつて鄧小平の片腕であったが、学生たちによって中国共産党内の改革派として祭り上げられた。天安門事件の経緯については、Lucian W. Pye, "Tiananmen and Chinese Political Culture," *Asian Survey* 30, no. 4 (April 1990)：331-347. を参照。

(18) この点については、Henry Kissinger, "The Caricature of Deng as Tyrant Is Unfair," *Washington Post* (August 1, 1989), p. A 21. を参照。

(19) Ian Wilson and You Ji, "Leadership by 'Lines'：China's Unresolved Succession," *Problems of Communism* 39, no. 1 (January-February 1990)：28-44.

(20) こうした社会は実際、非常に異なった性格をもっていたので、「シノロジー（中国共産党研究）」、「ソビエトロジー（ソビエト研究）」、あるいは「クレムリノロジー（クレムリンの権力関係の研究）」など別々の分野で研究がおこなわれてきた。こうした学問は各国の市民社会について広範な関心を寄せることはなく、もっぱら政治やその想像上の主権者、そして往々にして 10 人から 12 人くらいの権力者集団によって動かされている政治に目を向けてきたのである。

4 「千年王国」の旗手

(1) *Dokumente zu Hegels Entwicklung*, ed., J. Hoffmeister (Stuttgart, 1936), p. 352.

(2) このような変化のあらましについては、Sylvia Nasar, "Third World Embracing Reforms to Encourage Economic Growth," *New York Times* (July 8, 1991), p. A1.

(3) 過去十年間にラテンアメリカに登場した革命独裁政権の支配の正統性について再考するには、Robert Barros, "The Left and Democracy：Recent Debates in Latin America," *Telos*, 68 (1986)：49-70. 現在の東欧の諸事件が左翼を混乱に陥らせた例として、André Gunder Frank, "Revolution in Eastern Europe：Lessons for Democratic Social Movements (and Socialists?)," *Third World Quarterly* 12 no. 2 (April, 1990)：36-52. を参照。

(4) James Bryce, *Modern Democracies*, vol. I (New York：Macmillan, 1931), pp. 53-54.

(5) 英米をふくめた大部分の民主主義国家において選挙権の拡大は漸進的であった。現在

の民主主義国家の多くが20世紀のかなり遅くまで成人普通選挙権を認めていなかったのである。けれども、それ以前でもこれらの国家を民主主義国とすることには十分な根拠があった。James Bryce, *Modern Democracies*, vol. I (1931), pp. 20-23.

(6) 18世紀的な民主主義の定義に対するシュムペーターの留保条件を受け入れ、われわれは民主主義とは「政治指導者になりたい者が選挙民の投票を獲得しようとしておこなう自由競争」であるとする彼の考えに同意できる。Joseph Schumpeter, *Capitalism, Socialism, and Democracy* (New York : Harper Brothers, 1950), p. 284. また、Huntington の民主主義の定義も参照のこと。Samuel Huntington, "Will More Countries Become Democratic?" *Political Science Quarterly* 99. no. 2 (Summer 1984) : 193-218.

(7) 1989年の東欧革命後、エジプトやヨルダンのような中東諸国では民主主義の拡大への圧力が強い。けれども、この地域ではイスラム教が民主化の重大な障壁となっている。1990年にアルジェリアでおこなわれた地方選挙で証明され、また1980年代にはイランでも証明されたように、民主化の進展が自由主義化の拡大をもたらすとは限らないのである。なぜなら民主化は、一種の大衆的な神権政治を望むイスラム原理主義者を権力の座につけるからである。

(8) イラクはイスラム国家であるが、サダム・フセインが支配するバース党は明らかに世俗的なアラブ民族主義者の組織である。クウェート侵略後、フセインはイスラム教信徒の衣をまとって見せようとした。だが、イラン・イラク戦争の最中に熱狂的なイスラム国家であるイランに対し自分を世俗的価値の擁護者として描こうとしたかつての努力に照らせば、これは偽善である。

(9) テロリストによる爆弾攻撃や銃弾によってリベラルな民主主義に挑戦することは可能だが、それは重大であっても本質的な挑戦とはならない。

(10) リベラルな民主主義に代わる有効な選択肢はないとする私の論文「歴史の終わり」("*The End of History?*") の示唆に対しては多くの人から憤りに満ちた批判がおこなわれた。彼らはイスラム原理主義や国家主義、ファシズムその他多くの可能性を指摘したのである。だがこれらの批判者のうち誰ひとりとしてそれらの選択肢がリベラルな民主主義より「優越」していると信じてはいなかった。また論文をめぐる論争のなかでも、私の気づくかぎり誰ひとりとして、自分がよりよいと考えている別の社会組織形態を指し示してはくれなかった。

(11) こうした状況のさまざまな相違については次の論文に示されている。Robert M. Fishman, "Rethinking State and Regime : Southern Europe's Transition to Democracy," *World Politics* 42, no. 3 (April 1990) : 422-440.

(12) この表は次の論文を基礎としていくつかの修正を施して作成したものである。Michael Doyle, "Kant, Liberal Legacies, and Foreign Affairs," *Philosophy and Public Affairs* 12 (Summer 1983) : 205-235. ある国がリベラルな民主主義国家とみなされる

ための条件として Doyle は、市場経済、代議制政府、対外主権、法的諸権利などを挙げている。人口が百万人以下の国家はこの表から除外してある。

この表にあるいくつかの国家をリベラルな民主主義国家にふくめることに対しては異論もあるだろう。たとえば、ブルガリア、コロンビア、エルサルバドル、ニカラグア、メキシコ、ペルー、フィリピン、シンガポール、スリランカ、トルコはアメリカの人権団体フリーダム・ハウスの評価によれば、「部分的に自由」な国家にすぎない。その理由は最近実施された国政選挙が公正であったか否かについて疑問があったり、個人の人権を国家が十分に保護していなかったりするためである。また民主主義からの逆行現象を示した国家もある。タイは1990年以降、民主主義国家ではなくなっている。一方、この表にふくまれていない国でも1991年に民主主義国家となり、または近い将来自由選挙を予定している国は数多い。Freedom House Survey, *Freedom at Issue* (January-February 1990).

(13) このためアテネの民主制は表現の自由を現実に行使し、青少年を堕落させた罪によって、アテネでもっとも有名な市民、つまりソクラテスを処刑することができた。

(14) Howard Wiarda, "Toward a Framework for the Study of Political Change in the Iberio-Latin Tradition," *World Politics* 25 (January 1973) : 106-135.

(15) Howard Wiarda, "The Ethnocentricism of the Social Science [sic] : Implications for Research and Policy," *Review of Politics* 43, no. 2 (April 1981) : 163-197.

〈第二部　幻想のうちに崩壊した「自由の王国」〉

1　人間にとって「普遍的な歴史」とは何か

(1) Nietzsche, *The Use and Abuse of History* (Indianapolis : Bobbs-Merrill, 1957), p. 55.

(2) 歴史の父といわれるヘロドトスは、現実にはギリシアやギリシア以外の諸社会を百科事典的に記述しただけで、誰の目にも明らかなこうした諸社会に共通している関連性にはほとんどふれていない。

(3) 『国家』第7巻、543c-569c. また、『政治学』第8巻、1301a-1316b.

(4) この点については、Leo Strauss, *Thoughts on Machiavelli* (Glencoe, Ill. : Free Press, 1958), p. 299.

(5) 普遍的な歴史を記述しようとする過去の試みに関する二つのきわめて異なった視点については、J. B. Bury, *The Idea of Progress* (New York : Macmillan, 1932); and Robert Nisbet, *Social Change and History* (Oxford : Oxford University Press, 1969).

(6) キリストの生誕年で紀元前と紀元後を分ける現在の年号記述方法は、いまではキリスト教圏以外の世界にも広く受け入れられているが、この方法は7世紀のキリスト教歴史家であった Isidor da Sevilla の著作に遡る。R. G. Collingwood, *The Idea of History* (New York : Oxford University Press, 1956), p. 49, 51.

(7) 近代初期における普遍的な歴史の記述の試みとしては、Louis Le Roy, *De la vicissitude ou variété des choses en l'univers.* さらにこの1世紀後のBossuet, *Discours sur l'histoire universelle.* (Paris : F. Didot, 1852). がふくまれる。この点についてはBury, *The Idea of Progress*, pp. 37-47. を参照。

(8) Nisbet, *Social Change and History*, p. 104. から引用。またBury, *The Idea of Progress*, pp. 104-111. 参照。

(9) Nisbet, *Social Change and History*, pp. 120-121.

(10) カントの論文における議論についてはCollingwood, *The Idea of History*, pp. 98-103を参照した。また、William Galston, *Kant and the Problem of History* (Chicago : University of Chicago Press, 1975) ことに同書の205～268ページを参照。

(11) "An Idea for a Universal History from a Cosmopolitan Point of View," in Immanuel Kant, *On History* (Indianapolis- : Bobbs-Merrill, 1963), pp. 11-13.

(12) *Ibid.*, p. 16.

(13) *Kant*, "Idea" pp. 23-26.

(14) 経験主義的で実証主義的な伝統のもとでは、ヘーゲルの皮相的な誤読の例は数多い。たとえば、

しかし、ヘーゲルに関していえば、私はヘーゲルが有能であったとは思えない。ヘーゲルは難解な著作家である。ヘーゲルを熱心に擁護する者でさえ、ヘーゲルの文体が「疑いもなく読むに耐えない」ことは認めるに違いない。しかも、その著作の内容に関してみれば、オリジナリティが完全に欠如しているところだけが人後に落ちないのである。……（中略）……ヘーゲルは人から借用した思想や方法を明敏さのひとかけらも感じさせずに、ひたすら単一の目的のため使用している。つまり、開かれた社会に抵抗し、ヘーゲルの主人であったプロシア王フレデリック・ウィルヘルムに仕えるために用いたのだ。……（中略）……そしてヘーゲルの物語はすべて、道化がいかにたやすく「歴史のつくり手」になれるかを示すといういっそう不吉な結果を招くために存在したようなもので、さもなければまったく論じる価値すらないのである。

——Karl Popper, *The Open Society and Its Enemies* (Princeton, N. J. : Princeton University Press, 1950), p. 227.

ヘーゲルの形而上学に従えば、真の自由は恣意的な権威への従属のなかにあり、自由な発言は悪であり、そして絶対君主制は善であり、プロシア国家はヘーゲルが著述をおこなった時点で最良の存在であり、戦争は善、紛争を平和裡に調停する国際的機関が成立すれば不幸を生む、ということになる。

——Bertrand Russell, *Unpopular Essays* (New York : Simon & Schuster, 1951), p. 22.

ヘーゲルが自由主義者であるということを否定する伝統は Paul Hirst にも引き継がれている。

ヘーゲルの『法の哲学』を熟読した者であれば、ヘーゲルを自由主義者と混同するはずがない。ヘーゲルの政治理論は、1806 年のイエナの会戦での敗北ののち実施された改革がいきすぎだと感じたプロシア保守主義者の見解にもとづいている。"Endism", *London Review of Books*, (November 23, 1989)

(15) この点は Galston, *Kant and the Problem of History*, p. 261. に見られる。

(16) この引用はヘーゲルの歴史学講義からの抜粋であり、*The Philosophy of History* trans. Sibree (New York：Dover Publications, 1956), pp. 17-18. に見ることができる。

(17) *Ibid.*, p. 19.

(18) ヘーゲルが権威主義者であったとする従来の見解を修正するよい手引きとしては、Shlomo Avineri, *Hegel's Theory of the Modern State* (Cambridge：Cambridge University Press, 1972) および Steven B. Smith, "What is 'Right' in Hegel's Philosophy of Right?," *American Political Science Review* vol. 83, no. 1, (March 1989)：3-18. ヘーゲルがいかに誤解されてきたかをいくつか例に挙げよう。ヘーゲルが君主制を支持したことは事実としても、『法の哲学』の 275 － 286 節で述べられている彼の君主の概念は現代の国家元首と近いし、現存の立憲君主像とも矛盾しない。ヘーゲルは、自分の時代のプロシア王政を正当化するどころか、一般にはわからない形で現実政治を批判していた、と彼のテキストは読める。ヘーゲルが直接選挙に反対し、社会組織の階級化を支持したのは事実である。けれどもそれは、人民主権の原理自体への反対から生じたものではない。ヘーゲルのコーポラティズムはトクビルの「協調の技術」に対応するものとして理解できる。巨大な近代国家では、政治参加は一連の小規模な組織を通じておこなわれてこそ能率的かつ有意義なものになる。ある階級に所属する場合にも、出自ではなく職業が基準となるし、その階級は万人に開かれているのである。また、ヘーゲルが戦争を賛美していたとする見解については第 5 部参照。

(19) ヘーゲル体系の非決定論的側面を強調したヘーゲル論としては、Terry Pinkard, *Hegel's Dialectic：The Explanation of Possibility* (Philadelphia：Temple University Press, 1988). を参照。

(20) Hegel, *The Philosophy of History*, pp. 318-323.

(21) ここでいう「歴史主義」は、Karl Popper が *The Poverty of Historicism* をはじめとする著作で述べた用語とは異なる。Popper はいつものように洞察力を欠いたやり方で、歴史主義を、歴史的過去から将来を予測するための口実として用いている。こうした Popper の説明では、不変かつ根元的な人間性の存在を信じたプラトンのような哲学者もヘーゲルと同じ「歴史主義者」となってしまう。

(22)ルソーの『人間不平等起原論』は人類の歴史的記述であり、人間の欲望の性格が時代とともに抜本的に変化することを示している。

(23)このことは何よりも、人間が、他の自然を支配する物理法則のたんなる従属物ではないことを示している。ところが大部分の近代社会科学は、人間研究が自然科学研究に吸収され得ると仮定していた。それは、人間の本質が自然の本質と異なってはいないとされたためだ。社会科学が「科学」として広く受け入れられていないそもそもの原因は多分この仮定にあるだろう。

(24)人間的な欲望の性格が変化し得ることについてのヘーゲルの議論は『法の哲学』190－195節を参照。

(25)ヘーゲルは消費文化についてこう考えていた。「イギリス人のいう『快適さ』とははてしなく尽きることのないものである。ある時点において快適であるもの（と諸君が考えているもの）はじつはそれほどでない（と第三者は発見する）。こうした発見はやむことなく続く。したがって、より大きな快適さへの要求は諸君自身の内から直接に生じるのではない。この要求を作り出すことで利益を得ようとする第三者が諸君にほのめかしているのである」（傍点は筆者）『法の哲学』191節注解を参照。

(26)こうしたマルクス解釈は György Lukács, *History and Class Consciousness* が出版されたため流行した。

(27)この点については、Shlomo Avineri, *The Social and Political Thought of Karl Marx* (Cambridge：Cambridge University Press, 1971) を参照。

(28)コジェーブの高等研究院での講義は *Introduction à la lecture de Hegel* (Paris：Gallimard, 1947) に収録されている。英語への翻訳は James Nichols, *Introduction to the Reading of Hegel* (New York：Basic Books, 1969). がある。コジェーブの学生には次世代に有名人となった者も多く、Raymond Queneau, Jacques Lacan, Georges Bataille, Raymond Aron, Eric Weil, Georges Fessard, Maurice Merleau-Ponty などがいる。こうした人名の完全なリストが必要であれば Michael S. Roth, *Knowing and History* (Ithaca, N.Y.：Cornell University Press, 1988), pp. 225-227. 参照。コジェーブに関しては、Barry Cooper, *The End of History：An Essay on Modern Hegelianism* (Toronto：University of Toronto Press, 1984).

(29)Raymond Aron, *Memoirs* (New York and London：Holmes and Meier, 1990), pp. 65-66.

(30)「このとき（1806年）から何か起こったであろうか。何も起こってはいない。ただ諸地域の調整作業があっただけだ。中国革命はナポレオン法典の中国への導入にすぎない」。*La quinzaine litteraire*, June 1-15, 1968. のインタビュー記事。これは Roth, *Knowing and History*, p. 83. から引用した。

(31)Kojève, *Introduction à la lecture de Hegel*, p. 436.

(32)コジェーブ自身を自由主義者と見なすにはいくつかの問題がある。コジェーブはし

ばしばスターリンを強く支持しているし、1950年代のアメリカとソビエトと中国との間に本質的相違はないと強調しているからである。「アメリカ人が裕福な中国人やソビエト人のように見えるとしたら、それはまさにロシア人や中国人が依然として貧乏ながら急速に豊かになりつつあるアメリカ人のようだからである」とコジェーブは言っている。けれども、その同じコジェーブがＥＣとブルジョアの国フランスの忠実な官吏であり、こう考えていた。「実際、『階級なき社会』の全構成員は、今後自分にとってよいと思われるものを何でも手に入れることができ、しかも望む以上に働く必要がない。この点から考えると、アメリカはすでにマルクス主義的『共産主義』の最終段階に達している」。戦後のアメリカやヨーロッパでは確かにスターリン主義ロシア以上に完全な形で「普遍的な承認」が実現した。このことがスターリニストではなくリベラリストとしてのコジェーブのイメージを強めている。*ibid.*, p. 436.

(33) Max Beloff, "Two Historians, Arnold Toynbee and Lewis Namier," *Encounter* 74 (1990)：51-54.

(34) 近代化理論について権威ある定義を与えてくれる教科書は一冊もないし、時代が進むにつれ、もともとの理論からの変種が数多くあらわれてきた。Daniel Lerner, *The Passing of Traditional Society* (Glencoe, Ill.：Free Press, 1958) を別とすれば、近代化理論は Talcott Parsons の一連の業績、ことに *The Structure of Social Action* (New York：McGraw-Hill, 1937)、Edward Shils との共同編集による *Toward a General Theory of Action* (Cambridge Mass.：Harvard University Press, 1951)、そして *The Social System* (Glencoe, Ill：Free Press, 1951) に詳しく述べられている。彼の見解が手短かに比較的わかりやすい形でまとめられているのは、"Evolutionary Universals in Society", *American Sociological Review* 29 (June 1964)：339-357. 彼の学問を受け継ぐものとして、アメリカ社会科学研究会議がスポンサーになって1963年から75年にわたって刊行された9巻の著作集がある。第1巻は Lucian Pye, *Communications and Political Development* (Princeton, N.J.：Princeton University Press, 1963)、最終巻は Raymond Grew, *Crises of Political Development in Europe and the United States* (Princeton, N.J.：Princeton University Press, 1978) である。この著作集の刊行の経緯のあらましについては、Myron Weiner and Samuel Huntington, eds., *Understanding Political Development* (Boston：Little, Brown, 1987) に収められた Samuel Huntington と Gabriel Almond の論文および Leonard Binder, "The Natural History of Development Theory," *Comparative Studies in Society and History* 28 (1986)：3-33 を参照のこと。

(35) Karl Marx, *Capital*, vol. 1, trans. S. Moore and E. Aveling (New York：International Publishers, 1967), p. 8.

(36) たとえば Lerner, *The Passing of Traditional Society*, p. 46. を参照。

(37) そこでの経済発展の概念はきわめて直観的であるけれども、「政治発展」の概念につ

いてはさほどでもない。「政治発展」という概念が意味するのは政治組織の歴史的形態のヒエラルキーであり、それは多くのアメリカ人社会科学者にとっては、リベラルな民主主義へと収斂していくものなのである。

(38) したがって、アメリカの政治科学専攻の大学院で使用されている標準的な統計テキストは次のように述べられている。「政治発展に関する文献では、民主的多元主義体制の安定性が随所で説かれ、ゆるやかな変化が強調されている。……（中略）……アメリカの社会科学は急進的かつ根本的な体制変動に対処する概念をもたないまま、秩序への規範的な熱意を吹き込まれてきたのである」。James A. Bill and Robert L. Hardgrave, Jr., *Comparative Politics : The Quest for Theory* (Lanham, Md. : University Press of America, 1973), p. 75.

(39) Mark Kesselman, "Order or Movement? The Literature of Political Development as Ideology," *World Politics* 26, no. 1 (October 1973) : 139-154. Howard Wiarda, "The Ethnocentrism of the Social Science (*sic*) : Implications for Research and Policy," *Review of Politics* 43, no. 2 (April 1981) : 163-197.

(40) この線に沿った批判としては他に、Joel Migdal, "Studying the Politics of Development and Change : The State of the Art" in Ada Finifter, ed., *Political Science : The State of the Discipline* (Washington, D.C. : American Political Science Association, 1983), pp. 309-321; and Nisbet, *Social Change and History*.

(41) Gabriel Almond は近代化理論の概説のなかで、自民族中心主義であるとの批判に答えながら Lucian Pye の *Communications and Political Development* のなかの「文化的相対主義の教育が広く行き渡った結果、社会問題に関心をもつ人々はもはや『進歩』や『文明の発展段階』といった信念をほのめかすいかなる概念にも我慢できなくなった」という一文を引用している。Weiner and Huntington, *Understanding Political Development*, p. 447.

2　歴史に見る人間の「欲望」のメカニズム

(1) 現在でもこのような循環理論を支持する者はいる。私の論文「歴史の終わり」(*"The End of History?"*) に対して Irving Kristol が加えた批判を参照。*The National Interest* 16 (Summer 1989) : 26-28.

(2) 近代自然科学の累積的で進歩的な性格については Thomas Kuhn が批判している。彼は科学における変化の不連続的かつ革命的な性格を指摘した。Kuhn のもっとも急進的な主張では、自然に対する「科学的」知識の可能性をまったく否定している。科学者が自然を理解するために使用する「パラダイム」は最終的にはすべて役に立たなくなる、というのがその理由だ。つまり、相対性理論はニュートン理論がすでに打ち立てた真理にたんに新しい知識を加えたのではなく、ニュートン理論全体を根本的に

誤ったものにしてしまったというのである。

しかし、Kuhn の懐疑主義をわれわれの当面の議論に適用することはできない。なぜなら科学的パラダイムは遠大かつ一貫した歴史的結果を生むというような究極的には認識論上の意味において「真理」である必要がないからだ。科学的パラダイムはたんに自然現象をうまく予言できたり人間が自然現象をうまく統御するのに使用できればよいのである。ニュートン力学が光速に近い速度においては機能せず、原子力や水爆を開発する十分な基礎にならなかったからといって、地球上の航行法や蒸気機関や長距離射撃など自然の他の側面を支配する手段として不適当だというわけではない。さらにいえば、さまざまなパラダイムのなかには人間によってではなく自然によって確立された一つのヒエラルキー的な秩序がある。たとえば、ニュートンの運動法則の発見以前には相対性理論を発見することは不可能なのである。パラダイム間に存在するこうした秩序が科学的知識の進展に一貫性と単一性をもたらしている。Thomas S. Kuhn, *The Structure of Scientific Revolution*, second edition (Chicago : University of Chicago Press, 1970) のとくに pp. 95-110, 139-143, 170-173. を参照。Kuhn 批判についての概観は、Terence Ball, "From Paradigms to Research Programs : Toward a Post-Kuhnian Political Science," *American Journal of Political Science* 20, no. 1 (February 1976) : 151-177. を参照。

(3) 技術的に進歩の遅れた国家が技術の進歩した国家を「打ち破った」例は存在する。たとえばベトナムとアメリカ、アフガニスタンとソビエトの場合がそうだ。けれどもこれらの敗北の原因は、米ソがそれぞれまったく違ったものながら政治的危機を抱えていたことに求められる。したがって、この二つの戦争でも科学技術が米ソに軍事的勝利の潜在的可能性を与えていたことは疑う余地がない。

(4) Samuel Huntington, *Political Order in Changing Societies* (New Haven, Conn. : Yale University Press, 1968), pp. 154-156. を参照。また、この点については Walt Rostow, *The Stages of Economic Growth : A Non-Communist Manifesto* (Cambridge : Cambridge University Press, 1960), pp. 26-27, 56. でも述べられている。

(5) Huntington, *Political Order in Changing Societies*, pp. 122-123.

(6) トルコと日本の近代化プロセスの比較については、Robert Ward and Dankwart Rustow, eds., *Political Development in Japan and Turkey* (Princeton, N.J. : Princeton University Press, 1964). を参照。

(7) プロシアの改革については Gordon A. Craig, *The Politics of the Prussian Army 1640-1945* (Oxford : Oxford University Press, 1955), pp. 35-53. また、Hajo Holborn, "Moltke and Schlieffen : The Prussian-German School," in Edward Earle, ed., *The Makers of Modern Strategy* (Princeton, N.J. : Princeton University Press, 1948), pp. 172-173. を参照。

(8) Alexander Gerschenkron, *Economic Backwardness in Historical Perspective*

(Cambridge, Mass.：Harvard University Press, 1962), p. 17. このような国家主導の「上からの改革」はもちろん諸刃の剣である。伝統的あるいは封建的な制度を破壊する一方で、官僚的専制政治の「近代的形態」を生み出す。Gerschenkron の指摘によればピョートル大帝の場合、近代化の結果、ロシアの農奴に対する管理はいっそう厳格になったという。

(9) 軍部主導の近代化の事例はほかにも数多く存在する。中国における「百日天下」(戊《ぼ》戌《じゅつ》の政変)は日清戦争での敗北が原因であった。また、1920年代におけるレザー・シャー・パーレビーによるイランの諸改革は1917年から18年にかけてのソビエトとイギリスの侵略が原因であった。

(10) しかし、前参謀幕僚であるオガルコフ将軍のようなソビエトの上級将官は決して急進的な経済改革や軍事面でのイノベーションを妨げる諸問題の解決策としての民主化を容認しなかった。1985年から86年にかけてゴルバチョフはおそらく、それ以降の時期にくらべて、軍事的競争力の維持という面にいっそう大きな関心をはらっていた。ペレストロイカの目的が急進性を増していくにしたがって、軍事力整備の目標は国内においてより頑強な挑戦を受けるようになっていった。1990年代の初頭においてソビエト経済が劇的に弱体化したのは改革過程自体の帰結であり、この結果、軍事的競争力はますます弱まった。経済改革の必要性に関するソビエト軍部の見解を説明したものとして、Jeremy Azrael, *The Soviet Civilian Leadership and the Military High Command, 1976-1986* (Santa Monica, Calif.：The RAND Corporation, 1987), pp. 15-21.

(11) こうした点の多くはV. S. Naipaul, *Among the Believers* (New York：Knopf, 1981)に述べられている。

(12) Nathan Rosenberg and L. E. Birdzell, Jr., "Science, Technology, and the Western Miracle," *Scientific American* 263, no. 5 (November 1990)：42-54. 18世紀の一人当たり所得については David S. Landes, *The Unbound Prometheus*：*Technological Change and Industrial Development in Western Europe from 1750 to the Present* (New York：Cambridge University Press, 1969), p. 13.

(13) 科学技術とその基礎である自然法則はこの変化のプロセスにある種の規則性と一貫性を与えるが、それはマルクスやエンゲルスが折にふれて指摘したような機械的なやり方で経済発展の性格を決定するものではない。たとえば、Michael Piore と Charles Sabel が論じるところでは、19世紀以来生産に対する職人的パラダイムを犠牲にしつつ画一化された製品の大量生産ときわめて狭い職業の専門化を強調してきたアメリカ的な産業構造は、必ずしも必要なものではなく、ドイツや日本のように異なった民族的伝統をもつ国ではアメリカのような規模で採用されてはこなかったという。Michael Piore and Charles Sabel, *The Second Industrial Divide* (New York：Basic Books, 1984), pp. 19-48, 133-164.

(14)本書では「分業」というよく知られた言葉の代わりに「労働の組織化」という言葉を使用する。分業という言葉は手作業が精神をまひさせるような単純労働へとますます分割していくことを意味するようになってきたためである。こうした労働作業の分割は工業化の過程で発生するが、科学技術の他の面での発展によってこうした分割過程は逆転し、手作業がより知的な内容をふくんだ複雑な作業に置き換えられる傾向が出てきた。工業化した世界では労働者はたんなる機械の付属物になるというマルクスの見解は、一般的にいってこれまでのところ現実と食い違っているのである。

(15)一方、専門化された新しい仕事の増加は、科学技術が生産過程への新たな応用を意味している。アダム・スミスが『国富論』で主張したのは、単一の単純な仕事に専心すればしばしば機械生産の新しい可能性が開けるということであった。こうした機械生産によって職人はこれまでいろいろな仕事に振り向けてきた注意力を一つに集中することができるようになるとされたのである。この結果、分業はしばしば新しい技術の創出をもたらし、また技術が分業を生むようになるのである。Adam Smith, *An Inquiry into the Nature and Causes of the Wealth of Nations*, vol. 1 (Oxford：Oxford University Press, 1976), pp. 19-20.

(16)Charles Lindblom は1970年代後半にはアメリカ国民の半数が民間部門の官僚システムのもとで労働し、ほかにも1300万人が連邦や州や地方自治体で働いている点を指摘している。Charles Lindblom, *Politics and Markets：The World's Political-Economic Systems* (New York：Basic Books, 1977), pp. 27-28.

(17)マルクスは機械生産を分業に従属させたアダム・スミスの見解が正しいと認めているが、マルクスがこのことを認めるのは18世紀後半のマニュファクチュアの時代まで、つまり機械が生産手段の主流になっていない時期までである。Marx, *Capital*, vol. 1, p. 348.

(18)『ドイツ・イデオロギー』におけるこの有名なビジョンは、まともには受け取りがたい。分業制廃止の経済的影響は考慮しないとしても、こうしたディレッタントな生活を満足させることはできそうにない。

(19)この点についていえば、ソビエトは全体としてまだ分別をわきまえてきてはいるが、「共産党員」であることと「専門家」であることとを両立させる際の心理的抵抗はやはり見られた。Maurice Meisner, "Marx, Mao, and Deng on the Division of Labor in History," in Arif Dirlik and Maurice Meisner, eds., *Marxism and the Chinese Experience* (Boulder, Colo.：Westview Press, 1989), pp. 79-116.

(20)Durkheim は、分業の概念が生物学にますます応用されてきており、人間以外の有機体組織の特徴づけに用いられているという。また彼によれば、このような現象のもっとも基本的事例は子供を産む場合の雌雄の生物学的分業であるという。*The Division of Labor in Society* (New York：Free Press, 1964), pp. 39-41. また、分業の起源についてのカール・マルクスの議論については Marx, *Capital*, vol. 1, pp. 351-352.

(21) 大規模で中央集権化された官僚組織は中国やトルコで見られたような前近代的な帝国の特徴である。しかしながら、こうした官僚組織は経済的効率性を最大にすることを目的として設立されたものではなく、それゆえに停滞した伝統的社会と両立し得るものであった。
(22) もちろんこうした革命は、土地改革という形の意識的な政治介入によってしばしば利益を受ける。
(23) Juan Linz, "Europe's Southern Frontier : Evolving Trends toward What?," *Daedalus* 108, no. 1 (Winter 1979) : 175-209.

3 歴史は決して「逆流」しない

(1) つまりルソーは、ホッブズやロックとは異なり、攻撃性が人間にとって自然なものではなく、そもそも自然状態の一部でもないと論じている。ルソーのいう自然人は欲求がほとんどなく、わずかに存在している欲求も比較的容易に満足させることができるため、隣人からものを奪ったり隣人を殺害したりする理由も、そして実際のところ市民社会に暮らす理由もないのである。*Discours sur l'Origine, et les Fondamens de l'inégalité parmi les Hommes in Oeuvres Complètes*, vol. 3 (Paris : Éditions Gallimard, 1964), p. 136 を参照。
(2) この自然の完全性がもつ意味とルソーの *sentiment de l'existence* についての議論のためには、Arthur Melzer, *The Natural Goodness of Man* : On the System of Rousseu's Thought (Chicago : University of Chicago Press, 1990) のとくに pp. 69-85. 参照。
(3) Bill McKibben, *The End of Nature* (New York : Random House, 1989) によると、われわれは人間の活動では手をふれることも操作することもできなかった自然の領域をいまはじめて除去しかけているという。この観察はもちろん正しいが、この現象のはじまりをせいぜい400年前としているのは問題である。原始的な部族社会も自然的住環境を変えてきた。つまり部族社会と現代の科学技術社会との相違は程度の問題にすぎない。とはいえ自然を征服し人間の善のために操作しようとする試みは近代初期の科学革命における核心であった。こうした操作を原理的に批判しようというのはやや遅きに失している。今日われわれが目の前にしている「自然」は――エンジェルス国立森林公園であれアディロンダック山地の踏み分け道であれ――多くの点でエンパイアステート・ビルディングやスペースシャトルと同じように人工的なものなのである。
(4) われわれは当面、近代自然科学やそれがもたらした経済発展が善であるとは仮定せずに災厄の可能性について改めて判断を下さねばならない。もし、歴史を悲観する者が正しいならば、近代のテクノロジーが人間をより幸福にするものではなく、むしろ人

間の支配者や破壊者となってしまっているならば、いわば過去を清算し人類にもう一度再出発をはじめさせる大災厄の可能性は、自然の苛酷さの表現というよりも自然の慈愛のあらわれというべきであろう。これがプラトンやアリストテレスのような古典的政治哲学者の見解である。彼らは自身の著作をふくめてすべての人間の発明物は結局、人類があるサイクルから次のサイクルに移るとき失われてしまうと冷静に考えていた。この点については Strauss, *Thoughts on Machiavelli*, pp. 298-299.

(5) Strauss は言う。「戦争の技術にふさわしい発明が奨励されるべきだと認めることはむずかしい。この点が唯一、古典的政治哲学へのマキャベリの批判に根拠を与えたのである」。*ibid*., p. 299.

(6) これに代わる解決策は、国際的な国家システムをやめて、危険な科学技術を禁止したり科学技術の制限について真にグローバルな合意を締結するような世界政府をつくることである。だが、大災厄後の世界でさえもこうした協定を結ぶには多くの困難がつきまとうし、それを別にしても、科学技術発展の問題は必ずしも解決できないであろう。犯罪者集団や民族解放組織などの不満分子は依然として科学的研究法を利用でき、ひいてはそれが国内での技術開発競争につながっていくのである。

4 社会進歩のメカニズムと資本主義体制

(1) Deutscher ら社会主義を通じて西洋と東洋とが一つとなると考えている著述家については、Alfred G. Meyer, "Theories of Convergence," in Chalmers Johnson, ed., *Change in Communist Systems* (Stanford, Calif. : Stanford University Press, 1970), pp. 321ff.

(2)「高度大衆消費社会」は Walt Rostow が *The Stages of Economic Growth : A Non-Communist Manifesto* で作り上げた言葉であり、「情報化時代」は Zbigniew Brzezinski が *Between Two Ages : America's Role in the Technetronic Era*, (New York : Viking Press, 1970) で使用し、また「脱工業化社会」は Daniel Bell のものである。Bell については、"Notes on the Post-Industrial Society" I and II, *The Public Interest* 6-7 (Winter 1967a) : 24-25 and (Spring 1967b) : 102-118. を参照。「脱工業化社会」の概念の起源についての彼の記述は、*The Coming of Post-Industrial Society* (New York : Basic Books, 1973), pp. 33-40.

(3) Bell, "Notes on the Post-Industrial Society I," p. 25.

(4) この数字は Lucian W. Pye, "Political Science and the Crisis of Authoritarianism," *American Political Science Review* 84, no. 1 (March 1990) : 3-17.

(5) こうしたより古くからある産業の場合でさえ、社会主義経済は製造工程の近代化にあたって資本主義体制にはるかに及ばなかったのである。

(6) この数字は Hewett, *Reforming the Soviet Economy : Equality versus Efficiency*, p.

192. を参照。

(7) Jeremy Azrael, *Managerial Power and Soviet Politics* (Cambridge, Mass.：Harvard University Press, 1966), p. 4 で Aron を引用している。Azrael はこの点に関して、Otto Bauer, Isaac Deutscher, Herbert Marcuse, Walt Rostow, Zbigniew Brzezinski, Adam Ulam なども引用している。また、Allen Kassof, "The Future of Soviet Society," in Kassof, ed., *Prospects for Soviet Society* (New York：Council on Foreign Relations, 1968), p.501. を参照。

(8) 産業のいっそうの成熟化への要求に対してソビエト体制がいかに適応してきたかについては、Richard Lowenthal, "The Ruling Party in a Mature Society," in Mark G. Field, ed., *Social Consequences of Modernization in Communist Societies* (Baltimore：Johns Hopkins University Press, 1976).

(9) Azrael, *Managerial Power and Soviet Politics*, pp. 173-180.

(10) 中国についてこの点を検討したものとして、Edward Friedman, "Modernization and Democratization in Leninist States：The Case of China," *Studies in Comparative Communism* 22, nos. 2-3 (Summer-Autumn 1989)：251-264.

5 自由市場経済の圧倒的勝利

(1) 引用は、Lucian W. Pye, *Asian Power and Politics : The Cultural Dimensions of Authority* (Cambridge, Mass.：Harvard University Press, 1985), p. 4.

(2) V.I. Lenin, *Imperialism : The Highest Stage of Capitalism* (New York：International Publishers, 1939)

(3) それらのあらましについては、Ronald Chilcote, *Theories of Comparative Politics : The Search for a Paradigm* (Boulder, Colo.：Westview Press, 1981); James A. Caporaso, "Dependence, Dependency, and Power in the Global System：A Structural and Behavioral Analysis," *International Organization* 32 (1978)：13-43, and idem, "Dependency Theory：Continuities and Discontinuities in Development Studies," *International Organization* 34 (1980)：605-628; and J. Samuel Valenzuela and Arturo Valenzuela, "Modernization and Dependency：Alternative Perspectives in the Study of Latin American Underdevelopment," *Comparative Politics* 10 (July 1978)：535-557.

(4) この点に関する研究は次の論文に詳しい。"*El Segundo Decenio de las Naciones Unidas Para el Desarrollo : Aspectos Basicos del la Estrategia del Desarrollo de America Latina*" (Lima, Peru：ECLA, April 14-23, 1969). Prebisch の活動は Osvaldo Sunkel や Celso Furtado のような経済学者に受け継がれ、北アメリカでは André Gunder Frank によって広められた。Osvaldo Sunkel, "Big Business and

'Dependencia,' " *Foreign Affairs* 50 (April 1972) : 517-531; Celso Furtado, *Economic Development of Latin America : A Survey from Colonial Times to the Cuban Revolution* (Cambridge : Cambridge University Press, 1970); André Gunder Frank, *Latin America : Underdevelopment or Revolution* (New York : Monthly Review Press, 1969). また、Theotonio Dos Santos, もその流れをくんでいる。"The Structure of Dependency," *American Economic Review* 40 (May 1980) : 231-236.

(5) Walt W. Rostow, *Theorists of Economic Growth from David Hume to the Present* (New York : Oxford University Press, 1990,) pp. 403-407. Prebisch の説明を参照。

(6) Valenzuela and Valenzuela, "Modernization and Dependency," p.544. に引用された Osvaldo Sunkel と Pedro Paz の論。

(7) この点はもともと19世紀ドイツの発展に関して Thorstein Veblen が指摘したものである。Thorstein Veblen, *Imperial Germany and the Industrial Revolution* (New York : Viking Press, 1942). また、Alexander Gerschenkron, *Economic Backwardness in Historical Perspective* (Cambridge, Mass. : Harvard University Press, 1962), p. 8.

(8) 最近の従属理論家の中にはラテンアメリカにおいて製造業が発展している現実に着目して、西側の多国籍企業と結びついた小規模で孤立した「現代的」部門と、それによって発展の可能性が阻害されている伝統的部門とを区別する者もいる。Tony Smith, "The Underdevelopment of Development Literature : The Case of Dependency Theory," *World Politics* 31, no. 2 (July 1979) : 247-285, and idem, "Requiem or New Agenda for Third World Studies?" *World Politics* 37 (July 1985) : 532-561; Peter Evans, *Dependent Development : The Alliance of Multinational, State, and Local Capital in Brazil* (Princeton, N. J. : Princeton University Press, 1979); Fernando H. Cardoso and Enzo Faletto, *Dependency and Development in Latin America* (Berkeley : University of California Press, 1979), and Cardoso, "Dependent Capitalist Development in Latin America," *New Left Review* 74 (July-August 1972) : 83-95.

(9) すべての従属理論家がそうだというわけではない。たとえば Fernando Cardoso はこう認めている。「企業家は他の社会成員と同じく『民主的自由主義』に魅力を感じてきたように思える」し、「大規模な工業化社会の形成から生じる構造的要因が存在するように思える。この要因が、国家よりも市民社会をはるかに高く評価するような社会モデルの探求をもたらしているのである」。"Entrepreneurs and the Transition Process : The Brazilian Case," in O'Donnell and Schmitter, *Transitions from Authoritarian Rule : Latin America*, p. 140.

(10) アメリカでは従属理論に立つ見解がみずからを経験主義的な社会科学だと主張する近代化理論への広範な攻撃の基礎となった。ある批評家の言葉を借りれば、「アメリカの社会科学者たちが採用している支配的な諸理論は決して、その提唱者が主張し

ているほど普遍的妥当性をもってはいない。これらの理論はラテンアメリカに対する合衆国の一部権益についてだけ当てはまるものであり、より正確に規定するならば、科学的知識の確固とした基礎というより、一つのイデオロギーの表現にすぎないのである」。先進国における政治的ないし経済的自由主義は歴史発展の終末点であるという考えに対して、それは「文化的帝国主義」の一形態であり「アメリカ的な、より広くいえば西洋的な文化的選択を他の社会に押しつけるものである」との批判もある。Susanne J. Bodenheimer, "The Ideology of Developmentalism : American Political Science's Paradigm-Surrogate for Latin American Studies," *Berkeley Journal of Sociology* 15 (1970) : 95-137; Dean C. Tipps, "Modernization Theory and the Comparative Study of Society : A Critical Perspective," *Comparative Studies of Society and History* 15 (March 1973) : 199-226. 小規模産業が成長を遂げてきたことに関して、従属理論はきわめて偏向した歴史解釈をおこなっている。たとえば、16世紀の世界はすでに「中心部」と搾取される「周縁部」とに分割された資本主義的「世界体系」であったというのである。その代表は Immanuel Wallerstein の著作である。たとえば、*The Modern World System*, 3 volumes, (New York : Academic Press, 1974 and 1980). Wallerstein の歴史資料の読み方を多少は同情的立場から批評したものとして、Theda Skocpol, "Wallerstein's World Capitalist System : A Theoretical and Historical Critique," *American Journal of Sociology* 82 (March 1977) : 1075-1090; and Aristide Zolberg, "Origins of the Modern World System : A Missing Link," *World Politics* 33 (January 1981) : 253-281.

(11) この議論は Lucian Pye, *Asian Power and Politics*, p. 4. でおこなわれている。

(12) *Ibid.*, p. 5.

(13) *Ibid.*

(14) この数字は "Taiwan and Korea : Two Paths to Prosperity" *Economist* 316, no. 7663 (July 14, 1990) : 19-22.

(15) 学歴のある広範な中産階級の成長を計る手段として新聞の定期購読者数がある。ヘーゲルによれば、定期購読という行為は、歴史の終点に達した中産階級社会にとっては日々の祈りにとって代わるものである。台湾と韓国の定期購読者数は現在ではアメリカなみの高水準にある。Pye, "Political Science and the Crisis of Authoritarianism," p. 9.

(16) *Ibid.* 1980年代初頭までに台湾は発展途上国中で「ジニ係数」(所得分配の平等性を計測する方法)が最も低率となった。Gary S. Fields, "Employment, Income Distribution and Economic Growth in Seven Small Open Economies," *Economic Journal* 94 (March 1984) : 74-83.

(17) アジアの事例を引き合いに出しながら従属理論を擁護する他の試みとしては、Peter Evans, "Class, State, and Dependence in East Asia : Lessons for Latin Americanists," and Bruce Cumings, "The Origins and Development of the Northeast Asian Political

Economy：Industrial Sectors, Product Cycles, and Political Consequences," この二つの論文はともに、Frederic C. Deyo, ed., *The Political Economy of the New Asian Industrialism* (Ithaca, N.Y.：Cornell University Press, 1989), pp. 45-83, 203-226. に所収。

(18) 日本の成功した産業部門における競争的性格については、Michael Porter, *The Competitive Advantage of Nations* (New York：Free Press, 1990), pp. 117-122.

(19) この議論をおこなっているのは、Lawrence Harrison, *Underdevelopment Is a State of Mind : The Latin American Case* (New York：Madison Books, 1985) である。

(20) Werner Baer, *The Brazilian Economy : Growth and Development*, third edition (New York：Praeger, 1989), pp. 238-239.

(21) この数字の出典は、Werner Baer, "Import Substitution and Industrialization in Latin America：Experiences and Interpretations," *Latin American Research Review* 7, no. 1 (Spring 1972)：95-122. に引用してある Baranson の研究。ヨーロッパやアジアにおけるかつての後進諸国は未成熟産業を保護していたが、こうした保護がこれら諸国の初期の経済成長の源泉となったかどうかははっきりしない。いずれにしても輸入代替はラテンアメリカのあちらこちらに見られ、しかも新産業の保護という名目で正当化された時期のあともずっと続いてきたのである。

(22) この点については、Albert O. Hirschman, "The Turn to Authoritarianism in Latin America and the Search for Its Economic Determinants," in David Collier, ed., *The New Authoritarianism in Latin America* (Princeton, N.J.：Princeton University Press, 1979), p.85. を参照。

(23) ブラジルにおける公共部門については、Baer, *The Brazilian Economy*, pp. 238-273.

(24) Hernando de Soto, *The Other Path*：*The Invisible Revolution in the Third World* (New York：Harper and Row, 1989), p. 134.

(25) *Ibid.*, p. xiv. の序文。

(26) 引用は Hirschman, "The Turn to Authoritarianism in Latin America and the Search for Its Economic Determinants," p. 65.

(27) *New York Times*, (July 8, 1990), pp. A1, D3. Sylvia Nasar, "Third World Embracing Reforms to Encourage Economic Growth" を参照。

6　民主主義の弱点・権威主義の美点

(1) Nietzsche, *The Portable Nietzsche* (New York：Viking, 1954), p. 231.

(2) Seymour Martin Lipset, "Some Social Requisites of Democracy：Economic Development and Political Legitimacy," *American Political Science Review* 53 (1959)：69-105. また、Lipset, *Political Man : Where, How, and Why Democracy*

Works in the Modern World (New York：Doubleday, 1960), pp. 45-76. の "Economic Development and Democracy" という章も参照。また Phillips Cutright, "National Political Development：Its Measurements and Social Correlate," *American Sociology Review* 28 (1963)：253-264. Deane E. Neubauer, "Some Conditions of Democracy," *American Political Science Review* 61 (1967)：1002-1009. を参照。

(3) R. Hudson and J. R. Lewis, "Capital Accumulation：The Industrialization of Southern Europe?" in Allan Williams, ed., *Southern Europe Transformed* (London：Harper and Row, 1984), p. 182. また、Linz, "Europe's Southern Frontier：Evolving Trends toward What?," p. 176. この数値はＥＣの設立当時の加盟国であった６カ国よりも高い成長率を示しているし、またＥＣが最初に加盟国を拡大したのちの９カ国の同時期にくらべても高い。

(4) John F. Coverdale, *The Political Transformation of Spain after Franco* (New York：Praeger, 1979), p. 3.

(5) Linz, "Europe's Southern Frontier：Evolving Trends toward What?," p. 176.

(6) Coverdale, *The Political Transformation of Spain after Franco*, p. 1.

(7) "Taiwan and Korea：Two Paths to Prosperity", *Economist* 316：7663 (July 14, 1990), p. 19.

(8) Pye, "Political Science and the Crisis of Authoritarianism," p. 8.

(9) ある資料によるとこの時期におけるアフリカーナーの五分の一は「貧困白人《プア・ホワイト》」つまり「原因が道徳的であるか経済的であるか物理的であるかを問わず、他人の助けを借りなければ自分の生活を支える正当な手段を得ることができない程度まで依存的になってしまった人間」に分類されている。Davenport, *South Africa*, p. 319.

(10) 1936年にはアフリカーナーの41パーセントが農業生活をしていた。1977年までにこの数字は８パーセントに低下する一方、27パーセントがブルーカラーになり、65パーセントがホワイトカラーとして管理職や専門職に就いている。この数字の出典は、Hermann Giliomee and Laurence Schlemmer, *From Apartheid to Nation-Building* (Johannesburg：Oxford University Press, 1990), p. 120.

(11) 1960年代初頭 Peter Wiles は、ソビエトがイデオロギーではなく能力を基準として技術エリートを養成しはじめたと指摘し、それによってこうしたエリートは最終的にソビエト経済体制の他の側面の不合理さを理解するようになるであろうと述べている。Peter Wiles, *The Political Economy of Communism* (Cambridge, Mass.：Harvard University Press, 1962), p. 329. Moshe Lewin は都市化と教育をペレストロイカの背景として重視している。Moshe Lewin, *The Gorbachev Phenomenon：A Historical Interpretation* (Berkeley, Calif.：University of California Press, 1987).

(12) 第一部で述べたように、ボツワナとナミビアをふくむいくつかのアフリカ諸国では1980年代に民主化がおこなわれ、さらに多くの国が1990年代に選挙を実施する。

(13) Parsons, “Evolutionary Universals in Society,” pp. 355-356.

(14) 機能性についての議論の一種として、市場の正しい動きを保証するにはリベラルな民主主義が不可欠だというものがある。つまり、権威主義体制が市場経済を管理する場合、たんに市場の成り行きにまかせるというだけではめったに満足できず、経済成長や経済的公正や国家権力の増大といった種々の政治的目的のために国家の権威を利用したいという誘惑にたえずさらされる。政策的フィードバックを与えたり賢明でない政府の政策に抵抗したりすることによって経済への不当な国家介入を阻止できるのは、政治的「市場」が存在する場合のみであろう。Mario Vargas Llosa の、この議論は de Soto, *The Other Path : The Invisible Revolution in the Third World*, pp. xviii-xix. に紹介されている。

(15) ソビエトでは1960年代から70年代にかけてこうした事態が起きた。共産党が上から経済発展の道すじを支配する存在としての役割を果たすよりも、異なった経済部門間や省庁や企業の利害を調整する機関としての役割を強めたためである。共産党はイデオロギー的理由から農業は集団化せよとか、公社は中央の計画にしたがって経営せよとか命令できるかもしれない。しかし、イデオロギーは、たとえば投資資源を求めての化学産業の二つの部門の争いの解決のためのガイダンスはほとんど与えてくれない。こうした組織間の利害対立について一種の調停者としての役割をソビエトの党国家組織が果たしたといっても、それがソビエトにおける民主主義の存在を意味するものではない。むしろそれは、社会のある領域において共産党が確固とした「支配」を築いていなかったことを意味するのである。

(16) 環境破壊の責めを資本主義に負わせる議論としては、Marshall Goldman, *The Spoils of Progress : Environmental Pollution in the Soviet Union* (Cambridge, Mass. : MIT Press, 1972). ソ連や東欧の環境問題については、Joan Debardleben, *The Environment and Marxism-Leninism : The Soviet and East German Experiences* (Boulder, Colo. : Westview, 1985); and B. Komarov, *The Destruction of Nature in the USSR* (London : M.E. Sharpe, 1980). を参照。

(17) *Washington Post* (March 30, 1990), p. A1. に掲載された “Eastern Europe Faces Vast Environmental Blight” を参照。*Christian Science Monitor* (June 21, 1990), p. 5. に掲載された “Czechoslovakia Tackles the Environment, Government Says a Third of the Country is 'Ecologically Devastated,' ” を参照。

(18) この点についての一般論としては、Field, ed., *Social Consequences of Modernization in Communist Societies* に所収されている Richard Lowenthal, “The Ruling Party in a Mature Society,” p. 107. を参照。

(19) この見解は *Transitions from Authoritarian Rule* に寄稿している O'Donnell, Schmitter, Przeworski の分析のなかに多々ふくまれている。

(20) けれどもこのような説の大部分は、教育によっていかに人々が民主主義的になって

人々の統合が促進されるかを論じているのであって、なぜ教育が人々を民主主義に向かわせるのかという理由を説明するものではない。たとえば、Bryce, *Modern Democracies*, vol. I, pp. 70-79. を参照。

(21) もちろん先進国においても、高卒の不動産業者以下の収入しか得ていない博士号保持者がいるけれども、一般的にいえば収入と教育との間には高度の相関関係がある。

(22) この議論が展開されているのは、David Apter, *The Politics of Modernization* (Chicago : University of Chicago Press, 1965).

(23) この議論は Huntington, *Political Order in Changing Societies*, pp. 134-137. でおこなわれている。アメリカ人が「生まれながらにして平等である」ことの社会的影響については、Louis Hartz, *The Liberal Tradition in America* (New York : Harcourt Brace, 1955).

(24) こうした一般論に対する例外として、アメリカ南西部でスペイン語系住民が大量に増加していることが挙げられる。これらの人々は人口規模でも英語に対する同化能力が相対的に低いことでも、それ以前の民族集団と異なっている。

(25) 類似した状況はソ連でも存在する。しかし、ソ連では封建時代から残存した旧社会階級の代わりに、党官僚やノーメンクラツーラと呼ばれる巨大な特権と権威を保持する管理階層からなる「新しい階級」がある。ラテンアメリカの大土地所有者《ラティフィンディア》のように、こうした階級は伝統的権威を利用して自分たちの思いどおりに選挙プロセスを左右する。この階級は資本主義や民主主義の登場に対する頑強な社会的障害であり、それを倒さなければ資本主義や民主主義の成立はあり得ない。

(26) もちろん独裁制そのものは平等主義的な社会改革の実施のためには不十分である。フェルディナンド・マルコスは国家権力を自分のプライベートな友人たちに恩賞を与えるために利用したが、この結果、既存の社会的不平等は悪化したのである。けれども、経済的効率に専心する近代化途上の独裁体制であれば理論的にいって民主主義体制より短期間にフィリピン社会を徹底的に変革することが可能であったはずである。

(27) Cynthia McClintock, "Peru : Precarious Regimes, Authoritarian and Democratic," in Larry Diamond, Juan Linz, and Seymour Martin Lipset, *Democracy in Developing Countries*, vol. 4, *Latin America* (Boulder, Colo. : Lynne Rienner, 1988), pp. 353-358.

(28) この理由としては、既存の寡頭支配階級から取り上げたものの多くが非能率な国家部門に委ねられたことも挙げられる。軍部が権力の座にあったとき、国家部門の比率はＧＤＰの 13 パーセントから 23 パーセントに増加している。

(29) *Literaturnaya Gazeta* (August 16, 1989) に掲載された Andranik Migranian と Igor Klyamkin とのインタビュー記事から引用。同記事は Détente (November 1989) に翻訳されている。また、"The Long Road to the European Home," *Novy Mir*, no. 7 (July 1989) : 166-184.

(30) 同様の指摘は Daniel H. Levine が O'Donnell と Schmitter の *Transitions from*

Authoritarian Rule に対する批判としておこなっている。民主主義の正統性それ自体を誰も信じていないとすれば、どのような形にせよ民主主義が出現するとは考えにくいし、ましてそれが強固になり安定するなどとは到底信じがたい。"Paradigm Lost：Dependence to Democracy," *World Politics* 40, no. 3 (April 1988)：377-394.

(31) 初期の工業化を促進するには権威主義体制のほうが優れていることを包括的に論じたものとしては、Gerschenkron, *Economic Backwardness in Historical Perspective* がある。絶対主義と日本の1868年以降の経済成長との関係については、Koji Taira, "Japan's Modern Economic Growth：Capitalist Development under Absolutism," in Harry Wray and Hilary Conroy, ed., *Japan Examined : Perspectives on Modern Japanese History* (Honolulu：University of Hawaii Press, 1983), pp. 34-41.

(32) この数字は、Samuel P. Huntington and Jorge I. Dominguez, "Political Development," in Fred I. Greenstein and Nelson Polsby, eds., *Handbook of Political Science*, vol. 3 (Reading, Mass.：Addison-Wesley, 1975), p. 61. による。

7　近代をのし歩いた「悪魔」

(1) シリアもイラクも自国がある面で社会主義だと主張しているが、それは両国の統治の実態というより、これらの政権が権力を掌握した時点での国際的流行を反映しているのである。これらの諸国では国家の支配権が制限されているので、それを「全体主義」と分類することに反対する人も多いだろう。むしろ「失敗した」あるいは「不完全な」全体主義と呼んだほうがより正確かもしれない。しかしそれでは、これらの国家の残虐性は正しく表現されないが。

(2) 共産主義がマルクスの予言と異なって、ドイツのような巨大な工業プロレタリアートの存在する先進国ではなく、まず最初に半工業化・半西洋化したロシアで、続いて圧倒的に農民と農業の国であった中国で勝利を収めたことについては広く指摘されてきた。共産主義者がこうした現実をどのように把握しようとしてきたかについては、Stuart Schram and Hélène Carrère-d'Encausse, *Marxism and Asia* (London：Allen Lane, 1969).

(3) Rostow, *The Stages of Economic Growth*, pp. 162-163.

(4) この点は *The New Republic* (March 19, 1990)：30-33. に掲載された Zygmunt Bauman, *Modernity and Holocaust* に対する Tzvetan Todorov の書評を参照。Todorov は、ナチス・ドイツを近代化の見本とすることはできないと正しく指摘している。むしろナチスは近代の要素と反近代の要素を両方持ち合わせており、ホロコーストが可能であった理由を説明する際にはこの反近代の要素がかなり重要になってくるというのである。

(5) たとえば古典的著作として、Ralf Dahrendorf, *Society and Democracy in Germany*

(Garden City, N.Y.：Doubleday, 1969). と Fritz Stern, *The Politics of Cultural Despair* (Berkeley：University of California Press, 1961). を参照。後者は、有機的な前工業時代へのノスタルジアや、経済的近代化の特徴である人間の細分化および疎外という広範な不幸のなかに、ナチスの本質を見ている。ホメイニ体制下のイランも同様に説明できるだろう。イランは第二次世界大戦後きわめて急速な経済発展を経験したが、この結果、伝統的な社会関係や文化的規範は完全に破壊された。シーア派の原理主義はファシズム同様、これまでとは抜本的に異なる新しい手段を通じてある種の前工業社会を復活させようというノスタルジックな努力と見ることができる。

(6) Revel, "But We Follow the Worse...," pp. 99-103.

8 「自由の王国」のなかで

(1) *Capital*, vol. 3 (New York：International Publishers, 1967), p. 820.

(2) 二つの例外はイスラム原理主義と、本書第四部で再び扱うことになるアジアの市場志向型の権威主義国家である。

(3) 歴史主義の観点からいえば、ある「反論」が他の反論より価値があると主張することはできない。ことに、優れた経済的競争力のゆえに存続している社会が、軍事力のゆえに存続する社会よりも「正統性」があるなどという根拠はどこにもない。

(4) この点についての議論と、世界史を対話になぞらえるやり方は、コジェーブによっておこなわれている。Leo Strauss, *On Tyranny* (Ithaca, N. Y.：Cornell University Press, 1963), pp. 178-179.

(5) この点に関しては、Steven B. Smith, *Hegel's Critique of Liberalism：Rights in Context* (Chicago：University of Chicago Press, 1989), p. 225. を参照。

(6) 母系制社会が地中海地域にかつて存在し、ある時期に父系制社会によって圧倒されたことはこれまでも論じられてきた。たとえば、Maija Gimbutas, *Language of the Goddess* (New York：Harper and Row, 1989) を参照。

(7) こうしたアプローチにももちろん固有の問題が存在する。何よりもまず、人間に対する超歴史的理解とは何をもとにしているのかという点である。われわれが宗教的啓示を導き手とすることを拒否するなら、その基準はある種の哲学的考察に求めざるを得ない。ソクラテスは他者を観察し他者との対話をおこなうことによってこうした考察をおこなった。ソクラテス以後に生まれたわれわれは、人間本性の可能性についてもっとも深い理解を示したかつての偉大な思想家とのあいだで同様の対話をおこなうことができる。また、ルソーや無数の著述家、芸術家がおこなってきたように、人間を衝き動かす真の原因は何かを理解するため自分自身の魂を深く観察する方法もある。現在では数学の領域や、さほどではないものの自然科学の領域でも個人的省察によって、真理の本質についての相互合意が、デカルトのいう「明白ではっきりした観

念」の形で生み出され得る。解答困難な偏微分方程式を解くために市場に行こうと考える者はあるまい。解答を得るには数学者のもとに行くだろうし、その解答は他の数学者によって是認されるだろう。けれども人間的な物事の領域では、人間の本性や正義や人間的満足、そしてそこから引き出される最良の政治体制についての「明白ではっきりした観念」も一般的合意も存在しないのである。一人ひとりの個人は自分がこうした問題について「明白ではっきりした観念」をもっていると信じるかもしれないが、変わり者や狂人も同じことをするのであって、両者の区別の基準は常にはっきりしているわけではない。個々の哲学者が彼の支持者集団に対して自分の見解の「明白性」を示して説得すれば、それは当の哲学者が変わり者でないことの保証になるのかもしれない。けれどもそれは、支持者集団がある種の選民的偏見に取りつかれることを防ぎはしないのである。Strauss, *On Tyranny*, pp. 164-165. 所収のコジェーブ "Tyranny and Wisdom" 参照。

(8) 1948年8月22日のコジェーブ宛て書簡において Strauss は、コジェーブのヘーゲル的体系内部においてさえも自然哲学が依然として「不可欠」であることを指摘している。彼はこう質問している。「歴史発展の独自性を……（中略）……これ以外の方法で説明できるのでしょうか。無限の時間において有限の期間しか存在しない唯一の『地球』が存在する場合にのみ歴史過程は必然的に独自性をもつのです。……（中略）……また、この一つの暫定的で有限な地球はなぜ、歴史的過程の全面的あるいは部分的反復によって（一億年ごとに）破滅していないのでしょうか。自然を目的論的に把握することによってのみ、こうした問題は解決できるのです」。引用は Leo Strauss, *On Tyranny*, revised and expanded edition, Victor Gourevitch and Michael S. Roth, eds., (New York：Free Press, 1991), p. 237. また、Michael S. Roth, *Knowing and History* (Ithaca, N.Y.：Cornell University Press, 1988), pp. 126-127.

(9) Kant, *On History*, pp. 13-17. カントは自然を、人間の外部に立つ意志をもった動因であると述べた。しかしながらわれわれはこれを、万人に潜在的に存在しながらも人間の社会的・歴史的相互作用のなかでのみ実現する人間的自然の一面を示すメタファーと理解してよい。

〈第三部　歴史を前進させるエネルギー〉

1　はじめに「死を賭けた戦い」ありき

(1) Hegel, *The Phenomenology of Mind*, trans. J. B. Baillie (New York：Harper and Row, 1967), p.233.

(2) Kojève, *Introduction à la lecture de Hegel*, p. 14.

(3) 現実のヘーゲルへのコジェーブのかかわりという問題に関しては、Michael S. Roth, "A Problem of Recognition：Alexandre Kojève and the End of History," *History and*

Theory 24, no. 3 (1985) : 293-306; and Patrick Riley, "Introduction to the Reading of Alexandre Kojève," *Political Theory* 9, no. 1 (1981), pp. 5-48.

(4) 承認を求める闘争を中心にしたコジェーブのヘーゲル解釈に関しては、Michael S. Roth, *Knowing and History*, pp. 98-99; and Smith, *Hegel's Critique of Liberalism*, pp. 116-117. 参照。

(5) この点については *ibid.*, p. 115. また、Steven Smith, "Hegel's Critique of Liberalism," *American Political Science Review* 80, no. 1 (March 1986) : 121-139. 参照。

(6) David Riesman, は、*The Lonely Crowd* (New Haven : Yale University Press, 1950). のなかで、彼が目にした戦後アメリカ社会にはびこる体制順応主義《コンフォーミズム》を「他人指向」という言葉で呼び、19 世紀アメリカの「内部指向」と比較している。ヘーゲルにとっては、人間はほんとうの意味で「内部指向」にはなり得ない。人は、他人と相互に作用し合い他人から承認されなくては人間になることさえできないのである。リースマンが「内部指向」という言葉で表現したものは、現実には潜在的な「他人指向」の一つの形であろう。たとえば熱心に宗教を信仰する人々の明確な自己充足感は、一度は取り除かれた「他人指向」にもとづいている。なぜなら、宗教的規範や信仰の対象を創造したのは人間自身だからである。

(7) Nietzsche, *On the Genealogy of Morals*, 2 : 16, (New York : Vintage Books, 1967), p. 86.

(8) 決闘の背後にある人間的な動機を今日では理解していないことの一例として、John Mueller, *Retreat from Doomsday : The Obsolescence of Major War* (New York : Basic Books, 1989), pp. 9-11.

(9) Thomas Hobbes, *Leviathan* (Indianapolis : Bobbs-Merill, 1958), P. 170.

(10) この表現は『社会契約論』からのもので、そこでルソーは「欲望の唯一の推進力は奴隷の身分である」と述べている。*Oeuvres Complètes*, vol. 3 (Paris : Gallimard, 1964) p. 365. ルソー自身は、「自由」という言葉をホッブズ的な意味とヘーゲル的な意味の双方に用いている。ルソーは、『人間不平等起原論』のなかで、自然状態における人間は食物、女性、休息といった自分の本能的要求に自由に従う、という。その一方、右に引用した一節は、「形而上学的」な自由のためには情念や要求からの解放を必要とすることを意味している。人間の完全性に関するルソーの解釈は、歴史のプロセスを自由な人間の自己創造と見なしたヘーゲルの理解と酷似している。

(11) より正確にいうと、ルソーは『社会契約論』初版で「人間を構成しているもののうち、肉体に対する魂の働きかけは哲学の深淵である」と述べている。*Oeuvres Complètes*, vol. 3, p. 296.

2 近代史に登場した「最初の人間」

(1) Hobbes, *Leviathan*, p. 106.

(2) ホッブズのいう自然状態と対照的に、血なまぐさい戦いはある意味で現実の歴史的瞬間（もっと正確には歴史の出発点）における物事の状態の一つの性格づけを意図していた。

(3) *Ibid.*, p. 106. 傍点は筆者。

(4) Thomas Hobbes, *De Cive*, Preface 100-101. また Melzer, *The Natural Goodness of Man*, p. 121.

(5) 1936年11月2日の Leo Strauss 宛てコジェーブ書簡はこうしめくくられている。「ホッブズは労働の価値を正しく評価できず、この結果、闘争（「虚栄心」）の価値を過小評価することになりました。ヘーゲルによれば、労働する奴隷は第一に自由の理念を、第二には闘争によってこの理念が現実化することを認識しています。かくして、人間はそもそも常に主君か奴隷なのです。歴史の終わりに登場する完全な人間は主君であり、かつまた奴隷でもあるのです（そのどちらとも言えますし、どちらとも言えないのです）。こうした状態が訪れたときにのみ、人間の虚栄心は満足させられるのです」。Leo Strauss, *On Tyranny*, revised and expanded edition, p. 233.

(6) ホッブズとヘーゲルの比較は、Leo Strauss, *The Political Philosophy of Hobbes* (Chicago：University of Chicago Press, 1952), pp. 57-58. でおこなわれている。注のなかで Strauss は「M・アレクサンドル・コジェーブと筆者はヘーゲルとホッブズの関係を詳細に検討するつもりである」と言っているが、この仕事は残念ながら完成されなかった。

(7) ホッブズによれば、「人間が自分自身の力や才能について想像するときに生じる喜びは、得意と呼ばれる精神の高揚である。それがもしも彼自身の以前の経験にもとづく場合には自信と同じであるが、それが他人のお世辞にもとづいていたり、その成り行きを想像して勝手に有頂天になっているだけの場合には、虚栄心と呼ばれる。このような呼び名は実にぴったりである。なぜなら根拠のしっかりした自信は試みを生むが、たんに自分が力があると思い込んでいるだけでは行動は生まれない。よってまさに虚栄心と呼ばれるのは当然である」Hobbes, *Leviathan* , p. 57.

(8) Leo Strauss, *Natural Right and History* (Chicago：University of Chicago Press, 1953), pp. 187-188.

(9) ホッブズは、キリスト教にもとづかない普遍的な人間平等の原理を主張した最初の哲学者の一人であった。というのも、彼によると人間は互いに殺し合う能力においては根本的に平等であって、たとえ肉体的弱者であっても、一計を案じたり他の人間と徒党を組むことによって、相手を打ち負かすことができる。したがって、近代の自由主義国家と自由な人間の権利の普遍性は、そもそも暴力による死の恐怖のもつ普遍性の

上に構築されたのである。

(10) Strauss の指摘によると、ホッブズはもともとは貴族的な美徳を讃えており、倫理の根本要素としてこうした貴族としての誇りの代わりに暴力的な死の恐怖をおいたのは、生涯の後半になってからのことであった。Strauss, *The Political Philosophy of Hobbes*, chap. 4.

(11) 傍点は原文。この問題に関しては、*ibid.*, p. 13.

(12) 暗黙の了解という概念は見た目ほど奇異ではない。たとえば、伝統ある安定したリベラルな民主主義社会の市民は選挙によって指導者選出をおこなうことはあっても、通常その国の基本的な制度的取り決めを是認するよう求められることはない。それではこれら市民がそれを是認しているかどうか、いかにしてわかるのだろうか。それは、市民が自分たちの自由意志でその国に残り、既存の政治プロセスに参加する(少なくとも反対はしない)という事実から明らかとなるのである。

(13) ロックは、ホッブズの自己保存の権利にもう一つの基本的人権、すなわち所有権をつけ加えている。所有権は自己保存の権利から派生したものである。生きる権利をもっている者なら、食料、衣類、馬、土地などといった生きる手段に対する権利をもっている。市民社会の確立は、人間が互いの殺し合いに誇りを感じるような事態を防ぐだけでなく、人々に、自然状態で所有している自然な所有物を保護し、平和裡に所有物を増やすことを許すのである。

自然の所有物が因襲的な所有物、つまり財産所有者たちのあいだで結ばれた社会契約によって認められた財産へと転化すれば、人間の生活には抜本的変化が生じる。なぜならロックによれば、市民社会以前には人間の獲得能力は、自己の消費を目的として自分自身の労働を通じて蓄積できるものにかぎられており、しかもそれは腐敗しないものだけであった。市民社会は人間の獲得能力をこうした制約から解放するための前提条件なのである。つまり、市民社会が成立すれば、人間は必要とするものだけではなく、欲するものならば何であれ無限に蓄えることができるのである。ロックによればあらゆる価値(ここでは、あらゆる「経済的価値」と呼んでもよい)の起源は人間の労働であり、自然に存在する「ほとんど価値のない物質」も労働によって価値を増すのである。富の蓄積が他者を犠牲にしかねない自然状態とは異なり、市民社会ではかぎりない富の追求が可能であり、また許されるが、それは労働の未曾有の生産性があらゆる領域の豊かさをもたらすためだ。すなわち市民社会が「けんか腰の争い好きな人々」に反対して、「勤勉で合理的な人々」の利益を守ってくれるならば、無限に富を追求することが可能となり許されるのである。Locke, *Second Treatise of Government* (Indianapolis : Bobbs-Merrill, 1952), pp. 16-30; Abram N. Shulsky, "The Concept of Property in the History of Political Economy," in James Nichols and Colin Wright, eds., *From Political Economy to Economics* …… and Back? (San Francisco : Institute for Contemporary Studies Press, 1990), pp. 15-34; and Strauss,

Natural Right and History, pp. 235-246.

(14)古典的共和主義とアメリカ建国について扱った文献の概説および批判として、Thomas Pangle, *The Spirit of Modern Republicanism* (Chicago : University of Chicago Press, 1988), pp. 28-39.

(15)優れたアメリカの研究家のなかには、ロックがしばしば考えられている以上に誇りと活気の考察にかなり多くのエネルギーを費やしたことを指摘する者も多い。ロックが、傲慢かつ攻撃的な人間の抱く誇りを打ちのめそうと試み、彼らを合理的な自己利益に従わせようとしたことについては疑問の余地がない。けれども Nathan Tarcov の *Some Thoughts Concerning Education* によれば、ロックは人々に自由を誇りとし奴隷の身分を軽蔑するようにうながしているという。つまり、生命と自由はそれ自体が目的なのであって、財産を保護する手段というより潜在的には自己の生命までも犠牲にする価値がそれ自身にあるのだ。したがって、自由な国に住む自由な人間の愛国心は快適な自己保存の欲望と共存できるし、こうした共存関係は実際、合衆国においては歴史的に達成されてきたように思われる。

マジソンやハミルトンの場合がそうであったように、ロックが承認を強調したという側面がしばしば見逃されてきたことははっきりしている。とはいえ私には、ロックが誇りか自己保存かという大きな倫理的二者択一の際には自己保存の側に確固として立ちつづけるように思える。ロックの教育論に関する著作を慎重に検討した結果、誇りを重視するロック像が明らかになったとしても、そのことによって、『市民政府二論』において自己保存を第一義においたロックの立場がぐらつくかどうかはわからない。Nathan Tarcov, *Locke's Education for Liberty* (Chicago : University of Chicago Press, 1984). とくに同書の pp. 5-8, 209-211. を参照。Tarcov, "The Spirit of Liberty and Early American Foreign Policy," in Catherine H. Zuckert, *Understanding the Political Spirit : Philosophical Investigations from Socrates to Nietszche* (New Haven, Conn. : Yale University Press, 1988), pp. 136-148. また、Pangle, *The Spirit of Modern Republicanism*, pp. 194, 227; and Harvey C. Mansfield, *Taming the Prince : The Ambivalence of Modern Executive Power* (New York : Free Press, 1989), pp. 204-211. を参照。

(16)資本主義が潜在的に家族生活と対立するものであることについては、Schumpeter, *Capitalism, Socialism, and Democracy*, pp. 157-160. で述べられている。

3　共産主義がつきつけたファウスト的「交換条件」

(1)『国家』、386c. また、ホメロス『オデュッセイア』、XI, 489-491.

(2) 西洋の哲学的伝統では「気概」や承認をめぐる現象が大きな影響を与えてきたにもかかわらず、それについての体系的な研究はきわめて少ない。その体系的研究の一

つの試みとしては、Zuckert, ed., *Understanding the Political Spirit*：Philosophical Investigations from Socrates to Nietzsche（New Haven, Conn：Yale University Press, 1988）. また、Allan Bloom によるプラトンの『国家』の訳注にある気概についての議論も参照。*Republic*（New York：Basic Books, 1968）, pp. 355-357, 375-379.

(3)「気概」はまた「気魄」とか「覇気」と訳すことも可能であろう。

(4) プラトンにおける「気概」の役割に関するさらに詳細な論議は、Catherine H. Zuckert, "On the Role of Spiritedness in Politics," and Mary P. Nicholas, "Spiritedness and Philosophy in Plato's *Republic*," in Zuckert, *Understanding the Political Spirit*.

(5) 魂の三分説に関する議論は、『国家』、435c-441c に見られる。「気概」に関する議論は、同書第2巻中の 375a-375e にはじまる。また、同書の 411a-411e, 441e, 442e, 456a, 465a, 467e, 536c, 547e, 548c, 550b, 553c-553d, 572a, 580d, 581a, 586c-586d, 590b, 606d 参照。人間本性を多面的に規定しようというこうした試みはプラトン以来の長大な歴史をもつが、この問題がはじめて真剣に論じられたのはルソーによってであった。Melzer, *The Natural Goodness of Man*, pp. 65-68;69.

(6)『国家』、439e-440a.

(7) ホッブズが「気概」や誇りを相対的に低く評価したことは、怒りについての彼のきわめて不十分な定義からも明らかだ。彼は怒りを「突如とした勇気」と定義する一方、勇気とは「嫌悪の情に、抵抗によってその害を払いのけられるとの希望が伴ったもの」であり、逆に恐怖とは「嫌悪の情に、対象から害を受けるという考えが伴ったもの」としている。こうしたホッブズの主張に対しては、勇気は怒りに起因するもので怒り自体は希望や恐怖のメカニズムとは関係のないまったく独立した情念だという意見もあろう。

(8) 自分自身に対する怒りは恥と同じものであり、レオンティウスの話は恥を感じた事例としても説明できる。

(9)『国家』、440c-440d.

(10) Havel et al., *The Power of the Powerless*（London：Hutchinson, 1985）, pp. 27-28.

(11) *Ibid.* p. 38.

(12) 尊厳と屈辱については『力なき権力』のなかだけでなく、大統領就任後はじめてのハベルの年頭演説でもしばしば言及されている。「みずからを労働者の国家であると呼ぶ国家は、労働者たちに屈辱を与えるものである。……（中略）……傲慢かつ耐えがたいイデオロギーで武装されたこれまでの体制は、人間を生産力へ、自然を生産の道具へと貶めてしまった。……（中略）……黙従し、屈辱を受け、明らかにもはやなにも信じることができなくなっていた懐疑的なチェコ国民が突如、わずか数週間のあいだに強大な力を発揮して申し分のない平和な方法で全体主義体制を廃絶したことに、世界じゅうの人々は驚嘆したのである」。傍点は筆者。引用は *Foreign Broadcast Information Service* FBIS-EEU-90-001, 2（January 1990）, pp. 9-10.

(13)アメリカ訛りで話す有名なソ連のテレビ・ジャーナリスト、Vladimir Posner は自己弁解的な自伝のなかで、ブレジネフのもとでソ連のジャーナリズムのトップにのし上がった際の自分自身の道徳的な選択を正当化しようとしている。彼はどの程度の妥協を迫られたかを説明するうえで読者に対し（そしておそらく自分自身に対しても）誠実ではない。そして、ソビエト体制の邪悪な性格を前にしてそのような選択をしたことを誰が責められようかと強弁している。道徳的堕落をこうした決まり文句で容認する態度自体、ハベルがポスト全体主義的な共産主義の必然的帰結と見なした気概に満ちた生活の堕落のあらわれなのだ。Vladimir Posner, *Parting with Illusions* (New York：Atlantic Monthly Press, 1989).